GUIDE QUÉBÉCOIS DES FINANCES PERSONNELLES

UNE ÉDITION DU CLUB QUÉBEC LOISIRS INC.
© Avec l'autorisation des Éditions du Trécarré
© 1999, Éditions du Trécarré
Dépôt légal — Bibliothèque nationale du Québec, 1999
ISBN 2-89430-411-0
(publié précédemment sous ISBN 2-89249-882-1)

Imprimé au Canada

Table des matières

À Michèle
À nos trois filles : Anne-Solène, Julie, Marie

Merci

André Cajolais, Fédération des caisses populaires de Montréal et de l'ouest-du-Québec

Antonin Fortin, Chambre des notaires du Québec

Bianca Dupuis, Banque Laurentienne du Canada

Bibliothèque des HEC

Danielle St-Denis, Banque Laurentienne du Canada

Gaétan Deschênes, journaliste

Henri-Paul Rousseau, Banque Laurentienne du Canada

Janelle Allard-McKinnon, Institut des fonds d'investissements du Canada

Jean-Paul Metza, Bureau d'assurance du Canada (BAC)

Marie-Kim Brisson, Association canadienne des compagnies d'assurances de personnes inc. (ACCAP)

Noella Deraspe, Bureau d'assurance du Canada (BAC)

Pierre Cyrenne, comptable

Ronald Gill, directeur de la Caisse populaire de la Maison de Radio-Canada

Sabrina Acoca, Bourse de Montréal

Steve Kee, Bourse de Toronto

Véronique Bertrand, Caisse populaire de la Maison de Radio-Canada

Yvon Cyrenne, RCMP

Zoelle Gagné, Assurance-vie Desjardins-Laurentienne (AVDL)

Avant-propos

Pendant des années, j'ai pratiqué un métier passionnant. Le journalisme m'a conduit sur tous les continents pour couvrir des événements heureux et malheureux. Mes dernières années à Radio-Canada m'ont sensiblement rapproché des questions économiques, pour lesquelles je n'avais aucune formation particulière, mais une volonté de comprendre et d'expliquer le plus simplement possible.

Quand on m'a proposé d'écrire un guide des finances personnelles, j'ai été un peu surpris; j'ai réfléchi et j'ai décidé de tenter cette nouvelle expérience que je ne croyais pas aussi exigeante.

De plus en plus de gens se posent des questions sur la planification financière. Je suis loin de penser que ce livre vous donnera toutes les recettes et toutes les réponses à vos questions. Sur les différents sujets que j'ai abordés, j'ai tout simplement voulu fournir au lecteur des informations de base qui lui permettront de se faire une meilleure idée de ce qu'il cherche; et surtout d'avoir le goût d'aller vers des spécialistes afin de prendre des décisions éclairées. Car s'il y a un domaine où l'improvisation peut être catastrophique, c'est bien celui de la planification financière. Des spécialistes sont là pour vous conseiller, vous guider et vous éviter des erreurs lamentables. Consultez-les. Votre objectif n'est pas de tout savoir. Mais sachez au moins à quelle porte frapper pour trouver la personne-ressource qui vous donnera l'éclairage et les conseils requis.

André Bédard

Chapitre 1
Se prendre en main

Il faut se poser des questions...

Savez-vous que 50 % des Canadiens sont dans une situation financière précaire quand ils prennent leur retraite ? Que faites-vous pour vous assurer que vous ne ferez pas partie de ceux-là ? Qu'avez-vous comme dettes ? Sont-elles structurées de façon adéquate ? Comment prévoyez-vous payer les études de vos enfants ?

Êtes-vous sûr d'avoir choisi la bonne période d'amortissement pour votre hypothèque ? Le bon terme ? Qu'arrivera-t-il de ceux qui vous survivront, si vous décédez subitement ? Avez-vous fait un testament ?

Certains vous diront que la planification financière, c'est quelque chose d'enfantin. Soit. C'est vrai que tout cela est une question de bon sens, car nous partageons tous les mêmes ambitions : avoir une jolie maison, une belle voiture, prendre des vacances annuelles, assurer l'instruction de nos enfants et profiter d'une retraite anticipée. Ce sont là des ambitions que vous pourrez réaliser dans la mesure où vous commencerez jeune à épargner et à placer votre argent. Si vous attendez de gagner le gros lot à la loterie, vous risquez de passer l'arme à gauche sans avoir veillé au grain. Au fond, votre meilleur allié, c'est le temps. Plus vous commencez jeune à épargner et à faire des placements, et mieux vous assurez vos vieux jours... Il ne s'agit pas ici de vous transformer en banquier, en courtier en valeurs mobilières ou en conseiller spécialisé. Pas du tout. Il s'agit simplement d'apprendre à planifier un mode de vie et à gérer à votre avantage des situations de base. C'est tout. Ce qui détermine la réussite, c'est la bonne gestion des revenus et des actifs. Tout cela à partir d'une règle d'or : **ne pas emprunter et investir.**

Il est très important de prendre en main ses finances personnelles. Votre avenir en dépend. C'est facile de comprendre pourquoi. C'est la seule et unique façon d'avoir l'assurance de réaliser vos

projets et d'atteindre vos objectifs de retraite. Comment atteindre la sécurité financière autrement ? C'est aussi le seul moyen qui vous permettra d'utiliser vos ressources le plus efficacement possible et de jouir d'une marge de manœuvre dans le cas où vous perdriez votre emploi ou seriez dans l'obligation de prendre une retraite prématurée. Et si vous ne faites pas le nécessaire, comment pourrez-vous prévenir l'érosion de votre capital contre les ravages de l'inflation, par exemple ?

Même si aujourd'hui l'inflation est faible, il ne faut pas pour autant en conclure que ce sera le cas pendant les 50 ou 60 prochaines années. La projection financière de la retraite s'étend jusqu'aux limites de l'espérance de vie. Si un individu a 30 ans aujourd'hui, il lui reste près de 50 ans à vivre. Depuis 40 ans, l'inflation a été en moyenne de 4,5 % au Canada. Les économistes sont optimistes et estiment que le taux d'inflation sera modeste dans l'avenir. Présumons que nous aurons un taux d'inflation de 5 % d'ici une dizaine d'années. Cela constitue un minimum acceptable.

Par ailleurs, à la retraite, les besoins financiers de chacun peuvent croître à une vitesse différente de l'indice des prix à la consommation. Il peut arriver qu'à ce moment les besoins diminuent en raison de l'âge, mais rien ne le garantit. Alors, voyons ce qui sera nécessaire comme revenu annuel pour contrer une inflation de 5 % par an.

Revenu et inflation

Revenu annuel actuel	Revenu nécessaire pour égaler une inflation de 5 % par année dans				
	10 ANS	15 ANS	20 ANS	25 ANS	30 ANS
20 000 $	32 578 $	41 759 $	53 066 $	67 727 $	86 439 $
30 000 $	48 867 $	62 368 $	79 599 $	101 591 $	129 658 $
40 000 $	65 156 $	83 157 $	106 132 $	135 454 $	172 878 $
50 000 $	81 445 $	103 946 $	132 665 $	169 318 $	216 097 $
60 000 $	97 734 $	124 736 $	159 198 $	203 181 $	259 317 $
70 000 $	114 023 $	145 525 $	185 731 $	237 045 $	302 536 $

Revenu de retraite et inflation

Année	Âge de retraite	Revenu indexé à 2 %	Revenu nécessaire pour égaler l'inflation	Écart	Revenu en $ d'aujourd'hui
2000	60	33 122 $	38 288 $	5 166 $	25 952 $
2005	65	36 570 $	48 867 $	12 297 $	22 451 $
2010	70	40 376 $	62 368 $	21 992 $	19 421 $
2015	75	44 578 $	79 599 $	35 021 $	16 801 $
2020	80	49 218 $	101 590 $	52 372 $	14 534 $
2025	85	54 341 $	129 658 $	75 317 $	12 573 $
2030	90	59 997 $	165 480 $	105 483 $	10 877 $
2035	95	66 241 $	211 200 $	144 959 $	9 409 $
2040	100	73 136 $	269 550 $	196 414 $	8 139 $

De plus, comment pensez-vous que vous pourrez faire face aux risques inhérents au vieillissement, à la maladie et à l'invalidité ? À quoi le système de santé publique ressemblera-t-il dans 40 ans ? Vous êtes déjà à même de constater que l'État-providence est derrière nous. Et les statistiques sont inquiétantes en ce qui regarde le pourcentage de la population active qui prendra la relève. Un taux de natalité aussi bas que le nôtre laisse présager qu'il n'y aura pas beaucoup de jeunes pour assurer cette relève. Qui va payer des impôts pour alimenter l'État ? Les gouvernements sont tellement endettés qu'ils n'ont plus de marge de manœuvre. Conséquemment, ils se délestent progressivement de leurs responsabilités. Alors, comment allez-vous vous prémunir face à un retrait progressif de l'État dans les domaines de la santé et des revenus de pension, par exemple ? Vous voyez combien il est important de prendre en main ses finances personnelles. N'attendez pas qu'il soit trop tard, mais ne tombez pas pour autant dans le rêve fou en imaginant qu'en vous fiant à la pensée magique et en prenant des risques vous réussirez à coup sûr. Non.

Dans le domaine des finances personnelles, la notion de risque est relativement élastique, voire assez large. On peut la définir en disant qu'elle se situe entre la possibilité de perdre son capital et celle de perdre son pouvoir d'achat. Ainsi, celui qui veut tout protéger et ne rien perdre a toujours la possibilité d'enfouir ses avoirs dans un bas de laine et de cacher ce dernier sous son matelas. Au fil des ans, ce ne serait pas une solution très payante. Par ailleurs, miser sur la loterie, c'est investir dans le rêve. Bien sûr, c'est vrai que vous pourriez devenir multimillionnaire en quelques secondes, mais vous savez pertinemment que vous seriez alors l'exception qui confirme la règle. La règle veut que dans ce type de « placement », 99,99999999999999 % des investisseurs perdent leur capital. Vous avez à peu près une chance sur 14 millions de gagner le gros lot de la 6/49 ; alors, bonne chance ! Entre ces deux extrêmes, il y a tout un espace où se retrouvent les différents véhicules de placements qui produisent des intérêts, des gains en capital ou des dividendes. Si vous choisissez un véhicule de placement qui ne génère que des intérêts, il est certain que vous ne perdrez pas votre capital, mais votre pouvoir d'achat en prendra pour son rhume puisque les intérêts sont imposés à 100 %. Et malheureusement, nous ne sommes plus à l'époque où les taux d'intérêt étaient très élevés, allant jusqu'à 20 %. C'est déjà loin derrière nous, tout ça. Force est d'admettre que, même à cette époque, le contribuable n'en profitait pas nécessairement beaucoup, surtout si ce contribuable était dans la catégorie de la population taxée à 50 %, alors que l'inflation oscillait autour de 10 % ou 12 %. Dans certains cas, il arrivait même que le rendement soit négatif... Donc, si vous choisissez un véhicule de placement qui vous permet de faire des gains de capital et de retirer des dividendes, vous augmentez réellement vos chances de conserver votre pouvoir d'achat. Comme une bonne nouvelle n'arrive jamais seule, cette fois, c'est le risque de perdre votre capital qui se pointe et qui constitue la menace. Vous n'aurez pas le choix, vous devrez naviguer entre ces deux extrêmes.

On ne le répétera jamais assez, en matière de finances personnelles, il n'existe pas de recette magique ni de guide infaillible. Ce n'est pas nécessairement ce qu'on pourrait appeler une science exacte. Mais si on agit sagement, il y a moyen de bien faire. À condition, bien sûr, d'y aller selon des objectifs réalistes, en tenant compte de sa situation financière, de sa situation familiale et de son âge. Et en tenant compte également des conseils et des suggestions des spécialistes qui vous indiqueront les étapes à suivre et les balises à respecter. Dans la vie financière de tous et chacun d'entre nous, les étapes sont les mêmes. D'abord, il y a l'étape de l'accumulation ; ensuite, celle de l'investissement et de la spéculation ; et enfin, celle de la retraite. Vous verrez que ces étapes correspondent à des moments précis de notre vie pour ce qui est des responsabilités.

À la fin de vos études, vous entrez dans l'étape de l'accumulation. C'est au cours de cette étape que vous commencez à accumuler des sous pour rembourser vos dettes d'études, pour vous installer en appartement, pour acheter vos meubles et pour faire l'acquisition d'une voiture. C'est aussi le moment de votre vie où vous commencez à épargner systématiquement en vue de vous constituer une mise de fonds pour l'achat d'une maison. Rendu à l'étape de l'investissement, vous aurez probablement déjà remboursé une bonne partie de l'hypothèque sur la maison, si ce n'est déjà fait en entier, et vous vous serez déjà constitué un certain capital. C'est à ce moment que vous songerez à diversifier vos épargnes et à faire des placements. Selon le degré de risque que vous serez prêt à assumer, vous achèterez des bons du Trésor, vous irez en bourse pour acheter des actions de grandes compagnies, ou encore vous investirez dans des fonds communs de placement. Lorsque vous atteindrez l'étape de la spéculation, vous n'aurez plus ou presque plus d'obligations familiales et vous disposerez probablement de revenus annuels qui devraient être supérieurs à la moyenne, soit autour de 50 000 $. Ce sera alors le moment de prendre un peu plus de risques financiers tout en protégeant ce que vous avez déjà acquis. Mais attention de ne prendre que des risques calculés... Au cours de cette phase, on commence à s'aventurer dans des véhicules de placement un peu plus sophistiqués : par exemple dans les métaux précieux, dans le cinéma ou dans les sociétés en commandite. Sachez bien que la spéculation n'est pas un passage obligé. On l'emprunte si son revenu le permet... et surtout si on s'y sent à l'aise. Ensuite, arrive la dernière étape, qui est celle de la retraite. À partir de ce moment-là, ce n'est plus le temps de faire des expériences ; c'est plutôt le moment de préserver son capital et de faire en sorte que ses revenus soient indexés selon l'évolution de l'indice des prix à la consommation pour justement ne pas voir diminuer son pouvoir d'achat. C'est le moment de profiter des revenus accumulés au fil des ans.

Endettement

Le principe de base et celui qui est le plus rentable est le suivant : avant de songer à investir, il faut payer ses dettes. Nous sommes passés d'une des sociétés les moins endettées à une société où il est presque mal vu de payer sa voiture comptant... ce qui est assez terrifiant. Les changements importants dans la stabilité des emplois et la fragilité de l'État-providence nous obligent à revoir en profondeur nos habitudes de consommation. Il faut donc absolument éliminer l'endettement, un problème sérieux qui constitue un frein à l'autonomie financière. L'hypothèque de la maison en fait partie. Dans le chapitre consacré à l'achat d'une maison, vous verrez qu'en cours de terme il est possible de doubler les versements et aussi d'appliquer un pourcentage (jusqu'à 15 %) en réduction du capital emprunté. Au moment du renouvellement, il faut appliquer un montant pour diminuer le capital, modifier la période d'amortissement, changer le mode de versement et augmenter le montant des versements. Pour ce qui est de vos emprunts personnels, il faut les rembourser à même vos liquidités existantes. Si les taux d'intérêt diminuent, il serait sage de refinancer le prêt et d'augmenter le montant des mensualités. D'abord et avant tout, il faut rembourser vos cartes de crédit à même vos liquidités existantes, refinancer à taux moindre, faire diminuer la limite autorisée et même envisager carrément de vous en départir si vous vous découvrez une certaine compulsion vis-à-vis de la facilité d'acheter, de consommer, et surtout de vivre avec l'illusion que ça ne coûte rien jusqu'à ce qu'on ait atteint le plafond qui nous met en demeure de régler nos dettes. Régler ses dettes est sans doute le plus beau placement que l'on puisse réaliser.

Chapitre 2
Cartes de crédit et cartes de débit bancaires

Introduction

Au Canada, plus de 600 institutions émettent au-delà de 32 millions de ces petits rectangles de plastique portant les logos des deux plus grands noms de l'industrie des cartes de crédit : Visa et MasterCard, sans compter les cartes émises par les chaînes commerciales et les compagnies pétrolières. Cela équivaut à plus d'une carte par citoyen canadien. En plus de Visa et de MasterCard, les consommateurs ont le choix entre de nombreuses autres cartes de crédit, dont celles émises par Eaton, Petro-Canada, Canadian Tire, La Baie et American Express... Principal avantage de la carte de crédit : son détenteur ne verse pas d'intérêts s'il paie en entier le solde de son compte à l'échéance. Diner's Club et American Express offrent également des cartes de paiement. Celles-ci exigent de leurs détenteurs qu'ils acquittent le solde de leur carte dès réception de leur relevé de compte.

Pas étonnant que les transactions dépassent les 85 milliards de dollars par année dans plus d'un demi-million d'établissements. Le plus fort volume de toutes ces transactions est administré par 14 grandes institutions financières (dont 8 banques, 2 sociétés de fiducie et 2 centrales de caisses populaires). Cela vous donne une idée de l'ampleur du marché que cela représente... Faites l'expérience : ouvrez votre portefeuille et comptez le nombre de cartes de crédit que vous avez en votre possession. Vous serez peut-être étonné...

En soi, l'utilisation de la carte de crédit n'est pas une mauvaise chose. C'est vrai que son détenteur ne verse pas d'intérêts s'il paie en entier le solde de son compte dès l'échéance. Mais on ne vous apprendra rien en vous disant qu'il est très facile de s'endetter avec ses cartes de crédit. Vous avez sûrement vu des gens de votre famille, des amis ou des collègues de travail perdre le contrôle de

leurs finances à cause d'un usage excessif de leurs cartes de crédit. La carte de crédit est devenue la Formule 1 de l'endettement, non seulement par la vitesse à laquelle les transactions sont faites, mais aussi par le raffinement de la « machine ». Il est très tentant de ne rembourser que le montant minimum requis chaque mois et d'utiliser l'argent qu'il nous reste à d'autres fins. Pour votre sécurité financière, vous devriez essayer de considérer vos achats par carte de crédit comme des achats en argent comptant. Remboursez le solde chaque mois pour éviter de payer des intérêts. Au moins un détenteur de carte de crédit sur deux ne réussit pas à payer la totalité de son solde avant la date d'échéance et doit payer des frais d'intérêt élevés, une triste réalité extrêmement payante pour les émetteurs de cartes de crédit. Vous comprenez pourquoi ils multiplient les efforts pour essayer de vous convaincre d'utiliser leurs cartes.

Une sortie en règle

Les journaux montréalais ont publié en 1998 une sortie en règle d'un économiste bien connu de la région de Montréal qui en a secoué plus d'un...

Dans un reportage d'abord publié dans le quotidien *The Gazette* et repris dans les journaux francophones, l'économiste et membre du Groupe Secor part d'une lettre écrite à son ami Paul Martin, ministre fédéral des Finances, pour relater son expérience. Dans un premier temps, il rappelle avoir payé à la date prévue la totalité des 13 840,19 $ dus sur l'état de compte de sa carte Visa Or de juillet 1998, sauf 1 $. Sur l'état de compte du mois suivant, il s'est vu débiter un intérêt de 211,61 $ sur ce 1 $, ce qui équivalait à un taux d'intérêt de... 253 932 %.

Marcel Côté venait d'apprendre comment fonctionne le système : dans le cas d'un solde impayé, l'intérêt s'applique sur la totalité des achats antérieurs. Même si M. Côté avait remboursé les 13 839,19 $ dans les délais prescrits, le taux d'intérêt fut appliqué sur la totalité des achats facturés, soit 13 840,19 $ et non sur le montant de 1 $ qu'il avait omis de payer. Ce qu'on savait déjà, c'est qu'en cas de solde impayé l'intérêt est appliqué de façon rétroactive à partir de la journée d'inscription de la transaction au compte de la carte de crédit. L'utilisateur qui ne rembourse qu'une partie de son solde doit donc payer des intérêts calculés sur la totalité des transactions portées à son compte, quel que soit le montant remboursé. L'institution émettrice a rappelé à M. Côté que ce n'était pas 1 $, mais bien plus de 13 000 $ qu'il avait empruntés pendant plusieurs semaines. Voilà le pot aux roses. C'est légal, car c'est écrit dans le contrat. Plusieurs se demandent si cela est justifié ou justifiable. Le métier de banquier est-il si risqué ? Ce qui est certain, c'est que cette histoire fait réfléchir. Les banques ont raison quand elles affirment qu'il ne convient pas de comparer les taux d'intérêt des cartes de crédit à ceux exigés sur les prêts sans d'abord tenir compte d'un certain nombre de facteurs. Une carte de crédit est un produit spécial comportant de multiples volets et avantages. Les banques prétendent que les cartes de crédit constituent un produit d'administration coûteuse. En raison du grand nombre de transactions qu'effectue le détenteur, le coût lié à l'administration des services de carte de crédit est supérieur au coût de gestion d'un prêt à la consommation, selon elles. Et comme les clients n'ont pas à fournir de garanties à l'égard des sommes portées à leur compte, conséquemment l'établissement des taux d'intérêt repose sur le montant en dollars des soldes que les banques estiment ne pas pouvoir recouvrer. Selon la date d'inscription de l'achat et la date d'échéance du paiement, les détenteurs d'une carte de crédit ont jusqu'à 51 jours pour effectuer leur paiement avant que l'intérêt ne commence à courir. Les 50 % de détenteurs qui paient la totalité de leur solde chaque mois ont donc un accès gratuit au crédit. Cette médaille a un envers. À cause des retardataires (50 %), les banques ont des revenus d'intérêt. On a estimé ces revenus d'intérêt lié aux cartes de crédit non remboursées avant échéance à environ deux milliards de dollars au cours des dernières années pour les seuls émetteurs de cartes Visa et MasterCard. Il semblerait, selon l'Association des banquiers du Canada, que les détenteurs de cartes de crédit soient toutefois de plus en plus nombreux à rembourser le solde de leur carte chaque mois, ou tout au moins une plus grande partie de celui-ci. Les revenus issus de cette source sont donc en baisse comparativement aux années précédentes. Le risque de défaut (c'est-à-dire celui de l'utilisateur en difficulté financière qui pousse sa carte à la limite et s'engage ensuite dans des procédures de faillite) couru par les institutions bancaires justifie-t-il des taux d'intérêt oscillant entre 17 % et 18 % ? N'oublions pas que ces dernières sont à même d'évaluer ce risque au moment d'émettre une carte et de fixer la limite de crédit.

Une solution

Vous éviterez tous ces imbroglios si vous payez le solde de votre carte dans les délais prévus, c'est-à-dire avant l'échéance du relevé mensuel. Si vous êtes dans la catégorie des gens qui laissent traîner un solde de carte crédit, choisissez une carte avec frais mensuels. Vous profiterez d'un taux d'intérêt oscillant entre 9 % et 12 %, mais par contre cela ne vous évitera pas de payer des frais annuels. Vous trouvez que les banques ont la dent longue? Les grands magasins et les compagnies pétrolières vous chargeront, eux, 28 % d'intérêt si vous ne réussissez pas à rembourser la totalité de votre solde à la fin du mois. Depuis leur sommet en octobre 1990, les taux d'intérêt moyens sur les cartes de crédit des 6 plus grandes banques ont reculé de 3,4 %. Tous les relevés de compte envoyés aux clients donnent des renseignements sur les taux d'intérêt. Les détenteurs peuvent obtenir des brochures sur d'autres questions telles que le calcul des frais d'intérêt, les mesures de sécurité à prendre et l'utilisation judicieuse des cartes de crédit. Les banques font figure de chefs de file dans l'évolution de la carte à faible taux depuis le lancement de ce produit en 1992. Le taux moyen des cartes à faible taux offertes par les 6 plus grandes banques du Canada s'établissait à 9,97 % au 30 avril 1999. C'est pourquoi l'option à faible taux est avantageuse pour les détenteurs de cartes de crédit qui n'ont pas l'habitude de payer la totalité de leur solde chaque mois. Les banques ont largement publicisé les cartes à faible taux par divers moyens, dont les journaux, les promotions en succursale et dans les centres commerciaux, des encarts joints aux relevés de compte et le publipostage. En outre, les six grandes banques canadiennes offrent un service téléphonique sans frais par le biais duquel les consommateurs peuvent obtenir plus d'information sur les options à faible taux.

La marge de taux d'intérêt sur une carte de crédit représente l'écart entre le taux d'escompte et le taux d'intérêt moyen exigé sur la carte de crédit. Certains pensent à tort que les taux d'intérêt sur les cartes de crédit évoluent de concert avec le taux d'escompte. Ce n'est pas nécessairement le cas. Les deux taux peuvent parfois sembler synchronisés, car l'économie influe largement sur les deux. Les émetteurs de cartes de crédit établissent leurs taux d'intérêt en fonction d'un certain nombre de facteurs : le loyer de l'argent, les pertes liées à la fraude et au défaut de paiement, les frais encourus et le volume des soldes impayés.

Les facteurs qui influent sur les taux des cartes de crédit sont d'abord les pertes liées aux cartes de crédit, qui ont augmenté en raison des activités des groupes criminels organisés spécialisés dans les cartes de crédit. En 1998 seulement, ces pertes ont totalisé 147 millions de dollars. Les faillites, qui sont dorénavant mieux acceptées dans la société et par le fait même moins traumatisantes pour ceux qui la vivent, constituent également un facteur important.

À cela s'ajoute aussi la baisse des revenus d'intérêt provenant des détenteurs de cartes de crédit qui seraient de plus en plus nombreux à rembourser le solde de leur carte chaque mois, comparativement aux années précédentes.

Cartes sans frais

Les cartes de crédit suivantes n'exigent aucuns frais annuels ou de transaction, c'est-à-dire que vous pouvez vous en servir sans qu'il vous en coûte, tant que vous continuez à rembourser le total de votre facture avant la date d'échéance.

MasterCard	Visa	American Express
Banque de Montréal régulière	CIBC régulière	
Banque de Montréal de base	Desjardins régulière	
CS CO-OP	Banque Laurentienne	
Banque Nationale régulière	Banque Royale régulière	
Trust National régulière	Banque TD régulière	
Niagara Credit Union		
Canadian Tire		

Il se peut que vous soyez sollicités, surtout par voie de marketing direct, par des émetteurs de cartes de crédit ayant leur siège social aux États-Unis. Ces compagnies proposent parfois des cartes dites « d'affinité » avec des organismes à caractère éducationnel ou environnemental. Habituellement, ces nouveaux joueurs sur le marché canadien proposent un taux d'intérêt réduit (entre 7 % et 9 %) pour les six premiers mois, après quoi le taux devient comparable à celui des émetteurs canadiens de Visa et de MasterCard. La tendance la plus marquée appartient à ces derniers, qui se sont lancés dans l'émission des cartes à taux réduit, avec des frais annuels variant entre 12 $ et 30 $). Les experts d'Industrie Canada sont d'avis qu'une carte de ce genre pourrait vous faire réaliser des économies, si vous ne pouvez pas régler votre solde à la fin du mois. Par contre, si vous réglez votre solde à la fin du mois, ou si vous le maintenez à un faible niveau, optez plutôt pour une carte sans frais annuels. Les experts d'Industrie Canada ont installé un outil de calcul très intéressant sur leur site Internet. Il suffit d'aller sur le HTTP://strategis.ic.gc.ca et de suivre les indications. Elles vous permettront de calculer avec quelle carte vos habitudes de consommation vous feront encourir le déboursé le moins élevé de frais et d'intérêt. Vous trouverez sur ce site beaucoup d'information sur le crédit, sur les frais bancaires. On vous y fera des suggestions comme celle d'examiner attentivement les offres de carte de crédit qui vous sont adressées. Il est crucial de bien lire tout le contrat avant de le signer. Il convient entre autres de porter une attention particulière à tous les renseignements sur les coûts, y compris les frais imposés pour les paiements en retard, le dépassement de la limite de crédit ou les avances de fonds. On y insiste aussi sur l'importance de lire minutieusement les dispositions du contrat relatives à l'utilisation des renseignements personnels. Enfin, dans le cas des cartes d'affinité, on suggère fortement de vérifier quelle proportion du montant de chaque achat va à l'organisme parrainant la carte. Vous pourriez découvrir des choses intéressantes. Sait-on jamais...

Quelques réflexions...

- Si un consommateur n'a pas signifié par écrit sa volonté d'obtenir une carte de crédit, il est interdit pas la loi de lui en acheminer une.
- Même règle pour une deuxième carte de crédit.
- Une institution prêteuse n'a pas de recours contre vous pour un montant dépassant la limite de crédit convenue.
- Dès réception de votre carte, apposez votre signature au verso de cette dernière.
- Dressez une liste de toutes vos cartes ainsi que de leurs numéros.
- Ne divulguez pas votre numéro d'identification personnel (NIP).
- Après avoir réglé un achat par carte, assurez-vous que celle que l'on vous remet est bien la vôtre.
- Ne laissez jamais vos cartes de crédit dans votre voiture.
- Signalez immédiatement la perte ou le vol d'une carte de crédit.
- Vérifiez bien vos relevés mensuels.
- Ne révélez jamais votre numéro de carte de crédit au téléphone, à moins que vous ne traitiez avec une entreprise connue ou n'ayez établi vous-même la communication.
- En cas de perte ou de vol, votre responsabilité se limite à 50 $ et seulement pour les montants portés à votre compte avant que vous en avisiez l'émetteur de la carte. Cet avis doit être fait dans les plus brefs délais, par téléphone ou tout autre moyen à votre disposition.
- Sachez que le plus grand nombre de vols de cartes de crédit surviennent sur les lieux de travail.

– En voyage, ayez toujours vos cartes de crédit avec vous ou rangez-les dans un endroit sûr.

Carte de débit

Au Canada, la carte de débit est utilisée 32 fois par seconde, et on prévoit que cette fréquence va doubler très vite parce que de plus en plus de consommateurs adoptent ce mode de transaction. Les analystes de l'industrie bancaire attribuent le succès du paiement direct à ses avantages pratiques. Il est devenu très clair que les consommateurs trouvent moins risqué d'utiliser une carte de débit que de transporter de l'argent liquide. L'argent passe ainsi des banques aux commerces plus rapidement que par voie de chèques, et tous les achats sont comptabilisés. Et c'est une meilleure façon de gérer son budget si on est trop tenté de dépenser par le biais d'une carte de crédit. Il est peu probable que les cartes de débit remplacent les cartes de crédit parce que le délai de grâce accordé pour le remboursement et les programmes spéciaux qui s'y greffent attirent encore beaucoup de gens. S'il y a encore des réticences parmi la population âgée, qui continue de payer par chèques, les consommateurs plus jeunes, eux, ne craignent pas la technologie et ont adopté rapidement ce mode de paiement. Son succès est phénoménal: en très peu de temps, le système de paiement Interac, qui permet aux consommateurs de déduire le montant de leurs achats directement de leur compte bancaire, a atteint plus d'un milliard de transactions par année. D'où le nombre de terminaux Interac, qu'on dénombrait à près de 400 000 à la fin de 1998. Et puisque les nouveaux terminaux sont mis en service à un rythme de 5 000 par mois, leur nombre franchira les 500 000 au tournant du millénaire.

Le paiement direct est devenu le mode de paiement préféré des Canadiens pour les achats d'articles de 25 $ à 100 $. Les consommateurs ont encore tendance à utiliser une carte de crédit pour des achats au-delà de 100 $, et à payer comptant la plupart des articles de moins de 25 $. Les transactions effectuées par carte de débit augmentent même aux dépens des chèques. Des statistiques de l'Association des banquiers canadiens révélaient récemment que le nombre de chèques de moins de 50 000 $ avait diminué de 7,4 % parce que les transactions de débit sont automatiques et beaucoup plus commodes que les chèques, notamment pour les détaillants, qui voient ainsi de moins en moins de chèques sans provision, croit-on.

Chapitre 3
Voiture : achat ou location

Un peu d'histoire

V aut-il mieux acheter ou louer une voiture ? Ces deux options ont suscité bien des débats au cours des dernières années. Il s'en est dit des choses, réalistes, farfelues, voire méprisantes, sur la location à long terme, qui a longtemps été un mode de financement presque exclusif aux entrepreneurs et autres gens d'affaires. Avec le temps, beaucoup de consommateurs, qui voulaient absolument conduire une voiture neuve, ne sont pas restés insensibles aux charmes de la location à long terme et se sont laissé conquérir. Ils ont donc troqué l'achat pour la location à long terme avec sa valeur résiduelle garantie et ses mensualités réduites. Pour certains automobilistes, la tranquillité d'esprit et les autres avantages que procure la location à long terme justifient son prix parfois plus élevé que l'achat. La formule permet aussi de conduire un modèle récent de voiture. Si on change fréquemment d'automobile, l'achat peut se révéler coûteux puisqu'une voiture se déprécie d'environ 25 % la première année, de 15 % la deuxième et de 10 % la troisième. Si votre budget est serré, la location peut se révéler un choix judicieux. Par exemple, la location d'un véhicule compact peut représenter une mensualité inférieure de 200 $ par rapport à l'achat. Au fond, à défaut de pouvoir en devenir propriétaire, on loue une voiture comme on loue un appartement. À ceux qui aiment les modèles luxueux, la location permet enfin d'opter pour un modèle de standing supérieur.

Il n'y a pas unanimité

Si vous parlez aux gens de l'APA, ils vous diront qu'en moyenne, à la fin du bail, la location coûte 1 500 $ de plus que l'achat. La différence s'élève même souvent à 2 000 $ selon l'Office de la protection

du consommateur (OPC). Il faut donc se méfier du mirage créé par la faiblesse des mensualités. Même si la location coûte plus cher que l'achat, certains constructeurs automobiles essaient de la rendre de plus en plus avantageuse afin de récompenser la fidélité des locataires, ce qui constitue un argument de vente stratégique pour inciter les clients qui ramènent leur véhicule, en fin de bail, à signer un nouveau contrat de location. Règle générale, selon des scénarios d'utilisation de deux à quatre ans, la location est légèrement moins onéreuse dans le seul cas d'une durée de deux ans. Au contraire, sur 3 ans, l'achat permet d'épargner en moyenne 3 % de la valeur de l'auto dans 80 % des cas. Et à partir de quatre ans, louer coûte les yeux de la tête. Mieux vaut alors se replier sur un plan de financement. Donc, plus le terme est long, plus l'achat devient intéressant.

La location à long terme, qui représente 30 % à 40 % du marché des véhicules neufs, demeure attirante quand on songe que, pour faire l'achat d'un véhicule neuf, il faut consacrer en moyenne une somme qui correspond à près de 30 semaines de salaire (après impôt). C'est pourquoi, grâce à la location, certains véhicules de prestige sont devenus soudainement plus accessibles. Cela explique certaines statistiques voulant qu'en 1991, seulement 17 % des véhicules immatriculés au Canada étaient loués. Aujourd'hui, ce pourcentage s'élève à plus de 50 %. À certains moments – en 1997 par exemple –, les statistiques démontraient que 7 véhicules neufs sur 10 étaient loués. De toutes les provinces canadiennes, c'est au Québec que la location à long terme a connu le plus de succès. Procéder ainsi n'est pas donné pour autant. Un danger vous guette : les coûts élevés d'entretien, de réparations et d'assurances généralement associés à cette catégorie de véhicules.

Voyons tout ce que la location implique

Tous les consommateurs ne sont pas faits pour la location...
Pour savoir si vous êtes un bon candidat pour la location d'une voiture à long terme, répondez d'abord à quelques questions :
- Comptez-vous conserver le véhicule plus de trois ans ?
- Parcourez-vous plus de 24 000 km annuellement ?
- Négligez-vous l'entretien ou les réparations de votre véhicule ?

Si vous avez répondu « oui » à toutes ces questions, vous ne ferez pas bon ménage avec la location à long terme car elle comporte des incontournables avec lesquels vous pourriez difficilement vivre.

Tout d'abord, la *valeur résiduelle* constitue l'épine dorsale de la location à long terme et varie d'un véhicule à l'autre. La seule certitude que vous ayez, c'est qu'elle est garantie quoi qu'il advienne. Plus la valeur résiduelle est faible, moins la location à long terme est intéressante ; et plus la valeur résiduelle est élevée, plus les mensualités sont alléchantes.

Il faut aussi se pencher sérieusement sur l'*option d'achat*. Même si le contrat de location comporte une clause d'achat, celle-ci se révèle rarement avantageuse pour le consommateur. Si votre méthode pour confronter l'achat traditionnel à la location à long terme consiste à comparer la somme totale des mensualités versées, la location en sortira gagnante à coup sûr. Pour être objectif, il faut absolument tenir compte aussi de la valeur résiduelle du véhicule à la fin de l'engagement financier. Donc, s'il s'agit d'une location, il faut additionner la valeur résiduelle (plus les taxes applicables et les frais de financement) aux mensualités déjà versées. Dans le cas d'un achat traditionnel, il faut soustraire la valeur résiduelle du calcul initial. Voilà que tout bascule en faveur de l'achat…

Parlons *kilométrage* maintenant. Généralement, on vous alloue un maximum de 24 000 km/an. Pour chaque kilomètre excédentaire, le locateur exigera un dédommagement. Certains contrats stipulent même que vous acceptez en tout temps d'acquitter au locateur les frais de kilométrage excédentaire plus les taxes qui y sont applicables, et ce même si le bail n'est pas échu. Il suffit que vous fassiez affaire avec un établissement financier vorace pour que le locateur vous réclame le montant qui lui est dû avant la fin du bail. Évidemment, vous êtes libre de dépasser la limite de kilométrage permise, mais chaque kilomètre parcouru compte et vous en paierez le prix. En affaires, les philanthropes sont rares…

Faites très attention si vous êtes négligent côté *entretien et réparations*. Dans un contrat de location à long terme, certaines clauses pénalisent lourdement le locataire paresseux. Il se peut que le locateur se donne le droit d'inspecter à tout moment le véhicule. Il est également en droit d'exiger que les réparations qui s'imposent soient exécutées promptement. Un petit mot sur la clause « usure normale », celle-là même qui inquiète quand vient le temps de rendre le véhicule à la fin du bail. Assurez-vous de lire et de bien comprendre chacun des éléments contenus dans cette clause. Le locateur se doute bien que le véhicule lui sera retourné avec certaines écorchures (mais pas trop) et que les tissus seront moins frais qu'au moment où il vous a cédé le véhicule. Ne lui retournez pas la voiture avec un pare-brise fissuré : vous risqueriez des ennuis.

La très large majorité des consommateurs – on parle de 75 % – négocient le *prix* d'un véhicule avant d'en faire l'achat. Curieusement, quand vient le moment d'en faire la location, les spécialistes admettent que 90 % des consommateurs n'essaient même pas de négocier le prix de la mensualité proposée et signent... À cela s'ajoute une très grande majorité de clients qui louent sans avoir la moindre idée du prix de leur véhicule. Étonnant, n'est-ce pas? Quand il est question de voitures, vous devriez utiliser la même attitude que quand vous voulez faire l'acquisition d'un costume ou d'un tailleur. Ainsi, quand vous entrez dans la salle de montre d'un concessionnaire, n'ayez jamais l'intention ferme de louer et surtout ne montrez absolument aucun signe qui laisserait entrevoir une telle intention. Jouez les indécis et laissez au représentant des ventes le soin de vous présenter les différents scénarios: l'achat ou la location. De cette manière, documents en main, vous serez en mesure de prendre une décision éclairée. Vous serez mieux à même de négocier après.

Pour ce qui est d'établir la *durée du bail*, pourquoi ne pas la calquer sur la garantie de base du constructeur, qui est en moyenne de trois ans. Plus le bail est long, plus les risques de devoir défrayer seul le coût des réparations ou de remplacement (pneus, batterie, freins, système d'échappement) sont grands. Il n'y a pas d'échappatoire: le contrat de location est blindé et stipule en toutes lettres que vous devez assurer en tout temps le bon fonctionnement du véhicule. En d'autres mots, assurez-vous toujours que chaque page du carnet d'entretien du constructeur porte l'estampille d'un concessionnaire autorisé. Enfin, si vous voulez retourner votre véhicule avant l'échéance du contrat de location, prenez soin de vous informer des pénalités qui vous guettent. On ne sort jamais d'une location à long terme sans perdre de nombreux billets de banque, surtout au cours de la première année.

Un petit *rappel amical:* la plaque d'immatriculation, l'essence, l'entretien périodique et les assurances sont à vos frais. Dans le cas des assurances, vous serez obligé de vous conformer aux exigences (franchise, couverture pour ses propres dommages, etc.) prévues au contrat par le locateur. Encore là, cela peut se traduire par une augmentation de 20 % des primes d'assurance. Peu d'assureurs offrent une protection «valeur à neuf» sur une période de plus de deux ans et, en cas de sinistre (vol ou perte totale à la suite d'un accident), c'est vous qui assumez financièrement la différence entre la valeur marchande (montant versé par l'assureur) et la valeur au livre. Pour vous protéger contre cette malheureuse possibilité, la plupart des locateurs proposent des assurances qui compléteront celles offertes par votre assureur, mais ça vous coûtera plus cher.

On ne fait pas non plus ce qu'on veut avec ce que j'appellerai l'équipement optionnel. Vous désirez faire installer un téléphone cellulaire, une autoradio plus sophistiquée, un système d'alarme ou encore enjoliver l'allure de votre véhicule à l'aide de bandes décoratives? Avant d'amorcer les travaux, vous devez demander une *autorisation écrite* au locateur, le seul ayant le pouvoir d'acquiescer à votre demande ou de la rejeter. Sinon, vous devrez payer les frais encourus pour réparer les dommages que ces accessoires auraient pu causer au moment de leur installation. Il est aussi possible qu'une clause de votre contrat traite de la *durée de séjour à l'étranger* et stipule que vous n'utiliserez pas le véhicule à l'extérieur du Québec, par exemple, pendant plus de 30 jours sans consentement préalable et écrit.

À titre d'exemple, comparons les coûts d'achat et de location pour une Maxima GLE et pour une Altima (voir tableaux des pages 20 et 21).

Conclusion

Vous me direz que ce n'est pas du tout évident de maintenir le cap et de ne pas perdre le Nord quand on fait de la prospection pour une auto neuve. Il est vrai que ce n'est pas facile d'obtenir des comparaisons objectives entre la location et l'achat. Les constructeurs automobiles tentent de jouer la transparence. Les baux détaillés qu'ils envoient aux concessionnaires évitent que le consommateur ne se fasse rouler, faute de connaître tous les coûts afférents à la location. Mais fréquemment, le bail n'est remis au client qu'à la toute fin du processus de négociation, quand il ne reste plus qu'à signer... Pas de problème, les concessionnaires vont vous donner l'heure juste quant aux prix, mais ils ont la fâcheuse habitude de faire des omissions. Ils peuvent oublier de vous fournir le montant des taxes sur la valeur résiduelle, de vous donner le taux d'intérêt utilisé pour calculer les mensualités ou encore de vous prévenir du prix pour chaque kilomètre additionnel. Ces petits détails pourraient représenter de grosses sommes... Dans certains cas, on vous dirigera vers la location, même si elle est plus coûteuse que l'achat.

Le vieil adage voulant qu'on ne soit jamais mieux servi que par soi-même s'applique parfaitement dans la recherche d'une voiture neuve, qu'on l'achète ou la loue. Vous ne voulez pas vous faire rouler? Alors, faites vos devoirs et ne comptez pas uniquement sur le représentant des ventes d'un seul concessionnaire. Sachant à l'avance que les renseignements qui vous seront fournis seront souvent incomplets, la solution sera de mener votre propre enquête en demandant à divers concessionnaires toutes les composantes

Maxima GLE

Prix de vente	34 900,00 $
TPS	2 443,00 $
TVQ	2 800,72 $
Prix de vente total	40 143,72 $

Achat

Prix d'achat	40 143,72 $

Emprunt bancaire de 5 ans
   au taux de 8,5 %

60 versements mensuels de 823,61 $		49 416,90 $

c'est-à-dire:
669,06 $ + 157,55 $ = 823,61 $
 capital + intérêts = mensualités

Coût total d'acquisition	**49 416,60 $**

Location

Durée : 36 mois

Rachat du véhicule

Emprunt bancaire de 36 mois
   au taux de 6,8 % pour la location

36 versements mensuels de 637,83 $		22 961,88 $

c'est à-dire:
457,19 $ + 180,64 $ = 637,83 $
 capital + intérêts = mensualités

Valeur résiduelle	20 591,00 $	
Taxes : 1 441,37 $ + 1 652,48 $	3 093,85 $	
	23 684,85 $	

Emprunt bancaire de 24 mois
   au taux de 8,5 % pour racheter le véhicule

24 versements mensuels de 1 076,61 $ =		25 838,64 $

986,87 $ + 89,74 $ = 1 076,61 $
 capital + intérêts = mensualités

Coût total d'acquisition	**48 800,52 $**

Résultat : 616,08 $, en faveur de la location.

Altima

Prix de vente	23 798,00 $
TPS	1 665,86 $
TVQ	1 909,79 $
Prix de vente total	**27 373,65 $**

Achat

Prix d'achat	27 373,65 $

Emprunt bancaire de 5 ans
   au taux de 8,5 %

60 versements mensuels de 561,60 $ 33 696,60 $
   c'est-à-dire :
456,23 $ + 105,38 $ = 823,61 $
 capital + intérêts = mensualités

Coût total d'acquisition	**33 696,60 $**

Location

Durée : 36 mois

Rachat du véhicule

Emprunt bancaire de 36 mois
   au taux de 5,8 % pour la location (taux en vigueur)

36 versements mensuels de 424,02 $ 15 264,72 $
   c'est-à-dire :
319,36 $ + 104,66 $ = 424,02 $
 capital + intérêts = mensualités

Valeur résiduelle	13 802,84 $
TPS	966,20 $
TVQ	1 107,68 $
	15 876,72 $

Emprunt bancaire de 24 mois
   au taux de 8,5 % pour racheter le véhicule

24 versements mensuels de 721,64 $ =   17 319,36 $

661,49 $ + 60,15 $ = 721,64 $
 capital + intérêts = mensualités

Coût total d'acquisition	**32 584,08 $**

Résultat : 1 112,52 $, en faveur de la location.

d'un bail. De cette manière, vous pourrez vous familiariser progressivement et effectuer vos propres calculs comparatifs. C'est vous qui tirerez les conclusions qui s'imposent, pas le représentant. Avant de vous décider, vous aurez comparé combien coûte la location et combien coûte l'achat à crédit pour différents modèles de voitures.

Quand vous aurez arrêté votre choix sur un modèle, n'oubliez pas qu'il pourrait être dans votre intérêt d'attendre quelques semaines afin de dénicher une bonne aubaine. L'automobile est un secteur d'activité économique saisonnier. La patience pourrait vous faire passer d'une situation de marché de vendeur à une situation de marché d'acheteur, c'est-à-dire celui où c'est le concessionnaire qui est demandeur, qui a besoin de vendre ou de louer pour maintenir son chiffre d'affaires. Pourquoi ne pas vous mettre en position de force pour négocier?

Chapitre 4
Achat
d'une propriété

Introduction

C omme la plupart des locataires, vous rêvez d'une propriété bien à vous. Cette maison, vous souhaitez qu'elle soit coquette et entourée d'un grand terrain, sur lequel il y aura peut-être une piscine... Terminé le voisin du dessus qui a le pas lourd... Terminé le voisin du dessous dont la musique vous importune... Vous voulez aussi que cette demeure soit le reflet de votre personnalité. Ce rêve est important, car c'est à partir de ce dernier que vous choisissez d'acheter ou de demeurer locataire.

Avant de chercher une maison, le futur acheteur doit d'abord évaluer ses besoins face à ses désirs. Pour la plupart des gens, l'acquisition d'une maison s'avère le plus important placement de toute leur vie, d'où l'importance d'un bonne réflexion et, au besoin, de demandes de conseils. L'achat d'une maison n'est pas une démarche simple.

Il faut considérer votre budget, votre mode de vie, l'endroit où vous voulez vivre. Vous devez également choisir entre différents types d'habitations de même que différents types de prêts hypothécaires. Plein de questions surgiront, auxquelles vous devrez trouver des réponses adéquates.

Voulez-vous acheter une maison neuve ou déjà existante ? Sera-ce une maison unifamiliale, une copropriété, ou une maison de ville ?

Quels rôles joueront l'agent immobilier, le prêteur, le notaire, le constructeur ?

L'achat d'une première maison est à la fois stimulant et déroutant. Vous vous posez mille et une questions. *A priori*, tout cela semble très compliqué, mais si vous procédez avec discipline et analysez bien chacune des étapes, en acceptant les conseils des spécialistes, il n'y a pas de raison que vous vous trompiez et tout ira

bien. La qualité de la décision que vous prendrez dépend de la qualité de la recherche que vous aurez effectuée.

Acquérir une maison, c'est se bâtir un patrimoine, c'est se forcer à épargner, c'est un bon investissement à long terme. Après 15, 20 ou 25 ans, vous aurez quelque chose qui vous appartient. D'ici là, le fait d'être propriétaire vous assure une relative stabilité du coût mensuel du loyer. Et une fois que l'hypothèque aura été remboursée, le coût du loyer s'en trouvera réduit considérablement. De plus, à l'occasion de la revente, le propriétaire jouit d'une exemption d'impôt sur son gain en capital, ce qui n'est pas négligeable de nos jours…

Selon une étude de la Société canadienne d'hypothèques et de logement, le prix de revente des maisons a augmenté plus rapidement que l'inflation dans 23 des 27 plus grandes villes canadiennes entre 1971 et 1996. Il ne fait pas de doute que l'achat d'une propriété constitue un investissement avantageux.

Bien sûr, l'achat d'une propriété vous oblige à assumer les frais d'entretien et vous engage financièrement à long terme. Puisqu'il s'agit de l'investissement probablement le plus important de votre vie, la clé pour réussir est de bien planifier et de ne rien faire à la légère.

Dès que vous êtes fixé sur le montant que vous pouvez payer, il faut vous en tenir à ce chiffre et orienter vos recherches vers des propriétés qui y correspondent.

N'oubliez pas non plus de penser à vos besoins ultérieurs. Songez-vous à avoir un bébé ou plusieurs? Aurez-vous besoin d'un bureau à la maison? Il faut aussi s'intéresser au voisinage et observer si les maisons du quartier sont en bon état et si la valeur marchande des propriétés varie beaucoup. Les services également sont importants: écoles, commerces, centres récréatifs.

Vous aurez tôt fait de constater que la signature de l'offre d'achat est le point culminant du processus et non sa première étape.

Faire votre budget

Avant de commencer à visiter tous les types de propriétés dans toutes les directions, il est impératif de dresser la liste de vos revenus et de vos dépenses. Vous verrez alors si vous avez vraiment les moyens d'acheter une propriété… Si oui, vous devez déterminer le montant des versements hypothécaires que vous êtes en mesure d'assumer de même que celui que vous devez consacrer à vos autres obligations. Il vous faudra aussi déterminer le montant que vous pourrez verser comme mise de fonds.

Exemple

Hélène et Simon disposent à eux deux d'un revenu brut annuel de 60 000 $. Ont-ils les moyens d'obtenir un prêt hypothécaire de 75 000 $? Voyons cela de plus près.

Leurs engagements financiers mensuels

			(% du revenu brut)
• Frais à l'habitation		864 $	17 %
– capital + intérêts*	564 $		
– taxes	200 $		
– chauffage	100 $		
• Autres engagements		900 $	18 %
– automobiles	600 $		
– cartes de crédit	100 $		
(5 % de limite de 2 000 $)			
– marge de crédit	200 $		
(10 % de limite de 2 000 $)			
TOTAL :		1 764 $	35 %

Comment procéder pour déterminer votre capacité d'emprunt?

Toujours à partir de l'exemple d'Hélène et de Simon (revenu annuel net de 45 600 $), voyons les deux étapes à franchir pour déterminer votre capacité d'emprunt.

Déterminer votre surplus ou déficit budgétaire mensuel.

a) Revenu mensuel net	3 800 $
b) Moins les dépenses du ménage	3 325 $
SURPLUS (a – b)	475 $

Déterminer le montant limite de votre versement hypothécaire.

a) Le surplus (qu'on vient de calculer)	475 $
Plus le coût du loyer actuel	525 $
b) Montant disponible pour logement	1 000 $
Moins les taxes (scolaire + municipales)	(200 $)
Moins le chauffage et l'électricité	(100 $)
VERSEMENT HYPOTHÉCAIRE MAXIMAL	700 $

* Sur 20 ans, terme de 5 ans, taux de 6,7 %. Comme on peut le constater, avec un ratio d'endettement de 35 %, Hélène et Simon respectent la norme de 42 % ou de 2 100 $ par mois.

Mise de fonds

Comme vous ne pouvez emprunter jusqu'à 100 % de la valeur de la propriété, vous devez investir une somme au comptant qu'on appelle *mise de fonds*. La mise de fonds minimale équivaut généralement à 25 % du moindre du coût ou de la valeur marchande de la propriété.

Elle peut aussi être inférieure (10 % ou 5 %) si le prêt est assuré par la Société canadienne d'hypothèques et de logement (SCHL). Cette société est un organisme gouvernemental qui favorise l'accès à la propriété en réduisant le pourcentage de la mise de fonds qui sera exigée par l'institution prêteuse. Dans le cas d'un prêt assuré par la SCHL, vous aurez à payer une prime d'assurance variant entre 0,5 % et 3 % du montant emprunté. Le coût de cette prime pourra être acquitté au moment de l'achat, ou ajouté au montant du prêt.

Pour être admissible à une mise de fonds de 5 %, vous devez satisfaire à deux conditions : ne pas avoir été propriétaire ou copropriétaire au cours des cinq dernières années et le prix de la propriété, incluant le terrain et les taxes de vente nettes, ne doit pas excéder 175 000 $.

En mettre le plus possible dès le départ, c'est payant

Plus votre mise de fonds sera élevée, moins vous emprunterez. Et, par conséquent, vos versements périodiques seront plus bas et vous paierez moins d'intérêt. Prenons l'exemple d'une propriété valant 85 000 $. Une mise de fonds de 25 % ou 21 250 $ ne nécessitera qu'un emprunt hypothécaire de 63 750 $ alors qu'avec une mise de fonds de 5 %, l'emprunt requis sera supérieur à 80 000 $. Les coûts en intérêt seront alors plus élevés et ils vous faudra acquitter une prime d'assurance SCHL équivalant à 2,5 % du montant emprunté.

Cadeau du gouvernement fédéral : le RAP

Le Régime d'accession à la propriété (RAP) met votre REER à contribution. Il fonctionne de la façon suivante. Les acheteurs d'une première maison, y compris ceux qui n'ont pas été propriétaires depuis 5 ans, peuvent emprunter jusqu'à 20 000 $ sur leur REER, par conjoint, somme qu'ils devront rembourser dans les 17 années suivantes.

Toutefois, les fonds doivent avoir séjourné au moins 90 jours dans le REER avant d'être retirés.

Pour obtenir ces liquidités gratuites, profitez de la limite non utilisée de votre REER.

Supposons que vous ayez 3 000 $ de cotisations inutilisées, que vous ayez économisé 3 000 $ pour votre mise de fonds et que vous projetiez d'acheter une maison au cours des prochains mois.

Déposez ces 3 000 $ dans votre REER.

Conservez le dépôt pendant au moins 90 jours, puis retirez-le en vertu du Régime d'accession à la propriété au moment d'acheter votre maison.

Si vous vous situez dans la tranche d'imposition de 40 %, vous obtiendrez un remboursement de 1 200 $, simplement pour avoir placé l'argent de votre mise de fonds dans votre REER pendant 90 jours !

Montant maximal à consacrer à l'achat d'une maison

Il faut se rappeler aussi que, selon les normes reconnues, le montant maximal consacré aux frais à l'habitation (capital, intérêts, taxes et chauffage) ne doit pas dépasser 30 % à 32 % de vos revenus bruts, c'est-à-dire le total des revenus avant impôts et autres déductions.

Par exemple, si votre revenu annuel brut est de 70 000 $, vous pouvez investir un maximum de 22 400 $ par année (ou 1 866 $ par mois) pour les frais à l'habitation.

Vous devez tenir compte aussi de vos autres engagements financiers. Dans ce cas, le remboursement total de vos dettes, soit les frais à l'habitation et les autres engagements, ne devrait pas dépasser 40 % à 42 % de votre revenu brut. Cela représente un maximum de 2 400 $ par mois dans le cas d'un revenu annuel de 70 000 $.

Comment déterminer sa capacité d'emprunt ?

Pour éviter d'être déçu, il faut se poser certaines questions et effectuer certains calculs avant de se lancer dans l'achat d'une propriété...

D'abord, avez-vous les moyens d'acheter une propriété ? C'est la première question à vous poser. Comment savoir ? Comment calculer ?

Voici comment, en général, on calcule le montant maximal à consacrer à l'achat d'une maison.

En vertu des normes généralement appliquées, le montant maximal que vous pouvez consacrer aux frais à l'habitation (capital et intérêts, taxes et chauffage) ne devrait pas dépasser 30 % à 32 % du revenu brut de votre ménage. On appelle revenu « brut » le total des revenus avant impôt et autres déductions. Le revenu « net » est le revenu après impôt et autres déductions.

Si votre revenu brut annuel est de 60 000 $, vous pouvez investir 19 200 $ par année (ou 1 600 $ par mois) pour les frais à l'habitation.

Il vous faut aussi tenir compte de vos autres engagements financiers.

Le remboursement total de vos dettes (frais à l'habitation et autres engagements) ne devrait pas dépasser 40 % à 42 % de votre revenu brut, soit 2 100 $ par mois dans le cas d'un revenu annuel de 60 000 $.

L'opération peut paraître simple, mais elle est essentielle. C'est bien beau de rêver, mais l'achat d'une maison est un projet très concret qui vous engage à long terme. Faites de vos rêves une réalité : évaluez rationnellement vos besoins et votre capacité de payer. Ce n'est pas plus compliqué que ça...

Prêt hypothécaire préautorisé

L'acheteur d'une maison a généralement besoin d'une hypothèque. Trop souvent dans le passé, l'acheteur attendait à la dernière minute pour la négocier. Parfois, il le faisait même après l'achat de sa maison... avec les problèmes que cela pouvait susciter.

Les choses ont changé ! De nos jours, on peut faire la démarche avant d'acheter une maison. Il est même préférable de procéder ainsi. La plupart des institutions financières accordent des prêts hypothécaires préautorisés, parfois même au téléphone et sur Internet.

Cette démarche est sans frais ni obligation. Et avant même de commencer à chercher une maison ou de signer une offre d'achat, elle vous permet de savoir combien vous pouvez payer en fonction de la somme que la banque vous juge en mesure d'emprunter.

Donc, dans un premier temps, vous devriez présenter une demande de prêt hypothécaire préautorisé. De cette façon, lorsque vous aurez déniché votre maison de rêve, vous n'aurez pas à vous soucier de trouver du financement. En vertu d'un prêt hypothécaire préautorisé, le prêteur approuve votre demande de prêt en déterminant le montant maximum et le taux qu'il est disposé à vous consentir. Avec votre prêt hypothécaire préautorisé en poche, vous pouvez négocier l'achat de votre maison en toute confiance et de manière beaucoup plus détendue. D'abord, parce que vous savez exactement combien vous pouvez payer, quels seront vos versements hypothécaires et quel est le taux d'intérêt applicable. De plus, les vendeurs éventuels seront probablement plus réceptifs parce qu'ils sauront que vous êtes un acheteur sérieux. Ne vous étonnez pas si le prêteur exige votre consentement pour vérifier votre cote de solvabilité auprès d'un bureau de crédit. Il ne s'agit pas là d'une insulte, mais d'une procédure normale. Il serait peut-être bon que vous vous informiez vous-même à l'avance de votre cote afin de vous assurer que votre dossier ne contient aucun renseignement erroné.

Un simple coup de fil suffit :

- **Équifax :** 1 800 465-7166
- **Service à la clientèle de Trans Union :** (514) 335-3246

Ainsi, lorsque l'emprunteur et la propriété sont admissibles, l'institution financière garantit le taux d'intérêt pour une période de 60 à 90 jours. Cela peut être très rassurant puisque si les taux grimpent pendant cette période vous conserverez votre taux et s'ils baissent vous bénéficierez d'emblée du taux inférieur.

Agent immobilier

Connaissant le montant qui vous sera consenti grâce à l'hypothèque préautorisée, vous voilà à l'étape d'identifier le type de maison à acquérir. Le moment de faire des visites est arrivé. Vous pouvez décider de tout faire seul et de visiter des propriétés par vous-même ou encore vous pouvez le faire avec l'aide d'un agent immobilier qui vous simplifiera la tâche.

Cette profession a beaucoup évolué. Pendant des années, même si l'acheteur utilisait les services d'un agent immobilier, celui-ci était légalement au service du vendeur. On croyait qu'il ne devait sa loyauté qu'à celui qui versait la commission, bien sûr le vendeur. Conséquemment, l'acheteur était à sa merci et incertain d'obtenir un bon service.

Cette situation a changé en janvier 1995, lorsque le « courtage-acheteur », aussi appelé « divulgation par l'agent », a été introduit au Canada. Dorénavant, l'agent est tenu de révéler à l'acheteur, au vendeur et aux autres agents le nom de celui qu'il représente et d'obtenir un accusé de divulgation par écrit. Cela veut dire que l'acheteur bénéficie désormais des mêmes avantages que le vendeur dans sa relation avec l'agent : loyauté, confidentialité, divulgation de renseignements et fiabilité. Bien qu'on puisse s'attendre à quelques ajustements nécessaires, l'acheteur tirera parti d'avoir un agent exclusivement à son service. L'acheteur peut donc utiliser son propre agent. Dans un tel cas, l'agent du vendeur partage habituellement la commission payée par le vendeur.

Il ne fait pas de doute que l'agent immobilier a l'avantage d'avoir un accès immédiat à un vaste éventail de propriétés à vendre. En outre, il peut vous fournir des renseignements sur les prix de vente de propriétés comparables, prendre des rendez-vous pour visiter des maisons, négocier avec le vendeur et s'occuper de remplir les documents nécessaires pour présenter une offre. Il est donc souhaitable qu'il existe une complicité entre vous et cette personne qui, en plus qu'elle soit au courant des faits nouveaux en matière de financement hypothécaire, sait aussi négocier efficacement. L'agent immobilier partagera votre excitation dans la recherche de la maison de vos rêves. Cette personne doit faire montre d'aptitudes en relations humaines et fera de son mieux pour que vous vous sentiez à l'aise et en confiance. Si vous ne connaissez pas d'agent immobilier, informez-vous autour de vous. Des membres de votre famille, des amis ou des collègues de travail pourraient vous recommander leur propre agent immobilier.

Que vous fassiez appel ou non aux services d'un agent immobilier, il est très important de bien cerner vos besoins.

- L'emplacement est-il un facteur crucial?
- Désirez-vous habiter à proximité des transports en commun, des écoles, des centres commerciaux, d'un parc, des hôpitaux ou des centres communautaires?
- Préférez-vous la ville, la banlieue ou la campagne?
- Souhaitez-vous acheter une maison neuve ou une maison en construction? Avez-vous un penchant pour les vieilles maisons?
- Voulez-vous une maison ou un condo?

Soyez méthodique. Dressez une liste de vos exigences et de vos aspirations. Vous seriez surpris de l'habileté que vous développerez rapidement pour déceler les qualités ou les défauts d'une propriété...

Quand vous effectuez des visites, soyez très observateur et posez les bonnes questions, afin d'évaluer par exemple les besoins en rénovation. Dans bien des cas, il sera souhaitable que vous procédiez à une inspection en bonne et due forme avec un inspecteur reconnu. Cela vous permettra de mieux préparer votre offre d'achat à un prix raisonnable et en discutant avec votre agent immobilier.

Notaire

Soyez conscient que le domaine de l'immobilier est devenu très spécialisé. Vous devez vous assurer de faire affaire avec un notaire qui justement est spécialisé dans l'immobilier. N'attendez pas que la transaction soit conclue pour le choisir ; ce serait une erreur, car vous avez tout intérêt à profiter de son expertise avant d'apposer votre signature sur l'offre d'achat.

Le rôle du notaire étant à la fois de vous conseiller, de vous écouter et de vous protéger, il est essentiel de développer un bon rapport avec lui.

Il vous paraît difficile de trouver un bon conseiller juridique immobilier ? Demandez aux amis, à la famille, à des voisins ou à des collègues de travail s'ils connaissent quelqu'un. Votre courtier ou votre banquier peut également vous suggérer quelques noms.

Surtout, ne choisissez jamais un notaire en fonction des honoraires qu'il demande ! Comme pour tout autre professionnel, ce sont la qualité du service et l'expérience qui comptent, pas seulement le prix.

Recherche de la propriété

Maison neuve ou déjà existante ?

Une maison neuve est très attrayante : elle a ce petit côté moderne ; elle est plus éclairée et a une allure pimpante, tous des éléments accrocheurs. L'acquisition d'une maison neuve permet aussi à l'acquéreur d'adapter cette maison à ses goûts personnels, que ce soit sur le plan de la décoration intérieure ou sur celui de la finition. De plus, à la différence des maisons existantes, plusieurs maisons neuves sont pourvues d'une garantie contre les vices de matériaux et de main-d'œuvre, incluant les infiltrations d'eau dans le sous-sol. Cette garantie peut être attirante pour un acheteur peu expérimenté. De plus, c'est le type de propriété pour lequel on peut presque toujours obtenir un certificat de localisation très rapidement. L'acheteur peut même parfois négocier des options supplémentaires avec l'entrepreneur pour le même prix. Dans certains cas, il est même possible de bénéficier d'offres spéciales sur le financement hypothécaire. Tout cela ne veut pas dire qu'on peut y aller les yeux fermés. Bien au contraire. Avant d'acheter une maison neuve, il faut prendre des renseignements sur la réputation et la qualité du travail de l'entrepreneur. Il ne faut pas hésiter à vérifier auprès des voisins ou dans le quartier avoisinant pour savoir ce que les gens pensent de l'entrepreneur qui a bâti leur maison !

L'achat d'une maison existante comporte quant à lui d'autres types d'avantages. La maison existante vous permet de voir concrètement son état et vous permet aussi de savoir exactement ce que vous achetez. De plus, ces maisons se trouvent généralement dans des quartiers déjà bien structurés et organisés. Les loisirs, les moyens de transport, les différents services publics, les écoles et les centres commerciaux sont déjà accessibles, ce qui n'est pas négligeable.

Bien des gens pensent, avec raison, qu'ils font une meilleure affaire en achetant une maison qui n'est pas neuve, car ils peuvent négocier le prix des électroménagers, de l'appareillage électrique, des moquettes, des stores et des rideaux dans l'offre d'achat. D'autres se laisseront tenter par la maison existante parce que les améliorations apportées, comme une clôture, une entrée pavée ou l'aménagement paysager, font partie intégrante de la maison à vendre. Vous n'avez pas besoin de faire mille et une démarches pour obtenir un certificat de localisation ; il est souvent disponible auprès du vendeur. Encore faut-il s'assurer qu'il soit à jour… Avec ce type de propriété, vous pouvez aussi réduire les risques de vices cachés en exigeant qu'un inspecteur examine la maison avant que l'offre d'achat soit confirmée. Enfin, pour l'acheteur qui dispose d'un petit budget, une maison existante, en bon état, présente des avantages très nets, sans compter qu'il n'aura pas de TPS ou de TVQ à payer !

Copropriété divise (condominium)

La copropriété divise, communément appelée « condominium », est un concept de plus en plus populaire qui constitue une forme de propriété correspondant à un mode de vie particulier.

Qu'ils optent pour une tour d'appartements ou une maison de ville, les acheteurs possèdent leur propre unité résidentielle en plus d'un certain pourcentage des éléments communs à tous, tels que hall d'entrée, couloirs, ascenseurs, aire de stationnement et terrain.

Les unités de condo sont achetées, vendues et hypothéquées individuellement ; ce qui signifie que les acheteurs sont responsables de leurs taxes et de leur hypothèque et doivent également assumer l'entretien et les réparations de leur unité. Ils doivent aussi débourser des frais mensuels pour l'entretien des éléments communs et l'exploitation de la société de condos. Une partie de cet argent est mise dans un fonds de réserve, en prévision de réparations majeures et du remplacement d'éléments importants.

Les frais d'entretien des maisons de ville sont généralement moins élevés que ceux d'une tour. Les appartements en condominium comprennent des ascenseurs et des garages sou-terrains qui nécessitent un entretien et des réparations sur une base continue. Les maisons de ville ont généralement leur compteur de services individuel, ce qui aide les propriétaires à maintenir leurs coûts moins élevés.

La vie en condo offre beaucoup de commodités, mais il y a des règles à respecter qui vont de la garde des animaux de compagnie jusqu'à la façon de stationner.

Pour en savoir plus sur ces restrictions, ainsi que sur la santé financière d'un tel projet, faites une offre d'achat conditionnelle jusqu'à ce que vous ayez consulté les documents relatifs au condo visé.

Copropriété indivise

La copropriété indivise d'un immeuble naît lorsque plusieurs indi-vidus se portent acquéreurs d'un même immeuble. Ces copro-priétaires indivis ont intérêt à établir entre eux une convention d'indivision notariée qui peut durer jusqu'à 30 ans.

Chaque indivisaire peut contracter seul une hypothèque portant sur sa portion de l'immeuble. Les autres copropriétaires ne sont alors nullement responsables en cas de défaut du débiteur hypo-thécaire. La loi prévoit des conditions particulières. Il faut voir avec le prêteur.

Par ailleurs, chaque copropriétaire est libre de céder ses droits indivis dans un immeuble, à moins de disposition contraire dans la convention d'indivision. La loi prévoit que les autres copropriétaires indivis ont la faculté d'écarter le nouvel acheteur en lui remboursant le prix de la cession et des frais. La convention d'indivision peut prévoir au contraire que les partenaires indivis auront la faculté de se porter prioritairement acquéreurs avant que soit réalisée la vente à une personne extérieure.

Dans les années 70, la copropriété indivise a permis à de nom-breux couples qui n'avaient pas les moyens de s'acheter une maison unifamiliale ou qui refusaient d'aller en banlieue de devenir pro-priétaires. La formule est, disons-le, un peu alambiquée. Sur le plan de la gestion et des décisions, elle peut avoir un petit côté com-munautaire qui risque de devenir détestable, surtout si vous tombez sur des copropriétaires qui se prennent pour des grands gestion-naires... La situation pourrait virer à la comédie des horreurs... Informez-vous avant de tomber dans un piège à ours. Surtout, n'oubliez jamais que c'est le notaire qui est le spécialiste du droit de la copropriété et non le Jos Connaissant qui essaie de vous vendre sa salade.

Offre d'achat

Dates importantes

Trois (3) dates importantes de votre transaction immobilière doivent impérativement se retrouver dans votre offre d'achat...

Il est très important que vous sachiez que toute transaction immobilière comporte trois dates majeures. Chacune doit figurer clairement dans l'offre d'achat et on doit s'y conformer, sans quoi l'offre n'est plus valable.

La première est irrévocable. Il s'agit de la date limite d'acceptation par le vendeur.

La deuxième est la date de réquisition, lorsque des questions soulevées par la recherche des titres doivent être signalées au notaire de l'acheteur.

La dernière est aussi importante pour l'acheteur que pour le vendeur ; il s'agit de la date de la signature de l'acte notarié, date à laquelle on effectue le transfert de propriété et la remise des clés. Le choix de cette date est souvent la partie la plus difficile de la négociation.

Dans la mesure du possible, essayez d'éviter les vendredis, les fins de mois et les jours précédant une longue fin de semaine, car l'acheteur risque alors de faire face à un retard pour la remise des clés et de devoir payer son déménagement plus cher.

Le vendeur qui se défait, lui, de son hypothèque, risque d'être confronté à des frais importants. Lorsque les fonds sont versés au prêteur un vendredi, il faut compter trois jours supplémentaires d'intérêts, quatre les longues fins de semaine. Il est donc tout à fait sensé de considérer l'affluence au bureau d'enregistrement au moment de choisir la date de signature.

Différences entre biens mobiliers et installations

Les biens mobiliers peuvent être déplacés, bien qu'ils puissent avoir été raccordés par des conduits ou des fils. C'est le cas, par exemple, d'un réfrigérateur, d'une cuisinière, d'une laveuse et d'une sécheuse.

Les installations diffèrent. Ce sont des choses qui ont été fixées à la maison et qui en font partie intégrante. C'est le cas, par exemple, d'une bibliothèque encastrée, d'une moquette.

Dans l'offre d'achat, l'acheteur doit dresser la liste des biens mobiliers que le vendeur devra laisser, tandis que ce dernier y inscrira quelles installations il retirera.

Il subsiste cependant une zone grise dans ce domaine.

Dans quelle catégorie place-t-on un dispositif électronique d'ouverture de porte de garage et sa télécommande? Que dire d'un aspirateur central et de ses accessoires? Il arrive que le vendeur vous fasse un prix qui correspond à une certaine dépréciation. C'est à vous de juger.

Que vous soyez l'acheteur ou le vendeur, ne laissez rien au hasard. Dans le doute, inscrivez-le dans l'offre d'achat. Indiquez clairement si un élément en particulier reste dans la maison ou si le vendeur l'emporte. De toute manière, tout est discutable...

Il s'agit essentiellement de ne pas faire d'erreur coûteuse.

Dépôt

Le dépôt répond à deux objectifs: il règle une partie du prix d'achat et prouve votre sérieux comme acheteur. En signant l'offre d'achat, vous devrez y joindre un chèque visé. Si la transaction est conclue, le chèque visé et les fonds seront retenus par l'agent immobilier inscripteur. S'il s'agit d'une vente privée, il est toujours plus simple de libeller son chèque au nom du notaire du vendeur, en fidéi-commis. Si la transaction échoue, il vous sera ainsi plus facile de récupérer votre argent.

Par ailleurs, il est normal que vous vouliez verser le plus petit dépôt possible afin de ne pas engager une trop grosse somme. Le vendeur, lui, souhaite obtenir un dépôt important, signe de la bonne foi de l'acheteur. De leur côté, les agents immobiliers préfèrent les gros dépôts, car ils s'assurent ainsi d'être payés rapidement, une fois la vente conclue. Légalement, rien n'est fixé à cet égard, mais il est courant de verser 5 % du prix d'achat. Si votre offre est de 80 000 $, il serait normal que votre dépôt soit de 4 000 $.

Malgré ce que vos amis ou de nombreux acheteurs de maisons ou de condos peuvent vous dire, les intérêts ne sont pas automatiquement versés sur un dépôt dans une transaction immobilière. Donc, pour obtenir des intérêts sur votre dépôt, il faut que vous le mentionniez clairement dans votre offre d'achat. Ce n'est pas tout. Dans un tel cas,

- le dépôt doit être d'au moins 5 000 $, le délai fixé à au moins 30 jours;
- et l'acheteur doit fournir son numéro d'assurance sociale.

Le dépôt de 5 000 $ et le délai de 30 jours ne sont pas des exigences légales, mais des conditions minimales pour acheter un dépôt à terme. Quant au numéro d'assurance sociale, il sert à vous envoyer un relevé T5 après la vente, étant donné que les intérêts accumulés sur un dépôt sont imposables.

Rappelez-vous aussi qu'à l'occasion de la vente d'une maison neuve les entrepreneurs versent rarement des intérêts sur un dépôt. Vous pouvez toujours négocier cet aspect dans votre contrat.

Offre d'achat « conditionnelle »

Au moment de conclure la transaction, il arrive très fréquemment que l'acheteur veuille poser certaines conditions à son offre d'achat. Ces conditions peuvent concerner le financement, l'inspection de la propriété ou la vente de sa propre maison.

Il faut alors rédiger une offre d'achat « conditionnelle ».

Si les conditions sont remplies dans le délai fixé, l'offre devient alors irrévocable.

Dans le cas contraire, la transaction est annulée et l'acheteur récupère son dépôt.

Si vous êtes l'acheteur, assurez-vous de poser des conditions réalistes, sinon ne vous engagez pas.

Si vous êtes le vendeur et que l'une des conditions risque d'entraîner un délai trop long, ajoutez une clause qui vous permette d'annuler l'offre.

Advenant que l'on vous présente une autre offre acceptable, le premier acheteur devra alors se décider à conclure la vente ou à retirer son offre.

L'acheteur doit se rappeler qu'une offre d'achat conditionnelle lui donne davantage de latitude, mais qu'une offre sans conditions lui gagnera la faveur du vendeur.

Inspection

Si vous souhaitez acheter une maison sans hériter des problèmes du vendeur, il faut absolument en demander l'inspection. C'est la règle d'or. Habituellement, l'offre d'achat est conditionnelle à une inspection. Si celle-ci s'avère insatisfaisante, l'offre est annulée. Pour quelques centaines de dollars, l'inspecteur examine la plomberie, le système électrique, le système de chauffage, la toiture, les fondations et l'isolation de la maison ; puis, il remet un rapport à l'éventuel acheteur. C'est un coût minime quand on pense à l'importance des renseignements obtenus.

Le problème, toutefois, c'est que l'industrie de l'inspection immobilière n'est pas réglementée. N'importe qui peut s'improviser inspecteur immobilier, sans la moindre formation. Il vous appartient de vérifier soigneusement la compétence d'un inspecteur avant de retenir ses services. Demandez à des amis, à la famille ou à votre courtier de vous recommander quelqu'un.

Vérifiez également que l'inspecteur choisi possède une assurance-responsabilité civile, advenant, par exemple, qu'il n'ait pas vu un trou dans la toiture ou l'infiltration d'eau dans le sous-sol.

Frais d'achat

Dans toute offre d'achat, le prix à payer est toujours sous réserve des « ajustements habituels ». À part le prix d'achat, il s'agit en fait d'équilibrer les comptes touchant la transaction, en date de la signature de l'acte notarié, ce qui convient à l'acheteur comme au vendeur.

Taxes foncières
Les taxes municipales et scolaire doivent toujours être ajustées ; autrement dit, si le vendeur a payé en trop, l'acheteur lui rembourse l'excédent, et vice versa.

Certains prêteurs insistent pour percevoir les taxes foncières avec chaque versement hypothécaire. Il y a une raison à cette pratique… C'est que tout solde impayé de taxes foncières constitue un droit de rétention ayant préséance sur une première hypothèque. Ainsi, la perception et la remise des taxes foncières par le prêteur assurent le paiement des taxes à temps. Les comptes de taxes foncières peuvent poser un réel problème de liquidités, puisqu'il faut souvent les payer jusqu'à six mois à l'avance. Certains prêteurs n'insistent pas pour que l'argent des taxes soit déposé chez eux. Bon nombre vous laisseront acquitter vos propres taxes foncières si la valeur nette de votre maison est suffisante et que votre crédit est bon.

Discutez toujours des taxes foncières quand vous magasinez pour une hypothèque.

Hypothèque du vendeur
L'hypothèque du vendeur doit également être ajustée, ainsi que les intérêts depuis le dernier versement et toute somme se trouvant dans un compte de taxes.

Frais de condo
Les frais de condo doivent être ajustés à la date de clôture, de même que les loyers du premier et du dernier mois, dans le cas des propriétés à revenus.

Eau, huile, électricité
Suivant la vente de la propriété, il peut être nécessaire de rajuster les comptes des services publics, de chauffage (TPS et TVQ comprises).

Assurance-incendie
Il est impossible d'obtenir un prêt hypothécaire sans souscrire une telle assurance, qui vise à couvrir le coût de remplacement de la maison en cas de sinistre. Le coût de cette assurance varie selon la propriété et la compagnie d'assurances.

Assurance prêt-hypothécaire
Si la mise de fonds est inférieure à 25 % du prix d'achat de la maison, l'emprunteur doit payer ces frais d'assurance.

Certificat de localisation
Le prêteur s'assurera que la propriété respecte tous les règlements pertinents et que tout ajout a été fait à l'intérieur des bornes de la propriété. Le prêteur pourrait exiger un levé, dont le coût s'établit à environ 500 $. Il est suggéré de demander au vendeur s'il possède un certificat de localisation récent. Si tel est le cas et que le prêteur accepte ce certificat, vous pourriez épargner de l'argent.

Droit de mutation (taxe de bienvenue)
La municipalité dans laquelle vous avez emménagé vous enverra un compte de taxes, dans les quatre à six mois suivant la signature de l'acte de vente. Le montant en est calculé en fonction du prix de vente et selon le barème suivant :
    0,50 % du premier 50 000 $
    1,00 % de 50 000 $ à 250 000 $
    1,50 % de plus de 250 000 $

Frais de déménagement et de branchement de nouveaux électroménagers
Prévoir un montant pour défrayer ces dépenses.

Frais de notaire
Pour bien vous protéger, il est recommandé de faire appel à un notaire.

Frais d'enregistrement
La plupart des provinces exigent des frais (de 100 $ ou plus) à l'égard de l'enregistrement d'un prêt hypothécaire et du transfert

d'un titre de propriété. Ces frais figurent habituellement sur la note d'honoraires du notaire ou de l'avocat.

Frais d'inspection
Dans le cas d'une maison existante, il est recommandé de faire effectuer une inspection approfondie de la structure, de la plomberie et de l'électricité. Ça vaut la peine de dépenser entre 150 $ et 500 $ pour s'assurer qu'on fait un bon investissement.

Taxes sur les biens et services
La TPS et la TVQ suscitent beaucoup de confusion en matière d'immobilier. La plupart des maisons existantes sont exemptées de la TPS et de la TVQ, mais l'acheteur a tout de même intérêt à poser la question au moment de l'offre d'achat.

Dans le cas des maisons et des condos neufs, l'offre doit indiquer si le prix d'achat comprend ou non la TPS et la TVQ et préciser qui obtient la remise de TPS et de TVQ sur les maisons neuves.

L'achat d'un lot vacant pour un chalet ou une ferme entraîne encore plus de confusion.

- Si le vendeur est un particulier, la vente n'est pas soumise à la TPS et à la TVQ.
- S'il s'agit d'une entreprise, la TPS de 7 % et la TVQ s'appliquent.

Les loyers résidentiels sont exemptés de la TPS, tout comme les frais de condo.

La TPS et la TVQ sont ajoutées à la commission de l'agent immobilier, aux honoraires du notaire, à certains frais, ainsi qu'au coût d'un nouveau certificat de localisation ou de l'inspection de la maison.

En cas de doute sur la TPS et la TVQ, renseignez-vous avant de signer l'offre d'achat. Vous éviterez ainsi toute erreur. N'oubliez pas : si vous achetez une maison neuve, vous devrez payer la TPS.

Mise de fonds

La mise de fonds est le premier élément dont il faut tenir compte quand vient le moment de choisir votre hypothèque.

La mise de fonds est la partie du prix d'achat que vous pouvez acquitter vous-même avant de contracter une hypothèque. Il n'y a pas de règle fixe, mais cette mise de fonds s'établit généralement entre 5 % et 25 % du prix de la maison.

Réunir la mise de fonds nécessaire à l'achat d'une propriété n'est pas chose facile. Si vous effectuez une mise de fonds de 25 % de la valeur estimative de la propriété ou de son prix d'achat, vous pouvez obtenir un prêt hypothécaire ordinaire. Dans le cas d'une maison de 100 000 $, ce pourcentage équivaut à 25 000 $.

Ordinairement, l'octroi d'un prêt hypothécaire implique une mise de fonds de 25 %. Il peut arriver que vous ne puissiez pas réunir cette somme et que la mise de fonds ne dépasse pas 5 % du prix de la maison. Dans un tel cas, vous pouvez obtenir un prêt hypothécaire à faible mise de fonds, qui correspond habituellement à un montant supérieur à 75 % de la valeur estimative de la maison ou de son prix d'achat. Un tel prêt doit être assuré contre les défauts de paiement par le gouvernement fédéral, par le biais de la Société canadienne d'hypothèques et de logement (SCHL) ou d'un assureur privé avec lequel le prêteur se charge habituellement des démarches.

– L'emprunteur paie à l'assureur une prime d'assurance unique (variant entre 0,5 % et 3,75 %, selon le montant du prêt et la valeur de la maison ; des frais peuvent aussi s'ajouter).
– La prime d'assurance est habituellement ajoutée au montant du prêt hypothécaire.

L'assurance-prêt hypothécaire permet au prêteur de se faire rembourser par l'assureur en cas de défaut de paiement.

À moins de toucher un héritage, de gagner à la loterie ou d'avoir des parents riches et généreux, vous devrez, pour amasser votre mise de fonds, épargner, planifier et établir un budget. Ces efforts en valent toutefois la peine. Plus votre mise de fonds sera importante, plus vous économiserez à long terme (un prêt hypothécaire moins élevé se traduit par moins d'intérêt à payer). Si vous manquez d'argent pour effectuer la mise de fonds, essayez de vous établir un programme d'épargne où vous mettrez de côté un certain pourcentage de votre revenu brut chaque année.

Par ailleurs, plus votre mise de fonds sera élevée, moins vous emprunterez, ce qui fait que vos versements périodiques seront plus bas et que vous paierez moins d'intérêt.

Exemple
Voyons ce qui se passe dans le cas d'une propriété qui vaut 85 000 $ et pour laquelle on investit une mise de fonds de 25 %, de 10 % et de 5 %...

1) Avec une mise de fonds de 25 % (21 250 $), l'emprunt sera de 63 750 $;

2) Avec une mise de fonds de 10 % (8 500 $), l'emprunt sera de 76 500 $;

3) Avec une mise de fonds de 5 % (4 250 $), l'emprunt sera supérieur à 80 000 $.

Cela entraîne non seulement des coûts en intérêt qui seront plus élevés, mais il faudra aussi acquitter une prime d'assurance SCHL équivalant à 2,5 % du montant emprunté (1 593 $ dans le premier cas ; 1 912 $ dans le deuxième cas ; et plus de 2 000 $ dans le troisième cas).

Il est clair que c'est payant d'augmenter sa mise de fonds le plus possible. Si vous ne disposez pas d'assez d'argent pour contribuer davantage à votre mise de fonds, les régimes enregistrés d'épargne-retraite peuvent constituer le moyen idéal de se bâtir un capital-retraite tout en profitant d'allégements fiscaux immédiats. Si vous achetez une première maison, vous et votre conjoint pouvez retirer jusqu'à 20 000 $ chacun de vos REER. Seuls les fonds investis dans votre REER depuis au moins 90 jours peuvent être utilisés. Aucun impôt n'est prélevé sur les fonds retirés, à condition que la totalité du retrait soit remise dans votre REER au cours des 15 années suivantes, et vos versements ne débutent que la deuxième année suivant le retrait.

Vous pouvez puiser plutôt dans vos épargnes personnelles : comptes d'épargne, certificats de dépôt, obligations d'épargne, fonds de placement... Si vous êtes propriétaire du terrain sur lequel vous désirez construire votre maison, la valeur de ce dernier pourra être utilisée comme mise de fonds.

Un petit truc à savoir : vous pouvez également opter pour l'autoconstruction, c'est-à-dire construire vous-même votre maison avec l'aide de parents ou d'amis. Dans un tel cas, l'institution prêteuse pourra considérer la valeur de cette main-d'œuvre pour réduire le montant exigé pour votre mise de fonds. Attention : on ne parle pas ici de travail au noir...

Prêt hypothécaire

Introduction

Vous avez choisi la maison dont vous rêvez. Son prix vous convient. Votre offre d'achat a été acceptée. Vous voilà arrivé à l'étape du prêt hypothécaire.

Un prêt hypothécaire est un mode de financement à long terme consenti pour financer principalement de l'immobilier, tel qu'une maison unifamiliale, une copropriété et un immeuble à logements multiples. C'est un prêt personnel consenti pour permettre l'achat d'une habitation. Vous offrez la propriété achetée en garantie du prêt. Votre mise de fonds paie une partie du prix d'achat de la maison. Le solde est financé par le biais d'un prêt hypothécaire contracté auprès d'une institution financière ou d'un prêteur privé.

Le montant du prêt est le capital, somme empruntée ou solde dû sur un prêt hypothécaire. L'intérêt est calculé sur le capital. L'intérêt ajouté à la somme empruntée sert à rémunérer le prêteur en contrepartie de l'utilisation de son argent. Vous remboursez votre prêt hypothécaire par des versements qui servent à rembourser le capital et les intérêts.

Le taux d'intérêt est la somme exigée par le prêteur en contrepartie de l'argent prêté. Il est exprimé sous forme de pourcentage.

La durée ou le terme correspond au nombre de mois ou d'années d'application du contrat hypothécaire, habituellement de six mois à cinq ans, pendant lesquels l'emprunteur paie un taux d'intérêt déterminé. Vous choisissez votre terme hypothécaire au moment de contracter votre hypothèque et chaque fois que vous la renouvelez. En général, à la fin de chaque terme, il vous sera possible de rembourser votre emprunt hypothécaire en totalité ou en partie, auquel cas vous pourrez aussi renégocier votre période d'amortissement. Votre taux d'intérêt est alors modifié au renouvellement du terme de l'hypothèque.

Il est toujours sage de s'efforcer de rembourser son prêt hypothécaire le plus vite possible pour ainsi éponger sa dette. Cette stratégie financière peut vous faire économiser des milliers de dollars!

L'amortissement désigne le nombre d'années nécessaires pour rembourser le prêt hypothécaire en entier. Cette période dépasse généralement de beaucoup la durée du prêt. Par exemple, vous pouvez avoir un prêt d'une durée de 5 ans amorti sur 25 ans. Bien que la plupart des prêts hypothécaires aient un amortissement de 25 ans, vous pouvez choisir une période plus courte si votre budget vous le permet. Plus votre période d'amortissement est longue, moins vos versements sont élevés. Plus cette période est courte, plus vous économisez en frais d'intérêt, sans pour autant hausser de façon exagérée vos frais mensuels.

La valeur nette représente l'écart entre le prix de vente estimatif de la propriété et la partie non remboursée du prêt.

Les institutions prêteuses sont très concurrentielles. Elles voudront toutes financer votre prêt..., si vous êtes admissible, bien sûr! Pas de panique, même si le vocabulaire vous semble très différent d'une institution à l'autre. Pour ce qui est du fond, toutes se ressemblent. Donc, ne paniquez pas!

Quel que soit le type de prêt hypothécaire que vous choisirez, recherchez celui qui vous offre la plus grande souplesse de remboursement pour vous permettre de réduire vos frais d'intérêt au minimum. Assurez-vous d'avoir la protection nécessaire pour limiter le plus possible les hausses des taux d'intérêt sur vos paiements périodiques. Une fois que vous aurez déterminé vos objectifs et vos besoins, vous serez à même de personnaliser votre prêt en fonction de votre situation personnelle.

Il existe deux types de prêts hypothécaires : conventionnels ou à faible mise de fonds.

Le prêt hypothécaire conventionnel est un prêt ordinaire dont le montant ne peut dépasser 75 % de la valeur estimative, ou du prix d'achat si ce dernier est moins élevé. Donc, si vous effectuez une mise de fonds de 25 % de la valeur estimative de la propriété ou de son prix d'achat, vous pouvez obtenir un prêt hypothécaire conventionnel.

Le prêt à mise de fonds est celui qui est consenti aux termes de la *Loi nationale sur l'habitation* (LNH), dont le montant peut atteindre 90 % (et même au-delà) de la valeur de la propriété. Ces prêts sont assurés contre les défauts de paiement par la Société canadienne d'hypothèques et de logement (SCHL) ou par un assureur privé, le GE Capital Assurance Hypothèque Canada (GEMICO), dont les politiques et les conditions d'admissibilité diffèrent.

Les hypothèques assurées par la SCHL comportent un avantage peu connu…

Lorsque les taux d'intérêt baissent, l'emprunteur souhaite souvent renégocier son prêt hypothécaire. Dans la plupart des cas, il peut le faire, mais il devra probablement payer des frais de remboursement anticipé à moins de bénéficier d'une hypothèque ouverte. Pour la plupart des hypothèques, ces frais de remboursement anticipé représentent le différentiel d'intérêt (la différence entre votre taux hypothécaire et les taux courants, sur votre solde actuel, pour le reste de votre terme), ou trois mois d'intérêt, soit le montant le plus élevé des deux.

Si vous avez emprunté plus de 75 % du prix d'achat, votre hypothèque est assurée contre le défaut de paiement par la Société canadienne d'hypothèques et de logement (SCHL), vous pouvez rembourser ou renégocier votre prêt au bout de trois ans moyennant le règlement de trois mois d'intérêt et cela devient très intéressant. Si les taux d'intérêt ont chuté pour la peine, cette façon de faire peut s'avérer plus économique que le différentiel d'intérêt que vous auriez à payer sur une hypothèque conventionnelle. Dans ce cas, il est payant de renégocier pour profiter de la baisse des taux d'intérêt.

Tableau comparatif de la SCHL et de GE

	SCHL	GE
Frais :		
De base :	75 $	Idem
Complets (avec expertise) :	235 $	
Primes pour les hypothèques à taux fixe :		
Quotité de financement de 0 % - 65 %	0,5 %	
QDF de 66,1 % - 75 %	0,75 %	
QDF de 75,1 % - 80 %	1,25 %	Idem
QDF de 80,1 % - 85 %	2,0 %	(Minimum 500 $ de
QDF de 85,1 % - 95 %	2,5 %	frais)
Programme d'achat de première maison (mise de fonds de 5 - < 10 %)		
Taux d'intérêt admissible	5 ans	3 ans
Terme minimum obligatoire	3 ans	S/O
Autre (10 % - < 25 %)		
Taux d'intérêt admissible	3 ans	3 ans
Terme minimum obligatoire	S/O	S/O
Mise de fonds cadeau	Les fonds doivent être déposés dans le compte 30 jours avant l'offre d'achat.	S/O
	Lettre établissant que les fonds sont bel et bien un cadeau. Les fonds doivent être offerts par un proche parent.	Idem
		S/O
Couverture des frais de conclusion	L'emprunteur doit détenir 1,5 % du prix d'achat pour couvrir les frais de conclusion.	Conseil individuel pour prévoir des fonds couvrant les frais de conclusion.
Type de propriété	Résidentielle, jusqu'à 4 logements	Tous les duplex résidentiels si l'un

	par édifice	des logements est occupé par le propriétaire
Bureaux	à travers le Canada	à travers le Canada, par l'entremise des succursales BRC
Report de versement	oui	oui
Report de versement étendu	oui, mais pas plus de 4 versements reportés à la fois, en tout temps, pendant la durée de l'hypothèque, c'est-à-dire des versements non remboursés	

Options

Quand vous discuterez avec le conseiller de l'institution financière qui vous fera le prêt, vous devrez aussi faire un choix parmi toute une variété d'options de versements et autres... car le prêt hypothécaire en permet plusieurs. Ce prêt peut être :

- fermé, convertible, ou ouvert ;
- à taux fixe ou à taux variable ;
- à court terme ou à long terme.

Hypothèque fermée

Une hypothèque fermée a une durée déterminée et des modalités fixes. Elle vous offre la sécurité d'un taux d'intérêt fixé à plus long terme.

Les termes vont de 6 mois à 25 ans.

L'hypothèque fermée permet un peu moins de latitude. En revanche, à terme égal, le taux d'intérêt est inférieur à l'hypothèque ouverte. Comme vos versements resteront les mêmes durant toute la durée du terme, cela vous garantit une certaine stabilité.

Une hypothèque fermée offre suffisamment de souplesse dans la mesure où vous voulez demeurer propriétaire pendant quelques années et dans la mesure aussi où votre situation financière n'est pas susceptible de changer.

En période de hausse des taux d'intérêt, il est avantageux de bloquer le taux. Dans certains cas, le contrat de prêt hypothécaire autorise le remboursement anticipé, moyennant toutefois une pénalité. Si la plupart de ces prêts hypothécaires fermés offrent toute une gamme de privilèges de remboursement partiel anticipé sans pénalité, il faut comparer les offres car les prêteurs offrent des options différentes.

Il faut savoir également que tous les prêts hypothécaires sont entièrement ouverts à la fin de leur durée. Il est donc possible de rembourser le solde du capital en totalité ou en partie, sans pénalité, à la date d'échéance.

Hypothèque convertible

Il est toujours difficile de choisir entre un prêt à court terme ouvert et une hypothèque fermée. Le taux de l'hypothèque fermée est plus avantageux, mais le prêt ouvert offre davantage de souplesse avant l'échéance.

Il s'agit ici d'un mélange de l'hypothèque ouverte et de l'hypothèque fermée.

Le prêt hypothécaire convertible résout le dilemme en offrant le meilleur des deux mondes.

L'hypothèque convertible offre le même taux d'intérêt que l'hypothèque fermée avec les mêmes possibilités de remboursement par anticipation que le prêt ouvert.

La différence, c'est que vous pouvez renégocier les conditions afin de profiter d'une éventuelle baisse d'intérêt sans aucuns frais de renouvellement.

Soyez vigilant, car c'est un type de prêt pour lequel il n'y a pas de définition standard. Il faut que vous soyez bien renseigné sur les termes, les conditions et les frais éventuels.

Hypothèque convertible

Montant	75 000 $
Durée	20 ans
Terme	1 an
Taux	7 %

Voyons ce qui se passe quand on peut profiter d'une baisse des taux d'intérêt et qu'on choisit de

a) diminuer les versements; ou

b) de maintenir les mêmes versements.

	Versements actuels	Versements réduits	Versements maintenus
Montant	75 000,00 $	75 000,00 $	75 000,00 $
Durée	20 ans	20 ans	208 mois
Terme	1 an	1 an	1 an
Taux	7 %	6 %	6 %
Fréquence	mensuelle	mensuelle	mensuelle
Modalités	capital + intérêts	capital + intérêts	capital + intérêts
Remboursement	576,99 $	534,15 $	577,76 $
Frais d'intérêt	5 118,74 $	4 390,60 $	4 376,12 $

Vous remboursez plus rapidement quand vous maintenez les mêmes versements. Vous sauvez ainsi plus de deux ans...

Hypothèque ouverte

Une hypothèque ouverte se distingue par sa souplesse. Ce type de prêt vous permet d'effectuer un remboursement partiel ou intégral en tout temps, sans encourir de frais. Vous remboursez donc plus rapidement votre emprunt et vous économisez une somme intéressante en intérêt.

C'est la formule idéale si vous comptez revendre votre maison rapidement et vous ne prévoyez pas en acheter une autre, ou si vous prévoyez une importante rentrée d'argent pour rembourser votre hypothèque.

Il s'agit d'une hypothèque à terme de courte durée : six mois ou un an. Le taux d'intérêt est en général légèrement plus élevé que celui des hypothèques fermées pour un terme de même durée.

Certaines institutions bancaires offrent des hypothèques ouvertes à taux variable avec des termes de un ou deux ans.

Hypothèque à taux fixe ou à taux variable

Avec un prêt hypothécaire à taux fixe, le taux est établi pour une période déterminée. Pendant toute la durée du prêt, le versement périodique de capital et d'intérêts demeure constant, ce qui procure une protection contre la hausse des taux d'intérêt. Vous êtes perdant si les taux d'intérêt baissent.

Avec un prêt hypothécaire à taux variable, le taux d'intérêt monte et descend selon la conjoncture. On peut faire la comparaison avec le dollar canadien qui flotte par rapport au dollar américain.

Avec un taux variable, votre taux va suivre le marché. En plus, c'est un type de prêt très souple. Par exemple, vous pouvez faire autant de versements anticipés que vous le désirez, et vous pouvez aussi fermer votre prêt pour une durée déterminée.

Le prêt à taux variable est une formule très populaire quand les taux d'intérêt baissent. Dans un tel cas, une part plus importante de vos versements servent à rembourser le capital. C'est le contraire lorsque les taux d'intérêt montent : une plus petite part de vos versements sert alors à payer le capital. Il peut arriver aussi que les taux d'intérêt montent en flèche, comme ce fut le cas au début des années 80. Vos versements périodiques risquent de ne pas être suffisants pour couvrir tout l'intérêt exigible. Le prêteur ajoute l'intérêt impayé au solde du capital, ce qui diminue la valeur nette de votre propriété.

Exemple

Hypothèque à taux variable

Montant	75 000 $
Durée	20 ans
Terme	1 an
Taux	7,5 % - 7 % - 6,5 % - 8,5 %

Voyons ce qui se passe quand le taux baisse à 7 %, puis à 6,5 %, et remonte brusquement à 8,5 %.

Montant	75 000,00 $	75 000,00 $	75 000,00 $	75 000,00 $
Durée	20 ans	20 ans	20 ans	20 ans
Terme	1 an	1 an	1 an	1 an
Taux	7,5 %	7 %	6,5 %	8,5 %
Fréquence	mensuelle	mensuelle	mensuelle	mensuelle
Modalités	capital + intérêts	capital + intérêts	capital + intérêts	capital + intérêts
Remboursement	598,96 $	576,99 $	555,38 $	650,87 $
Frais d'intérêt	5 482,22 $	5 118,74 $	4 754,83 $	6 317,77 $

Hypothèque à court terme ou à long terme

Vous pouvez choisir la durée de votre prêt hypothécaire. Généralement, les prêteurs offrent des durées allant de six mois à cinq ans. Il est aussi possible d'obtenir des durées de 7, 10 ou même 25 ans. Un prêt à court terme dure habituellement deux ans ou moins, tandis qu'un prêt à long terme s'étend sur trois ans ou plus.

Il y a une constante : plus la durée est longue, plus le taux d'intérêt est élevé. Ce type de prêt vous permet toutefois de savoir exactement quels seront vos versements et le taux d'intérêt pour une période prolongée.

Dans le cas d'un prêt à long terme, l'option de transportabilité peut s'avérer indispensable. Certaines personnes changent souvent de maison ; elles vendent leur maison et en rachètent une autre avant l'échéance de leur prêt hypothécaire. Pour éviter les frais élevés de remboursement anticipé, il faut prendre l'option de transportabilité offerte par certains prêteurs. Cela vous permettra de transférer votre hypothèque sur votre nouveau prêt hypothécaire sans frais de remboursement anticipé, puisque vous ne l'annulez pas.

Si votre hypothèque existante est importante, il est également possible de la réduire, mais vous devrez probablement débourser des frais de remboursement anticipé sur la somme payée.

Si votre hypothèque est peu élevée, vous pouvez emprunter (à condition que les critères du prêteur touchant vos revenus et la valeur de la propriété soient respectés) et combiner le taux actuel de votre prêt à celui obtenu pour les fonds supplémentaires.

L'option de transportabilité convient au propriétaire, qui s'est engagé pour toute la durée de son hypothèque, mais pas nécessairement pour une maison en particulier.

À l'opposé, plus la durée est courte, moins le taux d'intérêt est élevé. Il peut aussi être avantageux de privilégier un prêt à court terme si vous envisagez de vendre votre maison et n'aurez plus besoin d'un prêt hypothécaire ou d'un prêt aussi élevé.

Bien qu'il s'agisse d'une question de préférence personnelle, de récentes études ont révélé qu'il pourrait vous en coûter plus cher de fermer votre prêt hypothécaire que de le renouveler tous les six mois. Cette situation tient principalement au taux d'intérêt plus élevé que vous payez sur un prêt à long terme. Si les taux d'intérêt sont en hausse ou si un relèvement pointe à l'horizon, il pourrait être judicieux d'opter pour un prêt à long terme et de bloquer votre taux.

Lorsque les taux d'intérêt sont plus bas au moment du renouvellement de votre hypothèque, vous pouvez économiser.

Voici comment économiser : plutôt que de profiter de cette baisse pour réduire vos paiements, gardez les mêmes versements ou choisissez un montant à mi-chemin.

Si vos versements mensuels passent de 800 $ à 700 $ en raison d'une baisse des taux d'intérêt, continuez malgré tout à verser 800 $ ou un montant s'en rapprochant.

Chaque dollar s'ajoutant au versement de 700 $ se traduira par une réduction du solde dû, ce qui aura pour effet de réduire le nombre d'années nécessaires pour payer l'hypothèque tout en vous épargnant des milliers de dollars en frais d'intérêts.

L'intérêt étant une dépense non déductible, l'économie réalisée est encore plus considérable si on la transpose en revenu brut. Conserver les mêmes versements hypothécaires en dépit d'un taux d'intérêt réduit est un moyen efficace de payer son hypothèque par anticipation.

Exemple

Hypothèque à court terme ou à long terme ?

Montant	75 000 $
Durée	25, 20, 15, 5 ans
Terme	1 an
Taux	7,5 %

Voyons ce qui se passe dans le long terme et le court terme...

Montant	75 000,00 $	75 000,00 $	75 000,00 $	75 000,00 $
Durée	25 ans	20 ans	15 ans	5 ans
Terme	1 an	1 an	1 an	1 an
Taux	7,5 %	7,0 %	6,5 %	8,5 %
Fréquence	mensuelle	mensuelle	mensuelle	mensuelle
Modalités	capital + intérêts	capital + intérêts	capital + intérêts	capital + intérêts
Remboursement	548,67 $	598,96 $	690,39 $	1 498,77 $
Frais d'intérêt	89 601,00 $	68 75,40 $	49 270,20 $	14 926,20 $

La différence au niveau des frais est énorme, mais les remboursements varient en conséquence. Si vous en avez les moyens, allez vers la durée la plus courte, mais ne vous égorgez pas...

Qu'entend-on par «calcul semestriel, non à l'avance»?

Les loyers sont payés d'avance, pour le mois à venir. Les hypothèques sont payées à la fin du mois, pour le mois précédent; ainsi, les emprunteurs disposent de leur argent pendant cette période.

Le «calcul semestriel» de l'hypothèque est un concept très complexe et unique au Canada qui n'a rien à voir avec les intervalles entre les versements.

Dans le cas d'une hypothèque à 7 %, cela signifie que 3,5 % sont prélevés tous les 6 mois. Si les versements sont effectués chaque mois, chaque semaine, aux 2 semaines ou 2 fois par mois, un facteur d'intérêt est nécessaire pour arriver à 3,5 % au bout de 6 mois.

Certains taux d'intérêt canadiens sont calculés par mois, ce qui revient plus cher à l'emprunteur.

Un taux de 7 % calculé aux 6 mois coûte 7,1225 % par année, mais un taux de 7 % calculé au mois coûte 7,2229 % par année.

Au moment de contracter une hypothèque, renseignez-vous sur la façon dont le taux d'intérêt est calculé, car le calcul mensuel est moins avantageux que le calcul semestriel.

Versements hebdomadaires

Les versements hebdomadaires ne sont pas toujours plus économiques pour l'emprunteur. L'emprunteur n'économise pas nécessairement en effectuant des versements hypothécaires plus rapprochés (chaque semaine, aux 15 jours ou bimensuels). Ce qui compte, c'est la façon dont le versement est calculé.

Pour régler rapidement une hypothèque, il faut payer le quart du versement mensuel chaque semaine, ou la moitié toutes les deux semaines. Cette forme accélérée de versements peut réduire d'au moins 5 ans l'amortissement normal sur 25 ans. Pour certaines hypothèques, toutefois, on divise le total annuel en 52 ou 26 versements; ceux-ci sont alors moindres, mais ils ne diminuent pas tellement l'amortissement. Comment être sûr d'accélérer le règlement de l'hypothèque au moyen de versements plus rapprochés?

N'y pensez pas au départ. Commencez par obtenir un prêt hypothécaire à versements mensuels sur 25 ans mais, avant de le conclure, divisez le versement mensuel par 4 ou par 2, selon que vous désirez effectuer vos paiements chaque semaine ou aux quinze jours, respectivement.

Par ce calcul, vous obtiendrez le montant exact correspondant au règlement accéléré de votre hypothèque, la formule qui vous fera économiser des dizaines de milliers de dollars en intérêts.

Hypothèque avec des versements aux deux semaines…

Montant	75 000 $
Durée	20 ans
Terme	1 an
Taux	7,5 %

Voyons ce qui se passe…

	- A -	- B -	- C -
Montant	75 000,00 $	75 000,00 $	75 000,00 $
Durée	20 ans	16,8 ans	20 ans
Terme	1 an	1 an	1 an
Taux	7,5 %	7,5 %	7,5 %
Fréquence	mensuelle	deux semaines avec paiements accélérés	deux semaines
Modalités	cap. + int.	cap. + int.	cap. + int.
Remboursement	**598,96 $**	598,96 $ ÷ 2	598,96 $ × 12 ÷ 26
		299,48 $	**276,44 $**
Frais d'intérêt	68 750,40 $	55 706,70 $	68 544,78 $

Dans B, on divise le versement mensuel par 2.
Dans C, on divise le total des versements annuels par 26.
Cela change la durée tout comme le montant des frais d'intérêt.
Vous voyez que la différence est assez importante.

Hypothèque avec des versements hebdomadaires…

Montant	75 000 $
Durée	20 ans
Terme	1 an
Taux	7,5 %

Voyons ce qui se passe…

	- A -	- B -	- C -
Montant	75 000,00 $	75 000,00 $	75 000,00 $
Durée	20 ans	16,78 ans	19,88 ans
Terme	1 an	1 an	1 an
Taux	7,5 %	7,5 %	7,5 %
Fréquence	mensuelle	hebdomadaire avec paiements accélérés	hebdomadaire
Modalités	cap. + int.	cap. + int.	cap. + int.
Remboursement	**598,96 $**	598,96 $ ÷ 4	598,96 $ × 12 ÷ 52
		149,74 $	**138,22 $**
Frais d'intérêt	68 750,40 $	55 548,42 $	67 671,32 $

Dans B, on divise le versement mensuel par 4.
Dans C, on divise le total des versements annuels par 52.
Cela change la durée tout comme le montant des frais d'intérêt. Vous comprenez que la différence est assez importante et qu'il est très avantageux de payer sur une base hebdomadaire accélérée.

Quoi qu'il en soit, c'est vous qui connaissez vos besoins. Visitez plusieurs prêteurs. Prenez le temps de vous renseigner. Comparez les options qu'on vous offre. Réfléchissez et choisissez le prêteur dont les options conviennent le mieux à vos besoins.

Certains prêteurs offrent aussi des prêts ciblés : par exemple la possibilité de fractionner votre prêt hypothécaire pour combiner divers types d'hypothèques et diverses durées.

Assurance hypothécaire

De nombreux prêteurs offrent de l'assurance-vie et invalidité en option, mais peu d'entre eux exigent de l'emprunteur qu'il y souscrive. Il se peut que votre hypothèque soit l'obligation financière la plus importante de votre vie ; le moment est tout indiqué pour évaluer votre protection actuelle et pour y apporter des modifications au besoin.

Assurance-incendie

C'est un passage obligé pour obtenir un prêt hypothécaire sur sa maison ; vous devez faire les démarches vous-même et payer les primes à cet égard de façon distincte. Vous avez intérêt à vous procurer un ou plusieurs détecteurs de fumée. Cela réduira le coût de votre prime.

Assurance-invalidité hypothécaire

Une assurance-invalidité peut vous aider à effectuer vos versements hypothécaires en cas de maladie ou d'invalidité. Vérifiez d'abord si votre assurance-invalidité actuelle offre une protection suffisante ; sinon, envisagez sérieusement de la modifier ou d'en augmenter la couverture afin de protéger votre famille.

Encore là, il s'agit d'une assurance facultative pour vous protéger dans l'éventualité où vous ne pourriez effectuer vos versements hypothécaires en raison d'un accident ou d'une maladie qui vous empêcherait de poursuivre vos activités professionnelles.

Assurance-remboursement hypothécaire

Cette assurance garantit les versements hypothécaires périodiques dans l'éventualité où votre revenu serait soudainement réduit (par exemple, si vous êtes mis à pied ou au chômage pendant une période donnée).

Assurance-vie hypothécaire

C'est une assurance facultative, mais... si vous décédez avant le remboursement total de votre prêt, l'assurance en paiera le solde.

Qu'arrivera-t-il si vous décédez et que votre hypothèque n'est pas encore payée ? En prenant une assurance-vie, directement ou par le biais de votre prêteur, il y aura suffisamment d'argent, à votre décès, pour racheter la totalité de votre hypothèque.

Vérifiez d'abord si votre assurance actuelle est suffisante pour racheter votre hypothèque et permettre à votre famille de régler ses dépenses courantes et d'effectuer ses placements.

Quelques conseils

L'assurance-habitation

Nous avons tous besoin d'assurer notre maison, mais certains le font de manière excessive. Comme le terrain sur lequel la maison est bâtie ne risque pas de brûler, seul le bâtiment devrait être assuré. Si votre solde hypothécaire est inférieur à la valeur du bâtiment, il n'y a pas de problème. Par contre, si le solde dépasse la valeur de la maison et que vous l'assurez pour la valeur de l'hypothèque, vous êtes alors surassuré.

Le montant d'assurance doit être déterminé par la valeur du bâtiment, et non par le montant de l'hypothèque. Pour éviter tout dilemme, dotez votre police d'assurance d'un avenant de valeur à neuf. Un tel avenant garantit le paiement intégral des frais encourus pour rebâtir la maison, même si la perte est plus grande que la valeur assurée. Cet avenant est soit gratuit, soit offert pour une somme négligeable.

Cela ne s'applique cependant qu'aux maisons occupées par leur propriétaire, à l'exclusion des propriétés à revenus.

Et n'oubliez pas que votre assurance-incendie doit être déjà établie au moment de la clôture.

Faire en sorte de pouvoir déduire l'intérêt sur l'hypothèque

La plupart des gens ne peuvent déduire l'intérêt qu'ils paient sur leur hypothèque, car l'argent emprunté sert à payer leur maison. Cette situation serait différente si l'argent servait à faire des affaires ou des placements, par exemple acheter des actions, des fonds communs de placement ou un immeuble à revenus. L'intérêt serait alors déductible, même si le prêt devait être garanti par une hypothèque sur la maison.

Le fait que la maison serve de bien affecté en garantie est sans importance ; c'est l'usage qui est fait de l'argent emprunté qui détermine si l'intérêt est déductible ou non. En fait, une hypothèque à 9 % dont l'intérêt est déductible coûte moins cher qu'une hypothèque à 8 %. Les Canadiens doivent tout faire pour payer leur hypothèque dans les plus brefs délais. Augmenter la valeur nette de votre maison vous donne l'occasion de prendre une nouvelle hypothèque et d'utiliser ces fonds pour générer des revenus, ce qui vous permet de déduire l'intérêt.

Utilisez votre remboursement d'impôt judicieusement

Les statistiques révèlent qu'au cours des dernières années, les Canadiens ont reçu en moyenne 1 000 $ en remboursement d'impôt sur le revenu. Il va sans dire que si les propriétaires affectent cette somme à la réduction de leur hypothèque, cela constitue une excellente façon d'économiser.

Supposons que vous ayez pris, il y a un an, une hypothèque de 100 000 $ à un taux de 8,75 % renouvelable dans 3 ans, et que votre amortissement soit de 25 ans. Si vous utilisez votre remboursement d'impôt de 1 000 $ pour réduire votre hypothèque, vous pourriez économiser presque 6 600 $.

Comme l'intérêt sur l'hypothèque n'est généralement pas déductible et qu'il est payé avec votre argent après impôt, l'épargne réelle est encore plus importante si on la transpose en revenus.

Si votre revenu est imposable à 40 %, vous devez gagner presque 11 000 $ de plus et payer près de 4 400 $ d'impôt pour obtenir les 6 600 $ que vous pourriez économiser simplement en investissant votre remboursement d'impôt de 1 000 $ dans votre hypothèque.

En somme, à moins de pouvoir augmenter de 14,5 % votre revenu avant impôt, il n'est pas judicieux financièrement d'investir ailleurs que dans votre hypothèque à 8,75 %.

Il est donc très avantageux d'affecter votre remboursement d'impôt à la réduction de votre hypothèque.

Comment accélérer le remboursement?

Quand ce sera le moment de renouveler ou de renégocier votre prêt, prenez en considération certaines stratégies visant à vous aider à accélérer le remboursement de votre prêt hypothécaire et à économiser ainsi de l'argent. Il existe plusieurs moyens d'accélérer le remboursement de votre prêt hypothécaire et d'en réduire les coûts au minimum : qu'il s'agisse d'augmenter vos versements périodiques et leur fréquence, qu'il s'agisse de privilégier l'option de remboursement anticipé ou qu'il s'agisse d'augmenter le montant de vos versements pour réduire le capital de votre prêt hypothécaire. Il est suggéré de le faire sans pour autant se créer des fins de mois difficiles : si votre budget vous autorise à rembourser un peu plus chaque mois, votre prêt sera remboursé beaucoup plus rapidement.

1) Augmenter vos versements périodiques

Vous pouvez généralement rembourser aussi jusqu'à 10 % à 20 % du capital initial et ce, en sus de vos versements hypothécaires périodiques. Ces versements supplémentaires s'effectuent à la date anniversaire de votre prêt hypothécaire, quoique votre prêteur pourrait aussi vous permettre de le faire à tout moment. Chose intéressante, vous pouvez aussi être autorisé à fractionner le montant en deux et à le payer en deux versements au cours de l'année ou à doubler vos versements mensuels sans pénalité.

2) Augmenter la fréquence de vos versements

Habituellement, la fréquence des versements est mensuelle, mais la plupart des prêteurs offrent la possibilité d'effectuer des versements hebdomadaires ou aux deux semaines. Ces versements réduisent votre capital, diminuent de façon importante le montant total de l'intérêt que vous payez et vous permettent de finir de rembourser votre emprunt plusieurs années plus tôt.

Hypothèque de 80 000 $ à 8 %*

Versements	Montant	Amortissement	Coût total des intérêts**
Mensuels	610,58 $	25,0 %	103 165 $
Bimensuels	305,29 $	24,9 %	102 238 $
Aux 15 jours	281,81 $	24,7 %	101 125 $
Hebdomadaires	140,90 $	24,6 %	100 697 $
Aux 15 jours accélérés***	305,29 $	19,9 %	78 167 $
Hebdomadaires accélérés****	152,65 $	19,9 %	77 874 $

 * Taux d'intérêt constant pendant la période d'amortissement.
 ** Sur la durée de l'hypothèque.
 *** Paiement mensuel divisé par 2.
**** Paiement mensuel divisé par 4.

3) Réduire la période d'amortissement

Une autre façon de rembourser votre prêt hypothécaire plus rapidement consiste à choisir la période d'amortissement la plus courte possible. Essayez de la réduire chaque fois que vous renouvelez votre prêt hypothécaire.

Voyons ce que cela donne.

Le prêt hypothécaire : l'astuce des prêteurs

Vous avez sûrement constaté qu'au fil des ans le marché hypothécaire s'est durci.

Que voulez-vous, les temps changent. C'est devenu un marché d'emprunteurs... Les institutions financières ne savent plus quoi inventer pour s'attirer la clientèle.

Les plus petites, comme les banques Laurentienne, Scotia et de Montréal, rivalisent d'ingéniosité et font des pieds et des mains pour tenter de faire des brèches dans la clientèle de la concurrence et arracher des clients aux plus gros prêteurs hypothécaires du Québec que sont la banque Nationale et les Caisses Desjardins, qui détiennent 40 % du marché.

Aujourd'hui, les institutions financières sont prêtes à vendre leurs hypothèques à rabais. La raison en est fort simple. D'abord, les prêteurs ont compris qu'il leur fallait être novateurs parce que les hypothèques, ce n'est pas payant. C'est un produit qu'on pourrait appeler un produit d'appel (*lost leader*, comme on dit dans le jargon) en ce sens que tout le monde a besoin d'une hypothèque. Et si le vendeur sert bien son client, celui-ci reviendra. C'est à la fois simple et logique. L'institution financière préfère vendre une hypothèque à rabais, car elle sait pertinemment qu'en servant bien le client, celui-ci reviendra pour acheter d'autres produits qui, cette fois, lui permettront de réaliser une meilleure marge de profit.

La Banque de Montréal et la Banque Nationale ont des équipes volantes et des démarcheurs sur le terrain. Les choses se font rondement. Le temps de faire la preuve que votre crédit est bon, vous décrocherez votre hypothèque sur-le-champ, quelquefois en moins d'une heure, et pourrez peut-être même toucher du comptant. On est loin des trois semaines de délai que les institutions financières s'accordaient, dans le temps, avant de fournir une réponse à votre demande de prêt, n'est-ce pas ?

On peut se permettre de rigoler un petit peu. Je suis tenté de dire que nos institutions financières n'ont rien à envier à nos grandes centrales syndicales que sont la FTQ et la CSN quand il s'agit de faire du « maraudage ». Quoique c'est plus subtil…

Prenons le cas de la Banque Laurentienne. Non seulement elle tente de recruter des clients par l'envoi d'une lettre personnalisée à ceux qui renouvellent leur hypothèque, mais elle a acheté des listes de clients potentiels chez des « petits futés » qui s'installent au bureau de la publicité des droits (anciennement le bureau d'enregistrement) et qui font à plein temps des relevés d'hypothèques dont le taux doit être renégocié bientôt. Savoureux comme technique, n'est-ce pas ? Une fois que la Banque Laurentienne a ces listes en main, elle propose à ces clients potentiels d'obtenir une remise en argent comptant de 3 % du prêt, s'ils transfèrent leur hypothèque à la Banque Laurentienne. Résultat :

- Si vous avez un prêt de 100 000 $, vous pouvez toucher une remise de 3 000 $;
- Si vous avez un prêt de 150 000 $, vous pouvez toucher une remise de 5 000 $.

La Banque Nationale, elle, offre une hypothèque économique dont le taux se limite à 1,9 % au cours des 3 premiers mois ; ensuite un prêt de 5 ans donne droit à une réduction de taux allant de 0,6 % à 2 % de remise comptant.

Chez les Caisses Desjardins, qui ont quand même augmenté leurs ventes encore de 15 % cette année, on offre une remise comptant jusqu'à 2 % du prêt ou 3 000 $, ou encore on offre une diminution de taux de 0,75 %, parfois de 1 %.

Comme vous voyez, dans les mois qui précèdent la période des déménagements, cela vaut la peine de magasiner un peu. De toute façon, vous n'avez rien à perdre...

Lexique

Acompte: somme remise par l'acheteur avec son offre, en garantie de sa bonne foi. Cette somme est généralement gardée en fiducie par l'agent immobilier ou par l'avocat ou le notaire du vendeur jusqu'à la conclusion de la vente.

Acte de vente: document dressé par un notaire contenant la description détaillée de la propriété et qui en constate la cession par le vendeur à l'acheteur. Ce document, ensuite enregistré, établit la preuve de propriété.

Agent immobilier: agent titulaire d'un permis l'autorisant à négocier des opérations d'achat et de vente pour le compte de l'acheteur ou du vendeur.

Amortissement: nombre d'années prévues pour le remboursement intégral d'un prêt hypothécaire.

Amortissement brut de la dette (ABD): pourcentage du revenu brut requis pour couvrir les paiements mensuels afférents à l'habitation. La plupart des prêteurs recommandent que l'indice ABD ne dépasse pas 32 % du revenu mensuel brut (avant impôt).

Amortissement total de la dette (ATD): pourcentage du revenu brut qui doit être consacré aux dépenses mensuelles de logement ainsi qu'au remboursement de toutes les autres dettes et obligations financières. Ce pourcentage ne devrait généralement pas dépasser 40 % du revenu mensuel brut (après impôts).

Assurance-incendie et assurance de biens: avant la conclusion de la vente, l'acheteur doit avoir assuré la propriété à vendre contre le risque d'incendie ainsi que d'autres risques. Le prêteur exige une preuve d'assurance avant de fournir le capital de l'emprunt.

Assurance-prêt hypothécaire: dans le cas d'un prêt hypothécaire à faible mise de fonds, le prêteur exige de l'emprunteur qu'il souscrive une police d'assurance-prêt hypothécaire. Cette prime d'assurance coûte entre 0,5 % et 3,75 % du montant du prêt hypothécaire (des frais supplémentaires peuvent s'ajouter).

Assurance-vie hypothécaire: assurance dont l'indemnité sert à payer le solde débiteur d'un prêt hypothécaire au décès de l'emprunteur assuré. Cette assurance a pour but d'empêcher les survivants de perdre leur maison ou de leur procurer un héritage sans dette.

Avoir propre: différence entre la valeur d'une propriété et celle des sûretés qui la grèvent. L'avoir propre est habituellement la différence entre l'encours hypothécaire et la valeur marchande de la propriété.

Cahier des charges: description écrite et détaillée de la nature et de l'ampleur des travaux commandés ainsi que du type et de la qualité des matériaux nécessaires pour les réaliser. Doit préciser les modalités d'exécution et l'apparence du produit final. Le cahier des charges fait partie intégrante du contrat.

Capital: montant d'argent effectivement prêté ou solde dû sur un prêt hypothécaire. L'intérêt est calculé sur le capital.

Capital du prêt: somme due au prêteur à un moment quelconque, à l'exclusion des intérêts.

Capital propre: tranche de la valeur marchande d'un bien immobilier qui reste au propriétaire après déduction des sûretés qui le grèvent. Correspond en général à la différence entre cette valeur et le montant du prêt hypothécaire.

Certificat de localisation: document dressé par un expert géomètre compétent qui précise les dimensions et l'emplacement exacts de la propriété et décrit le type et les dimensions de la maison, y compris les ajouts, ainsi que son emplacement sur la propriété.

Créancier hypothécaire: personne ou établissement financier qui accorde un prêt hypothécaire.

Date d'échéance: dernière journée de la durée du contrat de prêt hypothécaire. Il s'agit de la date à laquelle le prêt est soit renouvelé, soit remboursé.

Date de transfert de la propriété: date à laquelle la vente de la propriété devient ferme et à laquelle le nouveau propriétaire prend possession de la maison.

Débiteur hypothécaire: l'emprunteur.

Dédit: somme versée au prêteur pour le dédommager du remboursement anticipé, partiel ou intégral, d'un emprunt fermé.

Défaut: non-paiement par l'emprunteur, à leur échéance, des sommes stipulées par le contrat de prêt ou infraction quelconque à l'une des dispositions de ce contrat.

Devis: document par lequel un entrepreneur ou un artisan s'offre à réaliser un projet donné à un prix stipulé; comporte une description précise des quantités et qualités des matériaux qu'il se propose d'employer ainsi que des exclusions de responsabilité.

Droits de mutation immobilière: somme versée à la municipalité ou au gouvernement provincial pour le transfert d'une propriété du vendeur à l'acheteur.

Durée: durée pour laquelle le taux d'intérêt est fixé. Indique aussi la date à laquelle le capital et les intérêts deviennent exigibles par le créancier.

Durée du contrat: période de validité d'un contrat de prêt hypothécaire. À l'expiration du contrat, le solde du capital doit être remboursé intégralement à moins que l'emprunt ne soit renégocié au taux d'intérêt courant et, éventuellement, avec d'autres conditions.

Expertise: travail exécuté par un expert indépendant retenu par la banque pour calculer la valeur de la propriété et déterminer si elle est conforme aux critères pour les prêts. La valeur ainsi établie n'est pas nécessairement identique au prix d'achat de la maison.

Frais de conclusion de la vente: frais payables à la conclusion de la vente. Ces frais comprennent normalement les régularisations, les droits de mutation, les assurances et les honoraires et frais d'avocat ou de notaire.

Frais de copropriété: quote-part des charges communes exigée de chaque copropriétaire.

Frais de remboursement anticipé: frais imputés par le prêteur lorsque l'emprunteur rembourse en totalité ou en partie un prêt hypothécaire fermé plus rapidement que la période prévue dans le contrat de prêt hypothécaire.

Garantie: dans le cas des prêts hypothécaires, la propriété représente la garantie du prêt.

Inspection: examen de la maison à vendre par un expert choisi par l'acheteur.

Mise de fonds initiale: somme que l'acheteur paie à même ses propres ressources à l'achat d'une maison. Correspond à la différence entre le prix d'achat et le montant du prêt hypothécaire.

Offre conditionnelle: offre d'achat assujettie à des conditions particulières, par exemple l'obtention d'un emprunt approprié, un rapport d'inspection satisfaisant ou la vente d'une maison appartenant à l'acheteur. Ordinairement, l'offre stipule un délai dans lequel les conditions doivent être remplies.

Offre d'achat: contrat écrit énonçant les conditions auxquelles un acheteur convient d'acheter une propriété. Dès son acceptation par le vendeur, l'offre constitue un contrat qui définit les droits et les obligations de l'acheteur et du vendeur relativement à la cession de la propriété. L'offre d'achat indique la désignation officielle de la propriété (numéro cadastral et adresse, notamment), le prix d'achat, la date prévue pour la conclusion de la vente, les détails de l'emprunt hypothécaire et les conditions de remboursement; elle contient aussi une liste d'articles inclus dans la vente ou qui en sont exclus.

Période d'amortissement: nombre d'années nécessaires pour rembourser la totalité du prêt hypothécaire.

Possibilité de prise en charge: possibilité pour l'acheteur de prendre en charge le prêt hypothécaire grevant la propriété du vendeur.

Prêt avec garantie hypothécaire: prêt hypothécaire résidentiel également garanti par un billet à ordre. Le montant ainsi emprunté peut servir à toute fin raisonnable, telles des rénovations domiciliaires ou des vacances.

Prêt hypothécaire à faible mise de fonds: si vous ne pouvez réunir la mise de fonds de 25 % nécessaire pour obtenir un prêt ordinaire, vous devez assurer votre prêt hypothécaire contre le défaut de paiement jusqu'à concurrence d'un certain plafond, par la SCHL ou une autre compagnie d'assurances privée agréée. Un prêt à faible mise de fonds est un prêt hypothécaire qui dépasse 75 % de la valeur d'emprunt de la propriété.

Prêt hypothécaire à ratio élevé: prêt hypothécaire dépassant 75 % de la valeur d'évaluation de la propriété. Ces prêts doivent absolument être assurés contre les défauts de paiement.

Prêt hypothécaire à taux variable: prêt hypothécaire à versements fixes, mais dont le taux d'intérêt fluctue. La variation du taux d'intérêt détermine la part du versement affectée au remboursement du capital.

Prêt hypothécaire à taux fixe: prêt hypothécaire dont le taux est fixé pour une période déterminée (la durée ou le terme). Le taux d'intérêt est fixé pour un terme préétabli – généralement entre 6 mois et 25 ans – et ne peut pas être renégocié, sauf sur paiement d'un dédit. L'intérêt est calculé tous les six mois, non à l'avance.

Prêt hypothécaire à taux variable (ou à taux flottant): prêt hypothécaire dont le taux d'intérêt suit les fluctuations du marché. Les versements périodiques demeurent constants pendant une période déterminée. Toutefois, la partie du versement appliquée au capital varie en fonction de la fluctuation du taux d'intérêt (le cas échéant). La plupart des prêts à taux variable permettent le remboursement anticipé d'un montant quelconque (avec certains minimums) sans dédit, à toute date de paiement mensuel.

Prêt hypothécaire accordé par le vendeur : prêt consenti par le vendeur d'une propriété sur le prix de vente total ou partiel de la propriété afin d'en faciliter la vente.

Prêt hypothécaire conventionnel : prêt à taux fixe dont le capital ne peut pas dépasser 75 % de la valeur d'expertise ou, si ce montant est moindre, 75 % du prix d'achat de la propriété. Il n'est pas nécessaire de souscrire une assurance-prêt hypothécaire pour ce type de prêt.

Prêt hypothécaire convertible : prêt offrant les mêmes avantages qu'un emprunt hypothécaire fermé, mais qui peut être converti en un emprunt fermé à longue échéance à tout moment sans dédit.

Prêt hypothécaire de second rang : prêt accordé quand une première hypothèque grève déjà la propriété.

Prêt hypothécaire fermé : prêt hypothécaire sans privilège de remboursement anticipé, de renégociation ou de refinancement avant l'échéance. Il est assorti d'un calendrier de remboursement rigide. Une indemnité est normalement prévue en cas de remboursement du capital avant l'échéance.

Prêt hypothécaire ouvert : prêt assorti d'un privilège permettant de rembourser une partie ou la totalité du prêt en tout temps, sans indemnité.

Prêt hypothécaire préautorisé : prêt dont l'autorisation vous est consentie avant même que vous ne commenciez à chercher une maison. Vous connaissez ainsi le prix que vous pouvez payer et êtes en mesure de présenter une promesse d'achat ferme dès que vous fixez votre choix sur une maison.

Privilège : droit du créancier hypothécaire grevant la propriété de l'emprunteur.

Privilèves limités de remboursement anticipé : possibilité d'effectuer des versements de capital en plus des versements hypothécaires habituels.

Ratio des charges brutes (RCB) : le pourcentage du revenu brut de l'emprunteur affecté aux versements mensuels de capital, d'intérêts, de taxes et de chauffage, ainsi qu'aux charges communes dans le cas d'une copropriété.

Ratio des charges totales (RCT) : le pourcentage du revenu brut de l'emprunteur affecté aux versements mensuels de capital, d'intérêts, de taxes et de chauffage, ainsi qu'au remboursement des autres emprunts et dettes.

Refinancement : remboursement total du prêt hypothécaire existant et des charges hypothécaires grevant la propriété et obtention d'un nouveau prêt hypothécaire auprès du même prêteur ou d'un autre.

Régularisations: les taxes foncières, comptes d'électricité, de gaz et de mazout, et la participation aux frais de copropriété qui ont été payés d'avance par le vendeur sont répartis à la date de la conclusion de la vente et remboursés par l'acheteur au vendeur.

Remboursement anticipé: droit de rembourser à l'avance des fractions stipulées du solde du capital, avant l'échéance du prêt. L'exercice de l'option de remboursement anticipé sur un emprunt fermé entraîne parfois le paiement d'un dédit.

Saisie immobilière: action par laquelle le créancier hypothécaire obtient la propriété de la maison, à la suite du défaut de l'emprunteur; la saisie éteint tous les droits de l'emprunteur sur la propriété hypothéquée.

Servitude: droit acquis d'accès, de passage ou parfois d'utilisation grevant le terrain d'un tiers dans un but particulier, tel qu'une entrée de garage ou de services de viabilisation.

Société canadienne d'hypothèques et de logement (SCHL): société d'État fédérale chargée de l'application de la *Loi nationale sur l'habitation* pour le compte du gouvernement fédéral canadien. Elle élabore également des produits d'assurance-prêt hypothécaire et les vend.

Solde de prix de vente: financement accordé par le vendeur afin de faciliter l'acquisition de la propriété par l'acheteur.

Taux d'intérêt: rémunération que reçoit le prêteur en contrepartie de son prêt. L'intérêt est généralement exprimé en pourcentage annuel du capital.

Taux d'intérêt réel: taux d'intérêt véritable, une fois déduite l'incidence des intérêts composés. Le taux d'intérêt réel est plus élevé lorsque la fréquence des intérêts composés augmente.

Titre: document attestant la propriété d'un bien immobilier.

Transférabilité: caractéristique d'un prêt lui permettant de grever la propriété nouvellement achetée, sans indemnité.

Valeur acquise: différence entre la valeur à laquelle pourrait se vendre la propriété et le montant du prêt.

Valeur d'évaluation: estimation de la valeur de la propriété effectuée par un évaluateur agréé aux fins de l'octroi d'un prêt. Ne pas confondre évaluation et inspection de la maison.

Valeur estimative : évaluation de la valeur marchande d'une propriété.

Versement confondu (ou mixte) : versements uniformes composés d'une fraction de capital et des intérêts, effectués périodiquement pendant la durée de l'emprunt. La partie affectée au remboursement du capital augmente de mois en mois tandis que la partie représentant les intérêts baisse. Les versements périodiques ne changent pas durant le terme.

Zonage : règlement municipal définissant l'usage qui peut être fait des terrains et des bâtiments dans un secteur donné.

Chapitre 5
Placements

Introduction

C'est toujours la même question qui revient quand on parle de placements : où doit-on investir pour obtenir le meilleur rendement tout en assurant la sécurité de son capital et tout cela avec la bénédiction du fisc ?

La règle d'or, c'est d'accumuler d'abord les actifs et de protéger son capital contre les risques du marché ; il faut aussi tenter de faire en sorte que les revenus qu'on en retirera soient à l'abri du fisc si c'est possible et également rentabiliser les avoirs existants. Il faut toujours avoir en mémoire qu'il est aussi important de protéger son capital que de viser à obtenir un rendement élevé. Dans les circonstances, le meilleur abri qui existe, c'est purement et simplement la maison dont vous êtes propriétaire. Au fil des ans, votre habitation prend de la valeur et n'entraîne aucun gain en capital imposable. Après la maison, c'est le REER qui constitue le placement prioritaire. Au chapitre consacré aux REER, vous comprendrez qu'il s'agit probablement du meilleur instrument existant à ce jour pour permettre de faire de l'argent avec les impôts qu'on doit. Ensuite, il y a le Fonds de solidarité des travailleurs du Québec de la FTQ et le Fondaction de la CSN, qui constituent un bon abri fiscal pour une personne approchant de la retraite. Une fois que vos dettes sont payées et que vous avez utilisé au maximum les véhicules d'épargne avec déduction ou crédit d'impôt, vous pouvez aller dans les certificats de dépôt et autres épargnes à terme. L'inconvénient, c'est que les intérêts sont totalement imposables, mais l'avantage, c'est que votre capital est à l'abri du risque et que c'est un bon moyen pour avoir un taux d'intérêt garanti pour la durée du terme. Les obligations d'épargne et les bons du Trésor offrent à peu près les mêmes avantages, en plus de la possibilité de les liquider en tout temps. Là aussi, les intérêts sont imposables chaque année.

Un autre moyen d'augmenter le rendement de ses épargnes consiste à troquer ses revenus d'intérêt contre des revenus de dividendes et des gains en capital. On peut réaliser des dividendes en achetant des actions ordinaires ou privilégiées de grandes sociétés qui ont versé des dividendes relativement élevés ces dernières années. Pour réaliser un gain de capital, en plus des actions, les obligations des municipalités et des grandes sociétés peuvent être intéressantes. Les obligations ont ceci de particulier qu'elles produisent à la fois un revenu d'intérêt et un gain en capital. Les revenus de dividendes et de gain en capital sont moins taxés entre vos mains que les revenus d'intérêt. Un rendement de 6 % en gains en capital ou dividendes équivaut à un rendement d'intérêt de 7,5 %

	Taux d'imposition
Intérêt	45,56 %
Gain en capital	31,41 %
Dividendes	34,17 %

Calcul sur un revenu imposable variant entre 29 591 $ et 50 000 $

Pour se constituer un portefeuille de placements équilibré, il faut quand même un minimum de connaissances, suffisamment d'épargnes et surtout du temps pour s'en occuper. Les fonds communs de placement pourraient constituer un compromis intéressant, par exemple. Ce sont des portefeuilles déjà constitués auxquels vous pouvez participer selon vos moyens sans être tenu d'avoir des connaissances spécialisées. Là encore, il faudra mettre le temps nécessaire pour bien comprendre le dépliant du fonds qui vous intéresse (voir le chapitre consacré aux fonds communs de placement) car les fonds communs de placement ne sont pas un véhicule-miracle...

Au fond, le meilleur placement, après celui qui consiste à payer vos dettes, c'est celui que vous choisissez de façon éclairée et avec lequel vous vous sentez à l'aise. Le rendement obtenu sur l'épargne accumulée fera une grande différence au moment de la retraite. Il s'agit donc d'opter pour une hypothèse raisonnable, car ce qui compte vraiment, c'est le rendement réel, c'est-à-dire la croissance en sus de l'inflation. En ce sens, un rendement brut de 8 % jumelé à une inflation de 3 % est justifiable. Il importe de faire preuve de réalisme et de ne pas prétendre à une retraite dorée qui se réalisera grâce à des rendements élevés, à l'absence d'inflation ou à une réduction marquée et durable du fardeau fiscal.

Types de placements

À titre d'investisseur, vous pouvez choisir d'être prêteur ou propriétaire. Les placements sous forme de créance (en espèces ou en placements à revenu fixe) paient de l'intérêt. Les placements sous forme de participation (propriétaire) offrent le potentiel de générer des gains ou des revenus.

À titre d'investisseur prêteur, vous avancez de l'argent à un emprunteur. Il peut s'agir d'un gouvernement, d'une institution financière ou d'une société. Votre prêt peut prendre la forme d'une obligation, d'un certificat de placement garanti (CPG) ou d'un bon du Trésor, et votre revenu est l'intérêt payé à une date donnée en contrepartie de l'utilisation de votre argent par l'emprunteur. On vous promet le remboursement de votre prêt initial – ou placement – à une date prédéterminée. Certains placements sous forme de créance comme les obligations peuvent être revendus sur le marché avant l'échéance, engendrant un gain ou une perte en capital. Toutefois, cette option n'attire pas particulièrement les investisseurs en quête d'un revenu.

À titre d'investisseur propriétaire, vous devenez en partie propriétaire de la société dans laquelle vous investissez. Vous détenez une part de la société et vous êtes admissible à recevoir une partie de ses bénéfices sous la forme de dividendes. Votre rendement peut provenir de deux sources – les dividendes, s'il y a lieu (votre part des bénéfices de la société versés à ses investisseurs), et l'appréciation du capital (lorsque vous vendez vos actions à un prix supérieur à celui payé initialement, la société ayant pris de la valeur depuis votre investissement). Les investisseurs achètent principalement des titres de croissance ou de participation dans l'espoir de voir leur capital s'apprécier.

Les investissements de type propriétaire font généralement partie de la catégorie des placements sous forme de participation et peuvent également inclure les biens immobiliers, les œuvres d'art, les objets de collection, etc. Les dividendes et l'appréciation du capital ne sont jamais garantis dans ce type de placement et les rendements peuvent grandement fluctuer d'une année à l'autre tandis que les niveaux de risque varient en fonction des placements. Les actions cotées en cents, par exemple, sont très spéculatives.

Les placements peuvent générer un rendement
- en intérêts;
- en dividendes;
- en gain en capital.

Ci-dessous, vous pourrez vous familiariser avec un document publié par l'Association des banquiers canadiens regroupant et définissant les types de placements.

*Types de placements** *

Placements sous forme de créance

Compte d'épargne	Il s'agit d'un compte détenu auprès d'une institution financière ; L'épargne à court terme constitue un placement très sécuritaire ; Liquidité élevée (facilement encaissable).
Obligation d'épargne du Canada	Il s'agit d'un type spécial d'obligation émise par le gouvernement fédéral, vendue dans les institutions financières et offerte uniquement à certaines périodes ; Le taux d'intérêt est fixe sous réserve d'un rajustement du gouvernement ; C'est un placement sûr, garanti par le gouvernement, encaissable une fois l'an à sa date d'anniversaire ; À l'opposé des autres obligations, elle n'est pas négociable ; Disponible en coupures à partir de 100 $.
Bon du Trésor	Placement à cour terme variant de un mois à un an ; Placement sûr et garanti ; Pas de taux d'intérêt déterminé, mais plutôt une valeur nominale et l'écart entre les deux constitue son rendement ; Placement de 1 000 $ et plus offert dans les institutions financières.
Dépôt à terme ou Certificat de placement garanti (CPG)	Vous placez une somme d'argent auprès d'une institution financière pour une période déterminée ; Le CPG classique paie de l'intérêt ; Son capital et son rendement sont garantis ; Le nouveau CPG boursier garantit le capital ; Son rendement potentiel est lié à un indice boursier ; La durée varie de moins de un mois à 10 ans ; Disponible en coupures multiples.

* Source : Association des banquiers canadiens

Acceptation bancaire	Titre de créance émis par une société et garanti par une banque ; Très liquide (durée jusqu'à l'échéance de moins d'un an) ; Placement peu risqué ; Achetée à escompte avec une date d'échéance déterminée et un rendement fixe.
Papier commercial	Similaire à une acceptation bancaire, mais non assorti de la garantie de la banque ; Offert dans les institutions financières.
Obligation d'État	Émise par le gouvernement fédéral ou une province et offerte dans les institutions financières ; Taux d'intérêt fixe pour une durée déterminée ; Placement sûr et liquide (garanti jusqu'à l'échéance par le gouvernement émetteur) ; Durée de 1 an à 30 ans ; Négociable sur le marché des obligations avant l'échéance.
Débenture	Obligation de société non garantie par des éléments d'actif particuliers de la société ; La garantie repose uniquement sur la bonne réputation de la société émettrice.
Titre hypothécaire	Placement qui représente une part d'un groupe de prêts hypothécaires assurés par la SCHL ; Vendu en parts de 5 000 $; Terme variant de 1 an à 10 ans ; Revenu mensuel composé d'un mélange de capital et d'intérêt généré par un groupe de prêts hypothécaires.

Placements sous forme de participation

Actions-Observations	Les actions sont émises par des sociétés ; L'investisseur devient en partie propriétaire de la société en achetant des actions de la société ; Il y a deux grandes catégories d'actions: ordinaires et privilégiées ; Les cours des actions et leur rendement varient ; Elles n'offrent aucune garantie de revenu ; Elles sont négociées en Bourse ou au comptoir.

Actions ordinaires	Donnent habituellement un droit de vote ; Achetées généralement en vue de leur appréciation potentielle en capital ; Si la société réalise des bénéfices, le détenteur en obtient une partie par le biais d'une hausse de la valeur de ses actions ou du versement de dividendes à même les bénéfices de la société, ou les deux ; Si la société connaît une mauvaise année ou que le marché recule, la valeur de vos actions peut baisser et le versement de dividendes est peu probable (d'où une perte en capital potentielle).
Valeurs vedettes	Actions de grandes sociétés réputées, stables, activement négociées et possédant une tradition de versement périodique de dividendes ; Placement considéré comme prudent.
Actions cotées en cents	Actions ordinaires à faible coût (habituellement moins de 1 $) achetées en général à des fins spéculatives ; Émises par des sociétés en phase de démarrage ou des sociétés non prouvées en quête de capital d'expansion.
Actions de sociétés à petite, moyenne et grande capitalisation	Les sociétés de toutes tailles émettent des actions pour lever des capitaux ; Habituellement, plus la société est petite, plus le risque est grand.
Actions privilégiées	Se démarquent des actions ordinaires à plusieurs égards et sont, en fait, considérées comme des obligations ; Habituellement achetées par des investisseurs en quête d'un versement périodique de dividendes, plutôt que d'une appréciation de capital ; Dividendes fixes ; leur rendement est plus élevé que celui des actions ordinaires ; La valeur et le cours en sont davantage liés à la fluctuation des taux d'intérêt qu'aux revenus de la société ; Habituellement sans droit de vote ; Elles sont privilégiées en ce sens qu'elles donnent à leurs détenteurs la priorité sur les actionnaires ordinaires quant au versement des dividendes et au partage de l'actif.

Métaux précieux	Or, argent et autres métaux précieux; Détenus sous forme de lingots (le métal réel) ou de certificats de propriété.
Biens	Marchandise vendue en vrac comme le blé, les métaux, le pétrole et les produits alimentaires; Négociés en Bourse; Font l'objet de contrats.
Produits dérivés	Titre dont la valeur dépend de la valeur marchande d'un autre élément, comme une action ou un bien; Placements complexes utilisés par les investisseurs chevronnés à des fins spéculatives ou de gestion des risques (couverture servant à se mettre à l'abri des fluctuations du marché); Les options et les contrats à terme constituent des produits dérivés. Une option donne à l'investisseur le droit d'acheter ou de vendre un titre en particulier à un prix déterminé et à une date fixe. Un contrat à terme oblige l'investisseur à acheter ou à vendre une quantité précise de biens à un prix déterminé et à une date fixe.

Sécurité décroissante du capital et traitement fiscal des véhicules de placement

Placement	Sécurité du capital	Traitement fiscal
Compte d'épargne	excellente	intérêts
Obligation d'épargne	excellente	intérêts
Certificat de placement	excellente	intérêts
Dépôt à terme	excellente	intérêts
Bon du Trésor	excellente	intérêts gain en capital
Obligation d'une société publique	grande	intérêts gain en capital
Obligation d'entreprise	de moyenne à grande	intérêts gain en capital

Action ordinaire	de moyenne à grande	dividendes gain en capital
Action privilégiée	de moyenne à grande	dividendes gain en capital
Fonds de placement	de faible à moyenne	dividendes gain en capital
Immobilier	de moyenne à bonne	gain en capital
Hypothèque de premier rang	de moyenne à grande	intérêts
Collections	moyenne	gain en capital

Épargne

Le principe de base, c'est de toucher ses revenus, de vivre avec et d'économiser ce qui reste. Beau principe, mais difficile à mettre en pratique. Bien peu de gens réussissent à le faire. L'argent nous glisse des doigts.

Il faut donc trouver un autre moyen qui nous forcera à épargner. L'épargne par déduction salariale ou par prélèvement automatique constitue une bonne façon d'épargner puisque, non seulement vous n'avez pas à vous préoccuper de faire un dépôt, mais vous n'êtes pas en contact avec cet argent, donc vous ne risquez pas de le détourner à d'autres fins. Quelquefois, il faut prendre les grands moyens pour réussir à mettre de l'argent de côté. L'approche développée par David Chilton dans *Un barbier riche*, c'est-à-dire la règle des 10 %, offre un avantage important : cet argent est pris en premier lieu, donc il est automatiquement économisé et cela ne nécessite aucune discipline budgétaire. Sa suggestion : investir 10 % de ses revenus dans un programme de croissance à long terme. «Paie-toi d'abord», dit-il.

Vous gagnez 24 000 $ par année ?

À 10 %, vous économisez 2 400 $ par an, à raison de 200 $ par mois.

Prenez votre crayon et un bout de papier.

Plaçons 200 $ par mois avec un taux de rendement de 8 % pendant 30 ans :

200 $ par mois × 12 mois = 2 400 $.

2 400 $ × 30 ans = 72 000 $

C'est vrai dans la mesure où vous empochez les intérêts.

Imaginez un instant que vous investissez ce montant dans un REER et que vos intérêts soient toujours réinvestis.

Voyons le tableau pour les 5 prochaines années et à tous les 5 ans jusqu'à 30 ans.

200 $ par mois, pendant 30 ans, avec un rendement de 8 %

Année	Capital accumulé
1	2 486,78 $
2	5 172,50 $
3	8 073,07 $
4	11 205,70 $
5	14 588,93 $
10	36 025,00 $
15	67 521,00 $
20	113 800,00 $
25	181 798,00 $
30	281 710,00 $

La beauté de l'histoire, c'est que vous profitez des intérêts composés, c'est-à-dire des intérêts sur le capital et des intérêts sur les intérêts. C'est là que ça devient intéressant.

Au bout de 30 ans, ce n'est pas seulement 72 000 $ que vous aurez accumulés, mais plutôt la somme rondelette de 281 710 $.

Avantages de l'intérêt composé

Placement de 1 000 $ à divers taux de rendement

Année	2 %	5 %	8 %	11 %
1	1 020,00 $	1 050,00 $	1 080,00 $	1 110,00 $
2	1 040,40 $	1 102,50 $	1 166,40 $	1 232,10 $
3	1 061,20 $	1 157,60 $	1 259,70 $	1 367,60 $

4	1 082,40 $	1 215,50 $	1 360,50 $	1 518,10 $
5	1 104,10 $	1 276,30 $	1 469,30 $	1 685,10 $
6	1 126,20 $	1 340,10 $	1 586,90 $	1 870,40 $
7	1 148,70 $	1 407,10 $	1 713,80 $	2 076,20 $
8	1 171,70 $	1 477,50 $	1 850,90 $	2 304,50 $
9	1 195,10 $	1 551,30 $	1 999,00 $	2 558,00 $
10	1 219,00 $	1 628,90 $	2 158,90 $	2 839,40 $
11	1 243,40 $	1 710,30 $	2 331,60 $	3 151,80 $
12	1 268,20 $	1 759,50 $	2 518,20 $	3 498,40 $
13	1 293,60 $	1 885,60 $	2 719,60 $	3 883,30 $
14	1 319,50 $	1 979,90 $	2 937,20 $	4 310,40 $
15	1 345,90 $	2 078,90 $	3 172,20 $	4 784,60 $
16	1 372,80 $	2 182,90 $	3 425,90 $	5 310,90 $
17	1 400,20 $	2 292,00 $	3 700,00 $	5 895,10 $
18	1 428,20 $	2 406,60 $	3 996,00 $	6 543,50 $
19	1 456,80 $	2 527,00 $	4 315,70 $	7 263,30 $
20	1 485,90 $	2 653,30 $	4 661,00 $	8 062,30 $

Une fois que vous avez éliminé vos dettes et utilisé au maximum les véhicules d'épargne avec déduction ou crédit d'impôt, investir un peu d'argent dans des certificats de dépôt et autres épargnes à terme ne constituerait pas un mauvais choix. Les intérêts sont imposables chaque année, même s'ils ne sont pas payés annuellement. Votre capital est à l'abri du risque et on vous garantit un taux d'intérêt pour la durée du terme. Les obligations d'épargne et les bons du Trésor offrent à peu près les mêmes avantages, mais en plus vous avez la possibilité de les liquider en tout temps.

Dans les banques, les caisses populaires et les fiducies, la Régie d'assurance-dépôt du Québec et la Société d'assurance-dépôt du Canada protègent chaque type d'épargne jusqu'à concurrence de 60 000 $ par personne par institution. Par exemple, si vous avez un REER de 60 000 $ et un certificat de dépôt de 60 000 $ dans une même institution, vous êtes assuré d'une protection complète. Contrairement aux banques dont chacune des succursales fait partie d'une même institution, chaque caisse populaire est une institution autonome. Ainsi, un capital de 120 000 $ réparti également entre 2 succursales de la Banque Nationale n'est assuré que pour 60 000 $. S'il est réparti entre 2 caisses populaires, il est assuré pour 120 000 $.

Obligations et actions

Si vous poussez un petit peu plus loin côté risque, vous pouvez augmenter le rendement de vos épargnes en troquant vos revenus d'intérêt contre des revenus de dividendes et de gains en capital. Le fisc tient compte du risque et accorde des crédits d'impôt importants sur les revenus de dividendes.

    Une personne dont le revenu imposable est de 46 000 $ conservera 53,90 $ après impôt sur un revenu d'intérêt de 100 $, alors que les mêmes 100 $ en revenu de dividende lui auraient permis de conserver 68,60 $. Quant au gain en capital, il est imposé à 75 %, ce qui signifie qu'un revenu de 100 $ en gain de capital se traduirait par un gain net de 65,42 $.

    Gain en capital :   100,00 $
    Taux d'imposition :   46,10 %

    Puisque le gain en capital est imposé à 75 %, l'impôt est perçu seulement sur le montant de 75,00 $.

    Donc : 75,00 $ × 46,10 % = 34,58 $ d'impôt à payer
    Gain en capital :   100,00 $
    Moins l'impôt :   34,58 $
    Gain net de :   65,42 $

Taux d'imposition (1998) pour un résident du Québec

Selon les différentes sources de revenus

Revenu imposable	Dividendes canadiens	Gain en capital	Autres revenus
20 000 $	17,9 %	25,7 %	34,3 %
24 000 $	17,9 %	26,8 %	35,8 %
26 000 $	21,6 %	28,0 %	37,3 %
28 000 $	21,6 %	29,1 %	38,8 %
30 000 $	31,4 %	34,0 %	45,4 %
32 000 $	31,4 %	34,2 %	45,6 %
46 000 $	31,4 %	34,6 %	46,1 %

48 000 $	31,4 %	34,7 %	46,3 %
50 000 $	35,1 %	37,0 %	49,3 %
52 000 $	35,1 %	37,0 %	49,3 %
58 000 $	35,1 %	37,9 %	50,5 %
60 000 $	38,4 %	39,0 %	52,0 %

Pour réaliser des dividendes, vous n'avez qu'à acheter des actions ordinaires ou privilégiées de grandes sociétés. Les actions privilégiées ressemblent à des obligations : elles ne confèrent pas un droit de vote et elles offrent une plus grande possibilité de dividendes que l'action ordinaire, qui, elle, est plus fragile. Par exemple, en cas de faillite, les détendeurs d'actions ordinaires seront payés après ceux qui détiennent des obligations et des actions privilégiées. C'est la loi qui l'oblige.

Pour réaliser un gain en capital, les obligations des municipalités de même que celles des grandes sociétés peuvent être intéressantes, car les obligations produisent à la fois un revenu d'intérêt et un gain en capital. Elles augmentent de valeur lorsque les taux d'intérêt sont à la baisse et conséquemment leur valeur diminue lorsque les taux sont à la hausse. Par exemple, en 1981, ceux qui ont payé 200 $ pour une obligation portant intérêt à 20 % ont pu la revendre 300 $ quelques années plus tard. Pourquoi ? Parce que les taux d'intérêt avaient chuté et que, sur le marché, on ne trouvait plus d'obligations portant intérêt à 20 %.

Fonds communs de placement

Une définition...

Un fonds commun de placement, c'est tout simplement la mise en commun de ressources monétaires. L'argent provient de milliers de personnes qui mettent leur argent ensemble et qui demandent à un professionnel d'en assurer la gestion. Peu importe la nature ou le type du fonds commun de placement, le concept est le même : il s'agit de réunir beaucoup d'argent et de le confier à quelqu'un qui s'y connaît et qui sait ce qu'il fait avec. Un gestionnaire de fonds professionnel investit cet argent dans une gamme de titres en tenant compte des objectifs particuliers du fonds. Il assure le suivi régulier de chacun des placements. Comme de nombreuses autres personnes, vous n'avez sans doute pas assez de temps à consacrer à vos placements et à leur gestion, mais vous voulez quand même savoir où va votre argent et vous souhaitez avoir la possibilité de le déplacer à votre guise de temps en temps. Dans ce cas, vous auriez avantage à envisager les fonds communs de placement. Il s'agit de fonds qui investissent dans des marchés ou des secteurs géographiques particuliers, tandis que d'autres investissent dans des valeurs vedettes ou des actions de petites entreprises. Il existe également des fonds qui n'investissent que dans des sociétés écologiques.

À propos, réglons tout de suite les questions de vocabulaire. Quand vous parlez de fonds mutuels, de fonds d'investissement ou encore de fonds communs de placement, c'est blanc bonnet et bonnet blanc : les trois appellations signifient la même chose.

Les fonds mutuels présentent de nombreux avantages. D'abord, vous avez accès à un éventail de placement plus vaste que celui que vous auriez sans doute pu vous permettre, en plus d'une diversification instantanée. Les fonds mutuels sont facilement accessibles ; la plupart des institutions financières offrent une vaste gamme de fonds communs de placement. C'est une façon simple d'investir ; la majorité des institutions financières vous offrent le choix d'acheter des fonds d'investissement par le biais de prélèvements automatiques réguliers, en plus de l'assurance d'une gestion professionnelle. Évidemment, comme pour tous les placements, il n'y a pas de garantie contre le risque. Comme tout autre type de placement, les fonds d'investissement comportent un certain risque. En dépit de sa diversification, un fonds reflète néanmoins le rendement de ses titres. Selon le type de fonds, le risque peut varier de minime à très élevé.

Le fonds de placement suit le mouvement. Il chute avec le marché et il remonte avec le marché… Malheureusement pour certains, le fonds commun de placement n'est pas encore la multiplication des pains… La règle générale à suivre : acheter quand le prix du marché est bas et vendre quand il est élevé. Il faut habituellement envisager les fonds d'investissement à long terme. Et en plus de la difficulté à choisir le moment propice pour acheter, il faut penser à un investissement à long terme. Le long terme, c'est autour de 10 ans, alors, si vous pensiez aller chercher un profit intéressant à l'intérieur de 2 ou 3 ans, oubliez cela… Les fonds communs de placement vous permettent d'espérer un rendement de deux sources : la distribution (bénéfices du fonds qui vous sont remis) ou l'appréciation des parts du fonds.

Un peu d'histoire

L'idée est très vieille ; elle remonte à la seconde moitié du XIXe siècle. En Angleterre, en 1868, on a créé à Londres le *Foreign Colonial*

Government Trust, qui serait le premier fonds mutuel ayant existé. En Amérique du Nord, le premier fonds mutuel serait le *Boston Personal Property Trust*, qui a vu le jour en 1893. Au Canada, il faudra attendre en 1932 pour voir apparaître le *Canadian Investment Trust*. Aux États-Unis, c'est pendant les années 20, avec un marché boursier fortement à la hausse, que les fonds communs de placement sont montés en flèche, pour littéralement s'écraser avec le krach de 1929. Dans les années 70 et 80, une poignée de sociétés de gestion de portefeuille se partageaient le marché des fonds communs de placement au Canada. Certaines d'entre elles avaient survécu à la débâcle des encaissements massifs de la fin des années 60. Par la suite, cette industrie s'est consolidée pour offrir une alternative intéressante à la gestion active des portefeuilles d'investissement des particuliers: elle offre en effet aux épargnants canadiens la possibilité de se bâtir un portefeuille diversifié. Grâce aux études analytiques des courtiers en valeurs, grâce aux services de recherches des indépendants et de ceux qui ont été formés au sein même des institutions financières, les gestionnaires disposent désormais de suffisamment de sources de renseignements pour porter un jugement éclairé sur les qualités relatives d'un investissement par rapport à un autre.

Explosion

Il faut dire que, depuis une quinzaine d'années, la croissance des fonds mutuels a été spectaculaire au Canada. Aujourd'hui, on retrouve auprès des institutions financières, des compagnies d'assurances et des sociétés de fonds mutuels au-delà de 1 300 fonds différents. Cela est 5 fois plus qu'il y a 15 ans. Les fonds communs de placement suscitent l'engouement des Canadiens. Aujourd'hui, 40 % d'entre eux détiennent quelque 290 milliards de dollars dans plus de 1 300 fonds d'investissement différents. Ce qui fait que maintenant, au lieu d'évaluer la performance de leur portefeuille à la qualité de gestion des sociétés publiques, on évalue plutôt la qualité de la gestion des fonds de placement. Sachez toutefois qu'une telle évaluation est devenue tout aussi compliquée que celle qui consiste à coter les compagnies publiques dans lesquelles ces gestionnaires investissent. Il s'est passé un phénomène important entre 1982 et 1987: au-delà de 50 % des fonds de placement qui étaient dans les 2 derniers quartiles en 1982 pour ce qui est du rendement, se sont retrouvés dans les 2 premiers quartiles dans les 5 années suivantes. Il y avait de quoi faire réfléchir…

Bien sûr, la multiplication des fonds y était pour quelque chose. Il faut dire aussi que la création de nouvelles sociétés de fonds mutuels a drainé des gestionnaires qui venaient d'ailleurs. Dans bien des cas, leur façon de gérer un fonds a permis à ce dernier d'obtenir d'excellents rendements. Subséquemment, ce même fonds qui perdait ses gestionnaires pouvait connaître des difficultés à maintenir le même rythme de rendement. La dimension du fonds aussi peut être importante. Gérer un milliard de dollars par rapport à 50 millions oblige à davantage de flexibilité. Les gestionnaires doivent éviter une trop grande concentration des titres, car un fonds qui gère une somme plus importante doit se diversifier davantage ; ils risquent alors de se diriger vers un rendement de plus en plus moyen.

Plusieurs d'entre eux risquent d'être victimes de leurs propres succès, car lorsque les statistiques de rendement sont favorables, plus d'investisseurs tendent à y déposer des sommes supplémentaires. Ces fonds grossissent plus rapidement et l'équipe de gestion qui excellait avec un portefeuille moyen peut ne pas convenir pour gérer une plus grosse somme. Les attentes des investisseurs sont généralement plus élevées à leur endroit et, si elles ne sont pas atteintes, le fonds court effectivement le risque de subir plusieurs encaissements. La loi de la moyenne existe pour tous : ne vous laissez pas leurrer par des rendements élevés réalisés dans de courtes périodes. Les performances du passé ne sont aucunement garantes du futur.

C'est dans les années 90 qu'on a assisté à une véritable explosion des fonds mutuels. Au Québec, les fonds mutuels ont pris leur essor dans les années 80, grâce à un marché boursier haussier, à des taux d'intérêt bas et à une diminution de l'inflation.

Types de fonds mutuels

L'industrie des fonds mutuels profite du vieillissement de la population. Après s'être bâti une carrière et une famille dans la vingtaine et la trentaine, c'est dans la quarantaine que la population, qui a maintenant un actif intéressant, commence à penser à organiser sa retraite. C'est à ce moment-là que l'investisseur se tourne vers les fonds communs de placement, qui offrent des rendements souvent supérieurs à d'autres véhicules de placement traditionnels.

La ruée vers les fonds communs de placement emporte aussi bien les épargnants québécois que ceux de l'ensemble du Canada quand vient le temps de choisir parmi les différents véhicules de placement admissibles aux avantages fiscaux des REER. La portion de placement en fonds communs de placement que les épargnants ont l'intention d'inclure dans leur REER croît plus rapidement au

Québec que dans l'ensemble du Canada. Même si c'est avec un certain retard que les épargnants québécois ont commencé à se passionner pour les fonds mutuels, on sent maintenant chez eux une volonté bien arrêtée de consacrer un effort plus grand que par les années passées pour atteindre la sécurité financière en vue de la retraite. Cette volonté se traduit par une tendance à mettre les REER à l'heure des fonds d'investissement, presque autant que dans l'ensemble du Canada.

Ne connaissant pas le fonctionnement d'un fonds mutuels, les épargnants québécois continuent encore de partager des craintes, non fondées, à l'égard des fonds mutuels. Ils craignent de voir disparaître leur argent; ils ont peur d'une fraude ou de la faillite. Le fonctionnement des fonds communs de placement est pourtant relativement simple. Il y a les fonds de placement à capital variable et les fonds de placement à capital fixe. Comme son nom l'indique, le capital du fonds à capital variable bouge au gré du marché, selon que les investisseurs achètent ou vendent. Plus il y a d'acheteurs, plus le fonds grossit. À l'inverse, si les investisseurs vendent, le fonds rachète leurs parts, à même son actif. Les fonds à capital fixe sont inscrits en Bourse comme n'importe quelle société ouverte. Très peu populaires, on en retrouve dans des secteurs de pointe comme la haute technologie. L'embarras, c'est qu'après sa première émission, le fonds ne peut plus émettre d'actions; ses gestionnaires doivent le faire fructifier sans apport d'argent neuf.

On catégorise les fonds communs de placement de la façon suivante:

1.0 Les fonds à revenu fixe (*fixed income funds*):
    1.1 fonds de dividende (*dividend funds*)
    1.2 fonds d'obligations (*bond funds*)
    1.3 fonds d'obligations internationales (*international bond funds*)
    1.4 fonds hypothécaires (*mortgage funds*)
2.0 Les fonds d'actions (*equity funds*):
    2.1 fonds d'actions canadiennes
    2.2 fonds d'actions américaines
    2.3 fonds d'actions internationales
3.0 Les fonds de fonds (*funds of funds*)
4.0 Les fonds de répartition de l'actif
5.0 Les fonds du marché monétaire
6.0 Les fonds équilibrés
7.0 Les fonds indiciels (*index funds*)
8.0 Les fonds spécialisés (*specialty funds*)

Fonds à revenu fixe *(fixed income funds)*

Par définition, ce sont des fonds qui rapportent des revenus réguliers. Bien sûr, ils fluctuent selon les taux d'intérêt. À l'intérieur de ces fonds, on retrouve:
- les fonds de dividende (*dividend funds*);
- les fonds d'obligations (*bond funds*);
- les fonds d'obligations internationales (*international bond funds*);
- les fonds hypothécaires (*mortgage funds*).

Pour les **fonds de dividende (*dividend funds*)**, qui sont majoritairement composés d'actions privilégiées de grandes entreprises canadiennes, l'objectif est de procurer le revenu le plus élevé possible en dividendes, le gain en capital devenant secondaire. La chute importante des taux d'intérêt fait disparaître progressivement les fonds de dividende, qui ne sont plus que quelques dizaines. Nés au début des années 70, les fonds de dividende doivent leur existence et leur succès au traitement fiscal avantageux des dividendes et à une possibilité d'appréciation du capital à long terme, moyennant une bonne gestion...

Depuis 10 ans, la moyenne des rendements des fonds de dividende a été de 8,9 % (au 30 juin 1999); pour les 5 dernières années, la moyenne des fonds de dividende a été de 12,1 % (au 30 juin 1999).

Règle générale, les **fonds d'obligations (*bond funds*)** sont des fonds qui investissent dans un cocktail regroupant les obligations du Canada, les obligations des provinces, celles des municipalités, de même que celles qui sont émises par des entreprises.

Au Canada, depuis 10 ans, la moyenne des rendements des fonds d'obligations a été de 8,9 % (au 30 juin 1999) et pour 5 ans de 9,3 % (au 30 juin 1999). Sur 10 ans, le meilleur fonds a procuré un rendement annuel composé de 11,6 % à ses clients. Le pire n'a procuré que 3,7 % à ses clients. Certains gestionnaires spéculent sur les taux d'intérêt. S'ils anticipent une baisse des taux, ils achèteront des obligations à très long terme. Au contraire, s'ils prévoient une hausse des taux d'intérêt, ils réduiront leurs échéances et se dirigeront plutôt du côté des obligations à court terme.

Il ne faut pas oublier que la valeur des obligations fluctue comme une action en Bourse. Quand les taux d'intérêt grimpent, la valeur d'une obligation chute. Quand survient une baisse des taux, les obligations s'apprécient. Et plus une obligation est à long terme, plus ce mouvement s'amplifie.

Les **fonds d'obligations internationales (*international bond funds*)** datent d'au plus une dizaine d'années. S'ils sont semblables aux fonds d'obligations décrits dans le paragraphe précédent quant aux objectifs, ils en diffèrent aussi parce qu'ils investissent dans les obligations internationales en devises étrangères, comme le dollar américain, le deutsche mark, le yen, etc.

Le phénomène s'explique facilement: la dépréciation du dollar canadien a incité les institutions financières et les investisseurs à se tourner vers l'étranger.

Les fonds d'obligations internationales ne constituent pas une panacée. Il faut se convaincre que le dollar canadien ne baissera pas indéfiniment. On ne devrait pas assister à une dépréciation totale... Ainsi, dès que le dollar canadien commencera à s'apprécier, sa remontée aura un effet direct sur les fonds d'obligations internationales. Donc, il faut là aussi user de prudence avec ces fonds qui sont tributaires de la fluctuation des devises. Jusqu'à maintenant, leur performance n'a pas été mirobolante. Sur 5 ans, le rendement moyen a été de 7,5 %, alors que le meilleur fonds a réalisé 12,3 %.

Dans les **fonds hypothécaires (*mortgage funds*),** on retrouve des hypothèques résidentielles de premier rang, qui la plupart du temps ont une échéance de moins de cinq ans. Il arrive que ces fonds détiennent aussi des hypothèques commerciales. Ils offrent habituellement un rendement intéressant parce que les taux payés sur des hypothèques sont plus élevés que la majorité des autres véhicules d'épargne, à condition que les frais prélevés par le fonds n'annulent pas les revenus d'intérêt distribués aux détenteurs chaque mois ou chaque trimestre. Au Canada, depuis 10 ans, le rendement annuel composé moyen de la trentaine de fonds d'hypothèques offerts au Canada a été de 7,9 % (au 30 juin 1999) et de 6,8 % depuis 5 ans (au 30 juin 1999). Les fonds dont une importante partie de l'actif est dans des hypothèques commerciales et industrielles sont plus risqués.

Source: 1999 Portfolio Analytics limited

Fonds d'actions *(equity funds)*

Par leur nom, vous aurez tout de suite compris que les fonds d'actions investissent dans des actions, dans des titres boursiers. On les appelle aussi des «fonds de croissance» parce que leur objectif principal est la croissance du capital à long terme, contrairement au marché boursier, dont le risque et la volatilité font souvent passer les investisseurs par toute la gamme des émotions et leur font perdre toutes leurs économies s'ils ont été ou crédules ou trop imbus de leur capacité à gérer seuls leur portefeuille. Quelquefois, une mauvaise expérience assagit son homme ou sa femme, qui se réfugie alors dans des fonds d'actions en confiant son argent à des gestionnaires professionnels. Les fonds d'actions offrent la diversification avec un risque très diminué, cela avec le suivi professionnel du portefeuille. Ce n'est donc pas pour rien qu'ils sont devenus très populaires au Canada, où la moitié de l'argent investi pas les Canadiens dans les fonds mutuels se retrouve dans les fonds d'actions.

Les **fonds d'actions canadiennes** investissent dans les Bourses canadiennes. Certains fonds favorisent les grandes entreprises canadiennes et sont moins risqués et moins volatils ; ceux qui vont du côté des sociétés plus petites seront plus volatils, mais avec un rendement supérieur à long terme.

Vous choisissez les **fonds d'actions américaines** si vous voulez être présent aux États-Unis.

Les **fonds d'actions internationales,** dont certains sont admissibles au REER selon la règle du 20 %, investissent à l'extérieur du Canada et des États-Unis : dans un seul pays, dans une région déterminée, ou sur l'ensemble de la planète. Ces fonds, dont le rendement augmente lorsque le dollar canadien s'affaiblit, sont devenus très populaires ces dernières années car ils donnent la possibilité d'investir dans des pays où la croissance est très forte.

Fonds de fonds *(funds of funds)*

Ce genre de fonds est inexistant au Canada et il y en a un seul au Québec. C'est surtout aux États-Unis qu'on retrouve une catégorie de fonds communs de placement qui permettent d'investir dans un regroupement de fonds choisis par des gestionnaires professionnels. La beauté de l'histoire, c'est *primo* que l'investisseur se retrouve dans un regroupement de fonds bien répartis, et *secundo* que même si les gestionnaires d'actions n'appartiennent pas à la même firme de placement, il est possible que ceux-ci, chacun de leur côté, soient les meilleurs dans leur domaine respectif.

Fonds de répartition de l'actif
(asset allocation funds)

Ce type de fonds est récent et encore peu développé. C'est un fonds dans lequel le gestionnaire tente de manier chaque catégorie d'actif (l'encaisse, les obligations, les actions) selon les conditions économiques et financières pour réaliser des rendements optimaux.

Fonds du marché monétaire
(money market funds)

On les appelle ainsi parce qu'ils sont constitués de titres du marché monétaire : des titres de créances à court terme de bonne qualité avec un faible degré de risque. C'est le cas, par exemple, des bons du Trésor de 30 jours et de 90 jours, des acceptations bancaires et du papier commercial. Les fonds monétaires peuvent aussi investir dans des certificats de placement garantis des banques. Ces fonds ressemblent d'ailleurs beaucoup à un compte d'épargne traditionnel à la banque, quoique leur rendement lui soit généralement supérieur. Si vous voulez placer de l'argent à court terme en attendant un événement particulier, les fonds du marché monétaire constituent un bon moyen. Dans ce type de véhicule, il est pratiquement impossible de perdre son capital. À long terme, cependant, le rendement n'est vraiment pas intéressant.

Fonds équilibrés *(balanced funds)*

À la différence du fonds de répartition de l'actif, qui intègre encaisse, obligations et actions, dans un fonds équilibré on retrouve un portefeuille constitué d'un mélange d'actions et d'obligations dont un minimum doit être conservé dans le fonds. Par exemple, si le gestionnaire juge que le marché boursier est trop élevé, il ne peut pas vendre toutes les actions, alors que c'est possible avec un fonds de répartition. Ce type de fonds a connu des succès qui ont fait naître des sous-catégories. Il existe maintenant des fonds équilibrés dont les actions et les obligations sont canadiennes, de même que des fonds équilibrés américains dont les actifs sont américains et des fonds équilibrés internationaux dont les actifs sont mondiaux (incluant les États-Unis quelquefois et aussi même le Canada). Il y a lieu d'être prudent et sélectif, car les écarts sont souvent importants, quoique, avec des investissements qui ne sont pas exposés aux fluctuations des marchés boursiers, le fonds équilibré est un fonds conservateur. L'ensemble du capital du portefeuille n'est jamais garanti à 100 % dans le produit à revenus fixes. Les gestionnaires se préoccupent d'abord de revenu, ensuite de la croissance.

Vous serez à même de constater que la pondération d'actifs varie peu d'un établissement à l'autre. Pour garantir la vision à long terme, le fonds équilibré est généralement constitué ainsi : de 50 % à 60 % de l'argent est d'abord étalé sur les marchés boursiers dans les valeurs canadiennes de premier ordre, les actions privilégiées et les titres à croissance ; ensuite, entre 25 % et 30 % de l'argent est réparti dans les marchés à revenu fixe (obligations). Cette portion assure un revenu continuel et une garantie raisonnable du capital. Les 10 % à 15 % de liquidités qui restent peuvent être investies à court terme dans les marchés monétaires, comme les bons du Trésor, ce qui permettra de profiter des occasions fournies par les fluctuations des marchés des obligations ou des actions.

Fonds indiciels *(index funds)*

Si vous souhaitez qu'une partie de votre portefeuille soit constituée d'actions, vous pouvez décider de vous tourner vers les actions qui composent l'indice boursier de Toronto. Vous vous retrouverez avec des actions qui composent cet indice. Au Canada, les fonds indiciels ne sont pas très populaires, leurs frais de gestion étant encore trop élevés. Quand ceux-ci seront diminués, leur rendement à long terme devrait devenir plus attrayant. Aux États-Unis, les fonds indiciels ont le vent dans les voiles. Ils sont très populaires, à cause des indices du Standard & Poor's 500 de même que du Dow Jones, que les gestionnaires d'actions américaines ont toutes les misères du monde à battre, leurs performances étant même désastreuses par rapport à ces indices.

Fonds spécialisés *(specialty funds)*

Il s'agit ici de fonds qui orientent leurs placements dans un secteur précis de l'économie et se spécialisent dans une seule catégorie d'actif ou d'actions. Vous trouverez des fonds spécialisés dans les devises étrangères, le pétrole ; vous en trouverez d'autres en bio-technologie, dans les télécommunications, ainsi que dans les marchés à terme, etc. En général, ce sont des fonds qui sont volatils et donc risqués.

Prospectus

Quand vous investissez pour la première fois dans un fonds mutuel, on vous remet un prospectus ; sinon, celui-ci vous sera fourni par la compagnie de gestion du fonds. Dans ce document, on retrouve une foule d'informations relatives, entre autres, aux facteurs de risque, dont la lecture peut être ennuyante, mais que vous devez connaître. Le tout regorge de termes juridiques arides. Pourtant, les informations fournies sont vitales pour l'acheteur de fonds potentiel. Le prospectus a beaucoup de points en commun avec le rapport d'une entreprise inscrite en Bourse. On vous signalera, par exemple, que les résultats du passé ne sont pas garants du futur, que les fluctuations des cours des unités peuvent être sujettes à de fortes variations, et qu'il n'y a aucune garantie quant à votre capital investi. Ces fluctuations peuvent être entraînées par les fluctuations sous-jacentes des titres dans lesquels le fonds est investi, par les variations des taux de change, par les variations des taux d'intérêt, de même que par des changements dans le climat économique. Ces indications vous permettront de déterminer si le risque vous paraît trop élevé au point de juger que ce fonds n'est peut-être pas approprié pour vous. Mais vous vous rendrez compte, en lisant le document, que la description qui y est faite des facteurs de risque n'est pas suffisamment détaillée pour vous permettre d'avoir une idée précise et détaillée des risques réels à assumer. Par exemple, il est vrai que les fonds d'actions sont soumis aux fluctuations du marché boursier. Or, un fonds dirigé par un gestionnaire audacieux et spéculateur aura la même mention sous la rubrique «facteurs de risque» que le fonds mené par un gestionnaire à la fois prudent et minutieux qui investit à long terme. Le prospectus vous fournira aussi une définition du profil général du fonds, à l'égard des types de véhicules de placement qui sont visés, le style de gestion qu'on entend utiliser avec les capitaux investis… Le prospectus vous renseignera sur la ou les personnes qui géreront votre argent. Il est très important pour un investisseur de connaître le gestionnaire: vous voulez certainement avoir un gestionnaire qui a une bonne performance historique, qui est fiable et dont la philosophie de placement est compatible avec la vôtre. En lisant le prospectus, vous pourrez vous faire une idée claire sur les frais de gestion, qui sont généralement basés sur la valeur brute des fonds pour une période donnée. Un ratio de frais de gestion est établi en calculant les frais nets de gestion par rapport à la valeur du portefeuille. Rapporté en pourcentage, ce ratio vous indique les frais relatifs de gestion du fonds. Vous pourrez ainsi comparer les frais réels d'un fonds par rapport à un autre. Un ratio plus élevé ne garantit pas un rendement supérieur. Des études ont démontré qu'il n'existe aucune corrélation entre des frais élevés et le rendement sous-jacent des fonds. Il importera alors de déterminer s'il est indiqué de choisir un fonds à frais plus élevés, surtout si celui-ci a obtenu des rendements inférieurs à la moyenne dans le passé.

Avec le prospectus, vous aurez de plus une idée des frais à payer. Dans plusieurs cas, les fonds mutuels ne comportent de frais ni à l'achat ni à la vente (on dit alors qu'ils sont « sans frais d'acquisition »). Toutefois, certains fonds peuvent exiger des frais initiaux (frais d'ouverture de compte) ou des frais à la sortie (frais de rachat). Au moment de l'achat initial du fonds, les frais se négocient avec le représentant et peuvent varier de 1 % à 5 % du coût initial de l'investissement. Si les frais sont différés à la sortie, ceux-ci sont représentés par un pourcentage de la valeur du fonds au moment de l'acquisition ou encore en fonction de la valeur du fonds au moment de la vente. Habituellement, ce pourcentage diminue d'une année à l'autre pour devenir nul après une période de sept à neuf ans. Cette dernière option est souvent retenue par les particuliers qui désirent conserver leurs investissements pour une période de temps relativement longue. Plusieurs fonds offrent aussi la possibilité de liquider jusqu'à 10 % de son placement par année sans frais. Il est fréquemment possible de naviguer dans la même famille de fonds sans aucuns frais. Tous les fonds communs de placement prévoient des frais appelés « ratio des frais de gestion » (RFG), lesquels représentent le coût annuel de gestion et d'exploitation du compte. Vous comprendrez que le calcul des frais n'est pas simple. Ce qui complique les choses, c'est que la description des frais est disséminée un peu partout dans le prospectus. Les considérations fiscales y sont également expliquées. On vous fournira des informations sur la politique de distribution des revenus. Trois types de revenus de placements peuvent être générés par un fonds : les dividendes, les intérêts et les gains en capital. Lorsqu'ils sont versés dans le fonds, un relevé T-3 ou T-5 est remis aux détenteurs de parts, au prorata du nombre d'unités détenues. Il est bon de savoir qu'aucun des revenus de placements n'est imposable dans un compte enregistré. Les informations sur les états financiers du fonds se retrouvent généralement à la fin du prospectus. Ils contiennent des renseignements sur les titres inscrits au portefeuille et sur d'autres éléments actifs du fonds. Il est très important aussi de regarder avec attention le portefeuille du fonds, particulièrement les liquidités, car vous achetez un fonds pour que celui-ci investisse à votre place à la Bourse. Vous ne voudrez peut-être pas d'un fonds dont les liquidités sont très élevées, mais plutôt un fonds qui maintient un niveau raisonnable de liquidités pour honorer les demandes de rachat et aussi profiter des occasions offertes par le marché boursier.

Une lecture attentive du prospectus vous permettra de vous faire une idée assez juste de ce qu'un fonds peut offrir dans le cadre de votre planification financière. D'autant plus qu'il existe maintenant ce qu'on appelle un prospectus simplifié qui est utilisé par de plus en plus de fonds. Ce prospectus simplifié répond mieux aux demandes des investisseurs. Il est moins compliqué à lire. Sa formulation est plus simple et il contient moins de détails.

La loi oblige les fonds mutuels à publier un rapport semestriel et un rapport annuel faisant le point sur leurs activités et leurs placements. Le rapport annuel contient une lettre du gestionnaire expliquant les performances du fonds et justifiant les décisions prises. Cette communication du gestionnaire vous éclairera sur son style et sa philosophie de gestion.

Choisir un fonds mutuel

Comment faire le choix d'un fonds à inclure dans son portefeuille ? Environ 200 familles de fonds communs de placement sont offertes au Canada. Elles comprennent des entreprises spécialisées, des banques, des fiducies, des compagnies d'assurances. Plusieurs sont des filiales ou des associées d'entreprises étrangères. Il est impossible de transiger ni même de se renseigner pour éventuellement transiger avec toutes ces familles de fonds. Le travail de sélection d'un bon fonds mutuel n'est donc pas facile en raison du grand nombre de fonds offerts et aussi en raison de leurs différences et de leurs caractéristiques. Il faut prendre son temps et réfléchir. Il ne faut surtout pas se laisser impressionner par les résultats d'un fonds qui, à première vue, semblent mirobolants. Prenons l'exemple du Canadien de Montréal, qui subit une série de défaites humiliantes à l'étranger et qui, à l'occasion de son premier match à domicile, démolit l'Avalanche du Colorado. Cela ne signifie pas que les amateurs vont se précipiter pour assister aux matchs suivants. Pas nécessairement. Ils craindront sûrement une série de rechutes… Cela vaut aussi pour les fonds mutuels. Investir dans un fonds au résultat spectaculaire ne procurera pas nécessairement un rendement supérieur à long terme.

Dans vos investissements, il faut rechercher beaucoup plus la régularité du rendement que les résultats spectaculaires, qui amènent souvent un risque plus élevé. Ce n'est pas parce qu'un fonds a connu un rendement remarquable en 1999 que l'expérience va se répéter en 2000. Il faut se méfier des modes passagères. Donnez-vous un corridor de cinq ans pour mesurer la performance du fonds par son taux de rendement, qui peut être simple ou composé.

La valeur d'un fonds qui passe de 15 $ à 30 $ en 5 ans a un taux de rendement simple de 100 % ou de 20 % par année. Quant au rendement composé, il suppose que vous réinvestissez l'appréciation annuelle au même taux pour la même période avec un rendement annuel de 20 %.

Année	Montant investi	Rendement	Valeur
1	15,00 $	3,00 $	18,00 $
2	18,00 $	3,60 $	21,60 $
3	21,60 $	4,32 $	25,92 $
4	25,92 $	5,18 $	31,10 $
5	31,10 $	6,22 $	37,32 $

Après 5 ans, vous vous retrouverez avec 37,32 $ au lieu de 30 $ (rendement simple). Un rendement composé de 20 % est donc supérieur à un rendement simple identique. Même si les rendements composés peuvent cacher de mauvaises performances antérieures, ce sont eux qui doivent guider votre évaluation des fonds. D'ailleurs, le rendement composé, devenu la norme au Canada, se retrouve dans la plupart des tableaux des publications financières afin d'illustrer les rendements annuels composés des fonds mutuels pour les périodes de 3, de 5 et de 10 ans. Cependant, même si les rendements simples se font plus rares, il est important de les demander à son courtier et de les scruter pour connaître le rendement de chaque année et faire les comparaisons qui s'imposent. Vous ne risquez pas de vous tromper si vous choisissez un fonds qui a un rendement historique supérieur à celui de la moyenne de sa catégorie.

Malgré toutes les analyses savantes faites grâce à toutes les données possibles et imaginables, rappelez-vous que les rendements passés ne sont absolument pas garants des rendements futurs. Aucune méthode ne peut garantir les projections effectuées. Même si toutes les circonstances sont les mêmes dans l'avenir, toutes les projections ne seront toujours que des comportements probables. Il est très facile de comparer les rendements des fonds. Ils sont publiés chaque mois dans les journaux financiers. De là à cerner le risque, il y a un monde... Les fonds communs de placement permettent de réduire le risque à cause de leur diversification, mais leur rendement ou leur remboursement du capital ne sont garantis par aucune institution financière ni par l'État. Leur sécurité est celle des titres du portefeuille. Pour évaluer le degré de risque d'un fonds, il faut considérer ses types de placement, les fluctuations de son rendement, la qualité du fonds en question de même que sa diversification.

On aura beau parler de performance, de rendement, de risque, de volatilité... une donnée reste à jamais non quantifiable. Je veux parler du gestionnaire du fonds. Ce qui est sûr et certain, c'est que les décisions du gestionnaire d'un fonds commun de placement ont un impact considérable sur le rendement de votre placement. Ce gestionnaire a une vision personnelle, il a sa propre philosophie, il a ses bonnes et ses mauvaises journées. Cette carte vous est peut-être cachée. Vous verrez à l'usage... S'il a investi de son propre argent dans le fonds, à long terme vos chances sont meilleures... En général, les sociétés de fonds communs de placement font connaître le profil du gestionnaire et sa philosophie de placement.

Donc avant de faire votre choix, il vous faut lire le prospectus attentivement, évaluer le risque et le rendement, connaître le profil du gestionnaire, tout en vous assurant que la participation à tel fonds mutuel plutôt qu'à tel autre rejoint vos objectifs de placement. Achèteriez-vous une maison sans l'aide d'un conseiller ? Non. Alors, rappelez-vous que, quand vient le moment d'investir, les conseils d'un professionnel sont toujours avantageux et vous éviteront des erreurs dont vous pourriez vous repentir.

Il faut se sentir à l'aise

Le tableau qui suit peut vous donner une idée assez juste de la répartition de ses investissements quand on investit de façon audacieuse, modérée ou conservatrice.

Exemples de répartition d'investissements selon votre confort

Type d'investisseur	Certificats garantis Dépôt à terme Bons du Trésor Obligations d'épargne	Fonds mutuels d'obligations et hypothèques Obligations gouvernementales municipales et titres hypothécaires	Actions Fonds mutuels d'actions
Audacieux	10 %	40 %	50 %
Modéré	20 %	50 %	30 %
Conservateur	35 %	50 %	15 %

Conclusion

Au fond, tout dépend de la façon dont vous répartirez vos actifs. Surtout, ne mettez pas tous vos œufs dans le même panier. En vous bâtissant un portefeuille, évitez toutefois d'en modifier constamment la composition. Ce n'est pas parce qu'une catégorie d'actifs dégage un meilleur rendement à court terme qu'il faut y plonger les yeux fermés. N'oubliez pas que, règle générale, il est toujours plus rentable pour un investisseur de répartir consciencieusement son actif entre les actions, les obligations et les liquidités. Cette tactique s'avère la plus profitable. Même si vos objectifs de placement ne bougent pas depuis un certain temps, essayez de ne pas déroger au plan que vous avez bâti avec votre conseiller. Ceux qui l'ont fait en investissant dans une catégorie d'actifs momentanément plus attirante ont souvent commis une erreur, car il arrive fréquemment que ces actions à forte capitalisation dégringolent au moment où les sociétés à faible capitalisation, elles, connaissent une hausse. Pourquoi acheter des fonds d'actions canadiens, alors que les fonds internationaux ont le vent dans les voiles ? Pourquoi, juste au moment où ils allaient commencer à s'apprécier, vendre des fonds axés sur la valeur qui se sont montrés plus ou moins performants au fil des années, alors que les investisseurs étaient tournés vers les fonds de croissance ? Attention aux modes et aux achats impulsifs. Comme dans la course automobile, si vous passez votre temps à synchroniser le moteur au puits, vous ne parcourrez pas beaucoup de distance en piste. Dans le domaine de l'investissement, il en va pareillement. Si vous passez votre temps à essayer de synchroniser vos placements avec le marché, vous allez passer à côté des rendements intéressants. Dans *Ce que tout bon investisseur devrait savoir*, Peter Lynch, vice-président de Fidelity Management & Research Company, ne cache pas qu'investir en Bourse peut constituer toute une aventure, car il s'agit de votre argent et de vos économies. Et si vous n'êtes pas à l'aise parce que vos gestes dépassent votre seuil de tolérance, il faut tout arrêter et revoir votre plan d'action. La recherche sur les titres qui vous intéressent est primordiale avant d'acheter : elle vous permettra de savoir comment ils devraient normalement réagir à certaines situations du marché.

Chapitre 6
Bourse

Historique

L'histoire internationale de la Bourse a fait l'objet de plusieurs livres passionnants. À défaut d'effectuer ici un recensement complet de toutes les dates importantes qui ont jalonné l'activité boursière, nous ferons un petit voyage dans le temps qui vous permettra de voir à quel point les racines de la Bourse de Montréal sont vieilles.

Au Proche-Orient, approximativement 8 000 ans avant notre ère, la notion d'échange (troc) apparaît ; un échange de produits sans intermédiaire monétaire fait alors son apparition comme base d'un système économique rudimentaire. Ensuite, les Grecs inventent la monnaie et jettent les bases de l'économie marchande moderne par la vente à crédit, les sociétés en commandite, les assurances, les prêts et les banques. On assiste à la naissance du premier marché d'options, où on achète le droit de vendre ou d'acquérir des olives à un prix et à une date donnés. Par la suite, les empereurs romains initient des actions qui font évoluer les sociétés du libéralisme (« laisser faire ») vers l'interventionnisme. On stimule l'économie par de grands travaux et on établit un programme de financement de ces investissements par la vente d'obligations. Vers l'an 1000, les Chinois inventent la monnaie de papier. Les mandarins réglementent le flot des liquidités, influencent le cours du marché et contrôlent le commerce extérieur.

À partir du XIIIe siècle, des marchands itinérants se donnent rendez-vous dans des grandes foires en France et en Flandres pour vendre leurs cargaisons ; ils fixent ainsi les prix pour l'année à venir, procèdent à des échanges monétaires, mais spéculent aussi sur le résultat des récoltes et des productions artisanales des années à venir. Vers 1450, de nombreux marchands se réunissaient devant la résidence d'un riche négociant du nom de Van Den Börse pour

traiter de leurs affaires. C'est à partir de cette époque qu'apparaît un symbole important sur les armoiries de sa famille : celles-ci portent fièrement trois sacs d'argent – trois bourses.

À Amsterdam, au début des années 1600, on crée la Compagnie des Indes orientales ; il s'agit de la première société à se financer par la vente d'actions au public afin de fournir les capitaux nécessaires aux expéditions coloniales. En 1611, au cœur de la ville, dans un bâtiment spécialement construit à cet effet, on inaugure la première Bourse des valeurs. C'est aussi en Hollande qu'aura lieu le premier krach boursier.

Aux États-Unis, la construction d'un important réseau de chemins de fer entraîne un vaste essor de la Bourse de New York, qui deviendra la plus importante du monde. C'est en 1874 que s'ouvrent les portes du Chicago Mercantile Exchange, où se transigent d'abord le beurre, les œufs et la volaille. Les marchés à terme apparaissent. Les producteurs, craignant de voir les prix s'effondrer en cas de surproduction ou de baisse inattendue de la demande au moment de la récolte, vendent leurs produits à l'avance à un prix donné. Les négociants, qui craignent de voir monter les prix de façon dramatique en raison d'une pénurie imprévue ou d'un désastre météorologique, achètent à l'avance à un prix déterminé. Les spéculateurs prennent des risques en pariant sur la hausse ou la baisse des cours du produit. L'idée prendra de l'ampleur et s'appliquera à tous les produits matériels ou financiers soumis à de fortes fluctuations : dollar, taux d'intérêt, jus d'orange, riz, pétrole, voire les crevettes et les côtes de porc.

Entre 1980 et 1990, la technologie évoluant très vite, la Bourse de New York investit plus de 600 millions de dollars américains dans ses systèmes informatiques. En 1992, pour la première fois, on utilise à la Bourse de New York des ordinateurs. Le changement est de taille. Si, en 1975, 11 millions de transactions suffisaient à engorger le système, aujourd'hui, il peut en traiter plus de 800 millions.

Bien que Montréal ait servi de lieu de commerce dès ses humbles origines, ce n'est qu'en 1832 que les premières transactions par voie d'actions se tiennent à l'Exchange Coffee House, l'Auberge du Marché de la rue Saint-Paul.

Quelques années plus tard, les premiers courtiers se regroupent en une association et se dotent d'une chambre, le Board of Produce Brokers, qui détermine le cours des actions, des obligations et des produits agricoles. Et c'est à partir de 1872, deux ans avant son incorporation officielle, que le Board of Brokers commence à se faire appeler The Montreal Stock Exchange. Constituée en 1874, la Bourse de Montréal est la première institution du genre active au

Canada. Elle compte dès l'année de sa fondation 63 titres inscrits et on y transige un volume moyen de 800 actions par jour. Son rythme de croissance sera tel qu'elle devra déménager 3 fois en 30 ans. Au cours de cette période, le coût d'un siège de membre passera de 800 $ à presque 20 000 $. Les séances de négociations durent 1 h 45 en été et 2 h 30 en hiver.

Montréal est le plus important centre de décision économique du Canada. En 1914, le déclenchement de la Première Guerre mondiale amène les gouverneurs de la Bourse de Montréal à gérer les activités du parquet avec prudence et à adopter des mesures très strictes pour éviter tout mouvement de panique. La Bourse de Montréal compte alors 109 sociétés inscrites. On y négocie 10 000 actions par jour. Avec la fin des hostilités en 1918, le Canada connaît une croissance économique générale qui entraîne un intérêt sans précédent pour les valeurs mobilières. De nouveaux secteurs (pâtes et papier, hydroélectricité) font leur apparition. Les transactions boursières du temps démontrent l'ampleur de cet âge d'or.

En 1919, 915 000 actions changeaient de main. En 1920, trois millions d'actions étaient négociées. Très rapidement dans sa jeune histoire, la Bourse de Montréal démontre son sens de l'innovation. C'est ainsi qu'on crée en 1926 un marché parallèle pour les titres trop jeunes ou trop spéculatifs pour le parquet de la Bourse. L'expression *Curb Market* fait allusion à la tradition qui voulait qu'on négocie ce genre de titres à l'extérieur de l'enceinte de la Bourse, sur le trottoir. En 1953, le *Curb Market* deviendra la Bourse canadienne.

Le réajustement du marché américain de 1929, mieux connu sous le nom de krach, affecte l'ensemble de l'économie planétaire. Les cours s'effondrent partout. La très dure troisième décennie du XXᵉ siècle allait prendre des allures de tourmente.

Cela n'empêchera pas la Bourse de Montréal de faire preuve d'un sens aigu de modernisme et d'innover. Les marges minimales sont relevées, les exigences de vérification de comptes se font plus rigides et on embauche un vérificateur-conseil. On crée un comité consultatif de membres électifs. On agrandit et on modernise le parquet. On installe un téléscripteur relié à New York. On crée un service des relations publiques et des statistiques. En 1939, lorsque éclate le second conflit mondial, les marchés restent calmes.

Avec la fin de la Seconde Guerre mondiale en 1945, des secteurs prennent une importance jamais vue : les champs pétrolifères canadiens stimulent les actions des sociétés pétrolières et gazières ; il en va de même dans le secteur minier. Un nombre sans cesse croissant de Canadiens achètent des actions ordinaires. Vers la même époque, la Bourse de Montréal encourage le développement de méthodes de placement novatrices : plans d'options d'achat d'actions, clubs d'investissement, fonds communs de placement et régimes de retraite collectifs.

En 1965, c'est le déménagement à la Tour de la Bourse située au 800, Square Victoria à Montréal. La Bourse de Montréal se dote de nouveaux systèmes d'ordinateurs et d'installations informatiques supérieures à tout ce qui existe dans les autres Bourses à l'époque. Au cours de cette période, elle poursuit ses efforts pour bien servir les investisseurs particuliers. En 1967, elle crée trois postes de gouverneurs indépendants qui représentent les petits investisseurs et les citoyens.

En 1969, elle adopte un règlement obligeant les compagnies inscrites à fournir et à publier des rapports financiers trimestriels. L'année suivante, elle collabore avec les autres Bourses canadiennes et l'Association des courtiers en valeurs mobilières du Canada pour établir un Fonds national de prévoyance (aujourd'hui le Fonds canadien de protection des épargnants), qui dédommage les investisseurs lorsqu'un membre devient insolvable. En 1973, la Bourse de Montréal se dote d'un service de surveillance du marché.

Entre 1974 et 1987, elle innove sur tous les fronts, fusionnant avec la Bourse canadienne. Elle devient aussi le premier marché canadien à traiter des options sur actions et la première Bourse à miser sur un système de spécialistes de marchés, ces personnes qui doivent maintenir une liquidité suffisante en faisant des offres fermes. En moins de 2 ans, Montréal verra son parquet transiger annuellement près de 90 000 contrats d'options sur actions. Parallèlement, la Bourse de Montréal intensifie ses discussions avec plusieurs autres Bourses pour développer des alliances stratégiques. On parle d'un marché canadien intégré de valeurs mobilières avec le parquet de Toronto ; on participe aux efforts du gouvernement du Québec pour contrecarrer les effets de la récession par le biais du Régime d'épargne-actions (REA).

En 1978, Montréal est la première Bourse canadienne à admettre un membre individuel qui peut effectuer directement ses transactions sur le parquet. En 1979, on jette les bases d'un nouveau marché : les contrats à terme sur les bons du Trésor et les obligations gouvernementales à long terme. En 1982, la Bourse de Montréal devient le premier marché nord-américain d'options sur l'or, grâce à une coopération avec l'European Options Exchange d'Amsterdam. L'année suivante, grâce à ses nouveaux systèmes informatiques, elle est la seule Bourse au Canada pouvant garantir aux investisseurs le meilleur prix des parquets de Toronto et de Montréal. Et c'est en 1984 qu'elle lance le célèbre *XXM*, l'indice canadien du marché, et se dote d'un lien avec le parquet de Boston, une première mondiale qui permet à ses membres de placer leurs ordres pour des titres américains sur le Intermarket Trading System.

En 1985, la Bourse de Montréal compte près de 500 sociétés inscrites et 1 000 titres cotés. La valeur des transactions s'élève à plus de 10,6 milliards de dollars. Cette poussée connaît un coup de frein brutal lorsqu'une importante correction boursière (ou krach) survient en octobre 1987.

Montréal s'affirme comme la capitale canadienne des produits dérivés. En 1988, elle inscrit le *BAX*, un contrat à terme sur acceptations bancaires canadiennes de trois mois. La Commodity Futures Trading Commission américaine autorise les investisseurs américains à négocier des options sur métaux précieux à Montréal, ce qui fait de la Bourse de Montréal le premier marché d'options sur marchandises sans lien de négociation avec une Bourse américaine. En 1989, elle inscrit le *CGB*, un contrat à terme sur obligations du gouvernement du Canada de 10 ans.

En 1990, la Bourse de Montréal implante son Registre électronique des ordres, qui permet d'enregistrer, d'apparier et de confirmer automatiquement les ordres du marché. En 1992, elle lance, en collaboration avec le Chicago Board Options Exchange, les *LEAPS MD* ou options sur actions à long terme ; en 1994, les *OBX* ou options sur contrats à terme *BAX* ; et, en 1995, le CGF, un contrat à terme sur obligations du gouvernement du Canada de 5 ans.

Depuis quelques années, l'activité à la Bourse de Montréal s'affaiblissait avec seulement 9 % du volume canadien des actions. Donc, en novembre 1999, les Bourses de l'Alberta, de Montréal, de Toronto et de Vancouver ont annoncé qu'elles modifiaient leur entente de restructuration des marchés afin de répondre aux préoccupations du Québec concernant le maintien d'un marché de sociétés à petite capitalisation à Montréal.

Dorénavant, il y aura trois bourses ayant chacune leur champ de spécialisation. Ainsi, la Bourse de Toronto inscrira à sa cote les sociétés à grande capitalisation, les Bourses de l'Alberta et de Vancouver fusionneront afin d'offrir un marché pancanadien pour les sociétés à petite capitalisation (CDNX) et la Bourse de Montréal se spécialisera dans la négociation des produits dérivés.

Source : Bourse de Montréal

Définition

Prenons un exemple.

Vous êtes au marché. Vous circulez dans les allées, à la recherche des plus belles pommes au meilleur prix possible. Vous trouvez le marchand, mais vous n'êtes pas seul : 100 autres personnes ont choisi le même marchand que vous et veulent aussi ses pommes.

Le fermier a alors beau jeu d'augmenter ses prix puisqu'il contrôle l'offre.

Si vous étiez seul à vouloir des pommes et qu'ils étaient 10 marchands à vendre la même qualité de fruits, ils baisseraient chacun leur prix pour que vous achetiez leur produit et non celui du voisin.

C'est la loi de l'offre et de la demande, le fondement de notre économie.

C'est aussi cela, une Bourse.

C'est un marché à l'enchère, un lieu d'échange, physique ou électronique, où se retrouvent des acheteurs, des vendeurs et des produits que possèdent les uns et que désirent les autres.

Par l'intermédiaire de courtiers, des investisseurs achètent des titres (actions) ou prêtent de l'argent (obligations) à une entreprise de leur choix. On dit alors qu'acheteurs, vendeurs et prêteurs négocient des valeurs mobilières.

Les transactions auront lieu si les deux parties s'entendent sur l'élément primordial : le prix. Ceux qui achètent des valeurs en Bourse croient que la valeur de ces dernières est sous-évaluée et devrait croître ; ceux qui vendent leurs produits croient le contraire. Ces produits, que l'on appelle les titres boursiers, sont de nature très variée : actions, droits de souscription, bons de souscription, débentures, etc.

La Bourse est une organisation sans but lucratif. Elle facilite le développement des entreprises en leur permettant de faire appel au financement public.

Lorsqu'une entreprise inscrite à la Bourse fait appel au financement public, la Bourse se charge d'en publier l'information ; et si une personne est intéressée à investir, elle communique avec un courtier qui lui achemine un prospectus. Ce document contient les renseignements essentiels sur l'entreprise en question et surtout il explique les raisons de cet appel au financement public.

S'il est toujours intéressé, l'investisseur peut effectuer la transaction. Il achète des actions de ladite entreprise au prix convenu. On appelle ce marché de titres nouveaux un *marché primaire*. L'argent versé pour les titres est remis à la compagnie qui a fait appel au financement.

L'investisseur possède maintenant des actions de cette entreprise.

Actions

Une *action* est un titre qui représente un droit de propriété ou un titre de participation dans une société, ce qui signifie que l'investisseur a le droit de voter à l'occasion des assemblées, de bénéficier des profits de la compagnie et de partager l'excédent de ses biens en cas de vente ou de dissolution. Une *action ordinaire* ne comporte aucune rétribution fixe, et son propriétaire est dans l'obligation de se conformer aux fluctuations de rendement de sa compagnie. En d'autres mots, il participe aussi bien aux inconvénients qu'aux avantages. Une entreprise peut aussi émettre des actions sur le marché en remplaçant l'un des droits que nous venons de décrire par une garantie privilégiée. Ce sont des *actions privilégiées*. Par exemple, en contrepartie d'un retrait du droit de vote en assemblée, ils pourront participer aux bénéfices avant les détenteurs d'actions ordinaires et ils se verront gratifier d'un bénéfice minimal garanti. L'investisseur qui achète ainsi des actions d'une société ne lui prête pas d'argent. En réalité, il fait travailler son épargne directement dans cette société. Si cette dernière est prospère, les actionnaires le seront également, proportionnellement au nombre d'actions détenues. À l'inverse, si la société éprouve des difficultés financières, l'investisseur qui détient ses actions pourra en voir diminuer la valeur.

Si les investisseurs croient qu'une compagnie a des chances de prospérer et de réaliser des profits, le prix des actions aura tendance à augmenter, puisque les acheteurs se feront plus nombreux que les vendeurs. Par contre, si les investisseurs perdent confiance dans une compagnie ou encore estiment que celle-ci encourra des pertes, ils auront tendance à vendre leurs actions. Les vendeurs étant plus nombreux que les acheteurs, le cours des actions de cette compagnie tendra alors à baisser.

Un investisseur peut aussi décider de revendre ses actions sans même que la compagnie qui les a émises en soit avisée. Il s'agit ici du *marché secondaire*, auquel tout individu peut participer. Les frais de courtage sont assumés par l'acheteur et le vendeur. Quant aux prix, ils sont fixés par la loi de l'offre et de la demande. La santé financière d'une entreprise a un impact sur le prix de ses actions cotées en Bourse. Une compagnie prospère verra le prix de ses actions monter, alors que celle qui est en difficulté le verra chuter. La principale fonction de ce marché est de mettre en contact acheteurs et vendeurs afin de leur permettre d'effectuer des transactions sur les titres en circulation. Ce marché permet d'assurer la liquidité des titres, originalement émis par les entreprises sur le marché primaire.

Chaque type d'entreprise réagit à sa façon aux fluctuations économiques, politiques et sociales. Certaines verront grimper leur chiffre d'affaires en période de croissance économique, mais se retrouveront en difficulté au moment d'une récession. C'est ce qui se passe avec les entreprises qui œuvrent dans les secteurs de la construction, du meuble, du transport et du textile. Pour d'autres types d'entreprises, c'est le contraire. Elles connaissent leurs meilleurs résultats en situation économique précaire. C'est le cas des entreprises qui œuvrent dans des secteurs comme les boissons alcoolisées, le tabac et le cinéma.

Le marché à l'enchère est avantageux. Il est ordonné, efficace et transparent. Les informations sur le prix des titres sont connues de tous et diffusées en quelques fractions de seconde. Même les grands quotidiens communiquent chaque jour l'information relative aux titres transigés sur le marché de la veille.

Nous venons de voir que l'action d'une compagnie est le produit traditionnel transigé sur les parquets boursiers, et cela depuis des dizaines d'années. Il existe aussi ce qu'on appelle les produits dérivés, qui regroupent options et contrats à terme.

Obligations

Une obligation est tout simplement un prêt que vous consentez à un gouvernement ou à une société qui s'oblige à vous le rendre avec intérêt garanti. Il y a deux sortes d'obligations: les obligations d'épargne, dont nous avons traité brièvement dans le chapitre consacré à l'épargne, et les obligations boursières.

Les obligations boursières, comme leur nom l'indique, sont offertes sur le marché boursier. L'obligation boursière a un rendement généralement plus élevé que celui des obligations d'épargne et elle est garantie par les actifs de l'entreprise. Ce qui fait aussi qu'une obligation est un placement plus sûr qu'une action, c'est que, si l'emprunteur fait faillite, il doit vendre ses biens (actifs) et payer les détenteurs d'obligations (créanciers obligataires) avant de payer les actionnaires, c'est-à-dire les propriétaires.

Options ou contrats à terme

L'acheteur d'une option sur actions acquiert le droit d'acheter ultérieurement un bien à un prix convenu d'avance, en versant une somme d'argent qui garantit l'achat éventuel. Ce droit est transférable. Il peut donc être acheté ou vendu. Ce marché représente une bonne façon pour un investisseur de se protéger contre des fluctuations dans le cours de certains produits aussi variés que les actions, les devises, les obligations et même les indices boursiers. L'acheteur d'un contrat à terme s'engage à prendre livraison d'une quantité donnée à une date et à un prix prédéterminés. De la même façon, le vendeur d'un contrat s'engage à livrer une quantité donnée à une date et à un prix prédéterminés. Les contrats à terme à travers le monde portent sur des produits tels que l'or, le pétrole ; sur des denrées comme les oranges ou le café ; ou encore sur des produits financiers comme les obligations du gouvernement ou les devises. Les contrats à terme sont transigés par des spéculateurs qui misent sur les fluctuations du prix de ces divers produits. Les contrats à terme sont aussi utilisés par les producteurs et utilisateurs qui veulent se protéger des fluctuations de prix : par exemple le producteur d'oranges qui veut vendre sa récolte à un prix fixé d'avance dans le but de se protéger des conditions météorologiques qui peuvent affecter sa récolte. À la Bourse de Montréal, on transige des contrats à terme sur obligations du gouvernement du Canada et des contrats à terme sur acceptations bancaires. Le succès de ces produits a fait de la Bourse de Montréal la capitale canadienne des produits dérivés.

Le cours des actions et des obligations des entreprises varie différemment. Pour connaître la tendance du marché, il faut lire l'indice boursier. Celui de la Bourse de Montréal, l'indice *XXM*, mesure la fluctuation des titres de 25 sociétés choisies pour en tirer une moyenne générale. Si l'indice augmente, c'est que les titres ont connu une hausse ce jour-là. Si l'indice baisse, c'est que le marché fléchit.

La Bourse n'a rien à cacher et n'est surtout pas un cénacle complètement fermé. Vous pouvez visiter la Bourse de Montréal et vous familiariser avec le marché boursier. Des visites sont organisées sur rendez-vous pour des groupes, auxquels des personnes seules peuvent se joindre. Des cours d'initiation au marché boursier sont offerts par la Bourse de Montréal en sessions de 8 ou de 10 rencontres. Ces cours sont pour les non-initiés la meilleure façon d'apprendre à investir à la Bourse, un excellent véhicule pour faire fructifier son avoir. Vous n'êtes pas sans savoir qu'en matière de finances personnelles, il n'existe pas de guide infaillible ou de modèle préfabriqué. C'est aussi vrai pour la Bourse. Chacun doit y aller à sa manière, mais en respectant quelques principes de base: fixer d'abord ses objectifs d'investissement et procéder par étapes.

Exemple de portefeuille diversifié

	Travailleur	Retraité
Espèces	20 %	25 %
Immobilier	30 %	25 %
Actions	25 %	20 %
Obligations	15 %	20 %
Métaux précieux	5 %	5 %
Divers	5 %	5 %

Espèces: comptes d'épargne, dépôts à terme, bons du Trésor, etc.
Immobilier: résidence principale, résidence secondaire, immeuble à revenus.
Actions: fonds mutuels équilibrés, actions de premier ordre.
Obligations: publiques et privées, obligations d'épargne.
Métaux précieux: or, argent, etc.
Divers: collections, œuvres d'art, antiquités, bijoux.

Chapitre 7
REER

Définition

I l y a des années, le gouvernement canadien a fait un constat. Il a compris qu'il faisait face à une main-d'œuvre indisciplinée, mal informée, ainsi qu'à une population qui vieillissait rapidement. Que faire pour motiver les citoyens à économiser en vue de la retraite? Le gouvernement a modifié le RER (régime épargne-retraite). Il a ajouté un *E* au RER. *E* pour «enregistré». Ainsi, en enregistrant son RER et en suivant les directives du gouvernement, il est devenu possible de déduire les cotisations au régime du revenu imposable. Et tout l'argent placé dans le REER peut croître sans imposition jusqu'au moment de son retrait. Le rentier paie alors des impôts selon l'importance des revenus qu'il retire. En plus des bénéfices de déductions fiscales immédiates, les sommes en franchise d'impôt risquent de s'accroître plus rapidement qu'elles ne le feraient dans un compte de placements imposables annuellement.

Le REER constitue donc une chance en or pour les Canadiens. Nous avons tous besoin d'épargner en vue de la retraite et il n'existe pas de meilleur outil pour le faire. Avec la rareté des abris fiscaux et leur caractère spéculatif, avec aussi l'assèchement des régimes publics de retraite, le régime enregistré d'épargne-retraite (REER) est vite devenu le seul véhicule à incidence fiscale accessible à tous les épargnants et à tous les investisseurs. Pourtant, les données de Statistique Canada démontrent quand même que, sur les 80 % de contribuables admissibles à cotiser à un REER en 1996, moins de 30 % avaient tiré avantage de cet outil... Épargner aujourd'hui pour demain est devenu essentiel. Malheureusement, la plupart des Canadiens croient encore que, par miracle, l'argent de la retraite sera au rendez-vous, le moment venu. D'autres comprennent l'importance de l'économie en vue de la retraite, mais ne sont pas assez disciplinés pour mettre de l'argent de côté à cet effet.

Le REER est conçu de telle sorte qu'il faut épargner 18 % de notre revenu annuellement (jusqu'à concurrence de 13 500 $) pour conserver le même niveau de vie une fois la retraite venue. Ce niveau de vie à la retraite est estimé à environ 70 % du revenu annuel.

Faites le calcul : si vous avez présentement un revenu annuel de 60 000 $, vous devrez avoir épargné ou investi un capital pour vous procurer un revenu annuel de 42 000 $ à votre retraite. Et plus la période de la retraite s'allonge, plus le patrimoine accumulé doit être imposant. Alors, agissez en conséquence...

Comme la grande majorité des Canadiens ne bénéficient pas d'un régime privé de retraite, ils ne peuvent faire autrement que de s'en remettre au REER. Toutes les institutions financières offrent des REER et il en existe une panoplie : REER dépôts à terme, les REER obligataires, les REER fonds communs d'investissement, les REER immobiliers ; les REER gérés par les institutions financières émettrices et les REER autogérés dont la gestion revient entièrement au titulaire. De plus, les nouvelles obligations REER émises par les gouvernements fédéral et provincial se présentent en concurrentes très sérieuses aux traditionnels dépôts garantis.

Le REER n'est pas un abri fiscal. Les économies d'impôt qu'il génère ne sont jamais entièrement acquises entre les mains du contribuable. Le REER est plutôt un régime d'étalement du revenu imposable. Au fond, c'est un outil financier qui vous permet de payer vos dettes au fisc quand bon vous semblera. L'imposition du revenu est reportée à une date ultérieure, soit au moment du retrait, partiel ou total, des sommes injectées dans le régime.

Si votre revenu imposable pour 1999 est de 31 000 $ et que, avant le 1er mars 2000, vous déposez 1 000 $ dans un REER, vous serez imposé sur 30 000 $ et le fisc vous fera crédit de 459,50 $ jusqu'à ce que vous retiriez les 1 000 $ investis. Si pour prendre une telle décision, vous choisissez l'année où vous avez peu ou pas de revenus, le crédit se transformera tout simplement en cadeau... Le titulaire du régime a d'ailleurs tout intérêt à tenter de faire coïncider ce retrait avec une période où son taux d'imposition sera inférieur à ce qu'il était au moment des contributions : c'est le cas à la retraite ou d'un congé sabbatique, par exemple. Le retrait du REER devient cependant obligatoire durant l'année civile au cours de laquelle le titulaire atteint l'âge de 69 ans.

Le REER offre deux grands avantages. D'abord, les contributions sont entièrement déductibles du revenu imposable, au provincial comme au fédéral. De plus, les revenus générés par le capital injecté dans le régime ne sont pas imposables tant et aussi longtemps que les fonds demeurent à l'intérieur du régime. La croissance du patrimoine s'en trouve accélérée, d'une part par l'accumulation de revenus de placement à l'abri de l'impôt et, d'autre part, par le jeu de l'intérêt composé. Vous aurez compris que le réinvestissement du retour d'impôt viendra accélérer le mouvement.

Côté règles, il est permis de contribuer à son REER au cours de l'année d'imposition ou, au plus tard, 60 jours après l'année d'imposition. Cela signifie que, pour l'année d'imposition 1998, vous aviez jusqu'au 1er mars 1999 pour faire vos contributions. Les contributions maximales permises sont fixées au moindre de 13 500 $ ou 18 % du revenu gagné, pour les particuliers qui n'adhèrent pas à un régime d'employeur ou à un régime de participation différée aux bénéfices. Ce plafond est en place jusqu'en 2003. Pour ceux qui participent à un régime de retraite de leur employeur ou à un régime de participation différée aux bénéfices, le plafond des cotisations est déterminé par le moindre de 13 500 $ ou 18 % du revenu gagné, amputé du facteur d'équivalence (FE) inscrit sur le T4 de l'employé. Revenu Canada confirme le FE avec l'envoi d'un relevé vers la fin de l'année. Tout dépassement de ces plafonds, au-delà d'un tampon ou d'un coussin de 2 000 $, est accueilli sévèrement par le fisc. C'est sérieux, car une pénalité de 1 % par mois est imposée à toutes les cotisations inscrites en excès de ce tampon. Lorsque, pour une année, le montant des cotisations n'atteint pas le plafond permis, la différence peut être reportée et utilisée ultérieurement en sus du maximum accordé pour l'année en question. Cette règle du report des contributions s'applique également aux réclamations. Ce qui fait que les déductions réclamées au cours d'une année peuvent être inférieures aux cotisations effectuées et que la différence peut être appliquée en tout temps. Il s'agit là d'une particularité offrant un certain avantage au contribuable qui est aux prises avec l'impôt minimum de remplacement, ou à celui qui prévoit être soumis à un taux d'imposition plus élevé dans un avenir rapproché.

Comment contribuer à un REER?

Il y a essentiellement cinq façons de contribuer à un REER:
- par la voie d'un versement unique;
- par un roulement d'éléments d'actif admissibles;
- par l'épargne systématique, seul ou en groupe, par l'intermédiaire d'un REER collectif;
- par l'emprunt pour effectuer les cotisations courantes;

– en mettant à profit les droits inutilisés de cotisation, qui s'accumulent d'année en année lorsque les contribuables n'injectent pas le maximum auquel ils ont droit.

Pour la personne qui ne dispose pas des capitaux nécessaires, le recours à l'emprunt peut s'avérer fort utile, car il permet d'obtenir une déduction fiscale sans disposer pour autant du capital requis. Cette façon de procéder a ses limites. L'intérêt sur l'emprunt contracté n'est pas déductible dans le cas d'un placement dans un REER. La facture d'intérêt est donc élevée. Donc, pour que cette stratégie soit efficace, il faut que l'emprunt soit remboursé rapidement.

Outre l'emprunt, la personne qui ne dispose pas des capitaux requis, mais qui possède des éléments d'actif admissibles à un REER, peut également contribuer en effectuant un roulement de ses titres. Un tel roulement impliquera alors une disposition présumée de l'actif à sa valeur marchande au moment du transfert. Si cette disposition présumée crée un gain en capital, celui-ci sera imposable. Si la disposition fait apparaître une perte en capital, cette perte sera ignorée par le fisc ; elle ne pourra pas servir à abaisser un gain en capital antérieur ou éventuel.

Reste l'épargne systématique, qui prend la forme du prélèvement régulier, à même son salaire ou un compte bancaire, d'une somme qui est injectée dans un REER. Les principaux attraits de ce mode de contribution sont la discipline d'épargne qu'elle implique, la décomposition d'une contribution annuelle unique en sommes plus petites donc plus faciles à absorber, et aussi la possibilité de bénéficier d'une réduction immédiate des retenues à la source.

Mieux vaut emprunter dès maintenant pour cotiser à son REER qu'attendre un hypothétique surplus de fonds pour le faire !

Il n'y a pas de bons ou de mauvais moments pour investir dans un REER. Ce qui compte, c'est de prendre conscience que le temps peut jouer, soit en notre faveur, soit contre nous.

Un principe de base :
Une planification financière de la retraite s'impose.
Avant toute action, consultez un spécialiste.

Investir jeune

Dès l'âge de 20 ans, vous avez investi la somme de 2 000 $ par année jusqu'à l'âge de 35 ans. Au taux de 10 %, cette économie annuelle de 2 000 $ vous aura rapporté, à 65 ans, la très confortable somme de 1 108 821,57 $.

En revanche, supposons que vous avez décidé d'attendre d'avoir 35 ans pour commencer à cotiser. Qu'arrive-t-il alors?

Pensez-vous que vous pourrez accumuler aussi facilement autant d'argent?

Malheureusement, non.

Au lieu de débourser 30 000 $ de votre poche, vous devrez en débourser le double, soit 60 000 $. De plus, la différence de capital accumulé à échéance est vraiment importante puisque vous récolteriez 779 833,52 $ de moins.

	Investisseur A	Investisseur B
Âge	20-35 ans	35-65 ans
Cotisations	2 000 $ par année	2 000 $ par année
Épargne	30 000 $	60 000 $
Revenu accumulé à la retraite à 10 %	1 108 821,57 $	328 988,05 $
Différence	**+ 779 833,52 $**	

Ce qui est sûr et certain, c'est que votre avenir dépend essentiellement du capital que vous aurez accumulé au fil des ans.

Quelques cas

Pierre a eu 50 ans le 1er janvier 1999 et il compte prendre sa retraite l'an prochain. Il veut commencer, dès le 1er janvier 2001 à retirer 3 000 $ par mois du capital de son REER qui lui rapporte un taux d'intérêt constant de 7,5 % sur ses placements.

Tout cela avec une espérance de vie de 10 ans, 15 ans, 20 ans...

Qu'arrive-t-il dans le cas d'une somme de 200 000 $ accumulée dans son REER?

Combien peut-il retirer par mois?

Combien de temps mettra-t-il pour épuiser ses épargnes?

Réponse

Avec une espérance de vie de 10 ans et des retraits de 3 000 $ par mois, Pierre ne pourrait retirer de l'argent de son REER que pendant 8 ans. Son REER s'épuiserait donc très rapidement.

Âge	Année	Valeur	Retrait brut mensuel
52	2001	215 000 $	3 000 $
53	2002	193 718 $	3 000 $
54	2003	170 795 $	3 000 $
55	2004	146 152 $	3 000 $
56	2005	119 661 $	3 000 $
57	2006	91 184 $	3 000 $
58	2007	60 570 $	3 000 $
59	2008	27 661 $	3 000 $

Avec une espérance de vie de 10, 15 ou 20 ans, Pierre devra retirer un montant moindre que 3 000 $. Voici les retraits qu'il pourra effectuer :

Pendant 10 ans

Âge	Année	Valeur	Retrait brut mensuel
52	2001	215 000 $	2 509,88 $
53	2002	199 837 $	2 509,88 $
54	2003	183 491 $	2 509,88 $
55	2004	165 919 $	2 509,88 $
56	2005	147 030 $	2 509,88 $
57	2006	126 723 $	2 509,88 $
58	2007	104 894 $	2 509,88 $
59	2008	81 427 $	2 509,88 $
60	2009	56 201 $	2 509,88 $
61	2010	29 082 $	2 509,88 $

Pendant 15 ans

Âge	Année	Valeur	Retrait brut mensuel
52	2001	215 000 $	1951,71 $
53	2002	206 805 $	1951,71 $
54	2003	197 950 $	1951,71 $
55	2004	188 431 $	1951,71 $
56	2005	178 198 $	1951,71 $
57	2006	167 197 $	1951,71 $
58	2007	155 372 $	1951,71 $
59	2008	142 659 $	1951,71 $
60	2009	128 993 $	1951,71 $
61	2010	114 302 $	1951,71 $
62	2011	98 510 $	1951,71 $
63	2012	81 532 $	1951,71 $
64	2013	63 282 $	1951,71 $
65	2014	43 663 $	1951,71 $
66	2015	22 572 $	1951,71 $

Pendant 20 ans

Âge	Année	Valeur	Retrait brut mensuel
52	2001	215 000 $	1 689,93 $
53	2002	210 073 $	1 689,93 $
54	2003	204 731 $	1 689,93 $
55	2004	198 989 $	1 689,93 $
56	2005	192 816 $	1 689,93 $
57	2006	186 180 $	1 689,93 $
58	2007	179 046 $	1 689,93 $
59	2008	171 377 $	1 689,93 $
60	2009	163 133 $	1 689,93 $
61	2010	154 271 $	1 689,93 $

62	2011	144 744 $	1 689,93 $
63	2012	134 502 $	1 689,93 $
64	2013	123 492 $	1 689,93 $
65	2014	111 657 $	1 689,93 $
66	2015	98 934 $	1 689,93 $
67	2016	85 257 $	1 689,93 $
68	2017	70 554 $	1 689,93 $
69	2018	54 748 $	1 689,93 $
70	2019	37 757 $	1 689,93 $
71	2020	19 492 $	1 689,93 $

Qu'arriverait-il dans le cas où une somme de 400 000 $ aurait été accumulée dans son REER ?

En investissant 200 000 $ de plus, Pierre pourrait retirer 3 000 $ par mois pendant 28 ans. Dix ans plus tard, soit en l'an 2010, ses épargnes totaliseraient 366 541,03 $ et n'auraient diminué que de 33 458,97 $ même si des retraits totalisant 360 000 $ avaient été effectués ! C'est cela la magie des intérêts composés ! Toutefois, rendu à un certain montant, il est certain que le capital commence à diminuer... Avec un investissement de 400 000 $, c'est quand même encourageant de voir qu'à l'âge de 79 ans, Pierre aura profité de versements qui auront totalisé un million de dollars !

Âge	Année	Valeur	Retrait brut mensuel
52	2001	430 000 $	3 000 $
53	2002	424 889 $	3 000 $
54	2003	419 303 $	3 000 $
55	2004	413 299 $	3 000 $
56	2005	406 844 $	3 000 $
57	2006	399 905 $	3 000 $
58	2007	392 446 $	3 000 $
59	2008	384 427 $	3 000 $
60	2009	375 807 $	3 000 $
61	2010	366 541 $	3 000 $
62	2011	356 579 $	3 000 $
63	2012	345 870 $	3 000 $

Âge	Année	Valeur	Retrait brut mensuel
64	2013	334 358 $	3 000 $
65	2014	321 983 $	3 000 $
66	2015	308 679 $	3 000 $
67	2016	294 378 $	3 000 $
68	2017	279 004 $	3 000 $
69	2018	262 478 $	3 000 $
70	2019	244 711 $	3 000 $
71	2020	225 612 $	3 000 $
72	2021	205 081 $	3 000 $
73	2022	183 010 $	3 000 $
74	2023	159 284 $	3 000 $
75	2024	133 778 $	3 000 $
76	2025	106 359 $	3 000 $
77	2026	76 883 $	3 000 $
78	2027	45 198 $	3 000 $
79	2028	11 135 $	3 000 $

Dans le cas où 500 000 $ auraient été accumulés dans son REER, la situation serait encore nettement mieux... Avec ce montant accumulé, Pierre serait assuré d'avoir des revenus d'au moins 3 000 $ pendant toute sa vie puisque, à ses 94 ans, son capital serait de plus de 300 000 $. Il faut noter qu'à partir de 69 ans, Pierre devra retirer un montant minimum déterminé par un facteur d'équivalence, ce qui explique pourquoi le montant retiré du REER ne peut rester à 3 000 $ et doit augmenter d'année en année.

Âge	Année	Valeur	Retrait brut mensuel
52	2001	537 500 $	3 000 $
53	2002	540 474 $	3 000 $
54	2003	543 558 $	3 000 $
55	2004	546 872 $	3 000 $
56	2005	550 436 $	3 000 $
57	2006	554 266 $	3 000 $
58	2007	558 384 $	3 000 $
59	2008	562 810 $	3 000 $
60	2009	567 569 $	3 000 $

61	2010	572 685 $	3 000 $
62	2011	578 184 $	3 000 $
63	2012	584 095 $	3 000 $
64	2013	590 450 $	3 000 $
65	2014	597 282 $	3 000 $
66	2015	604 626 $	3 000 $
67	2016	612 521 $	3 000 $
68	2017	621 007 $	3 000 $
69	2018	630 131 $	3 000 $
70	2019	639 938 $	3 000 $
71	2020	650 482 $	3 000 $
72	2021	661 816 $	4 070,16 $
73	2022	660 639 $	4 117,98 $
74	2023	658 778 $	4 166,77 $
75	2024	656 168 $	4 215,88 $
76	2025	652 750 $	4 270,07 $
77	2026	648 398 $	4 317,25 $
78	2027	643 131 $	4 367,93 $
79	2028	636 836 $	4 420,70 $
80	2029	629 410 $	4 474,06 $
81	2030	620 762 $	4 526,39 $
82	2031	610 811 $	4 575,99 $
83	2032	599 495 $	4 631,10 $
84	2033	586 642 $	4 683,36 $
85	2034	572 173 $	4 734,73 $
86	2035	555 977 $	4 786,03 $
87	2036	537 926 $	4 836,85 $
88	2037	517 887 $	4 889,71 $
89	2038	495 685 $	4 940,33 $
90	2039	471 186 $	4 990,64 $
91	2040	444 221 $	5 041,91 $
92	2041	414 594 $	5 089,14 $
93	2042	382 155 $	5 133,62 $
94	2043	346 729 $	5 177,81 $

REER collectifs

Un REER collectif est une addition de REER individuels mis en commun en milieu de travail. Chaque employé participant est propriétaire de son propre régime ; l'ensemble des règles, particularités et limites auxquelles le REER individuel est soumis viennent alors s'appliquer. L'adhésion se fait sur une base volontaire. L'employeur est libre d'y contribuer ou non. S'il décide de participer au REER de ses employés en le bonifiant d'une contribution, cette contribution demeure la propriété de l'employé. Les REER collectifs sont appréciés pour leur souplesse. Ce régime est en effet plus facile et moins coûteux à administrer que les régimes traditionnels à prestations ou à cotisations déterminées. Et c'est un régime qui peut être entièrement financé par des cotisations salariales uniquement, puisque les cotisations de l'employeur sont facultatives.

Ainsi, le rôle de l'employeur peut se limiter au simple prélèvement périodique, sur le salaire, des montants versés par les employés cotisants. Un régime de retraite traditionnel serait plus coûteux et plus rigide pour l'employeur. Il comporte son lot de charges administratives, y compris la mise sur pied d'un comité de retraite et une intervention sur le plan de la politique d'investissement.

Si on veut favoriser la participation des employés, il est généralement préférable que l'entreprise y contribue.

Cependant, la contribution de l'employeur étant ajoutée à la rémunération des employés, cela a pour conséquence d'accroître la masse salariale et, du même coup, les charges sociales de l'employeur, comme l'assurance-chômage ou l'assurance-maladie.

Le coût additionnel est évalué à quelque 0,3 % de la masse salariale. Ce n'est pas la fin du monde, car il s'agit d'un coût qui se compare avantageusement à l'économie réalisée sur le plan des frais de gestion et d'administration qu'exige l'établissement d'un régime privé.

Le REER collectif constitue donc un mode d'épargne-retraite qu'offre l'employeur. Les cotisations sont retenues directement sur le salaire, avant le calcul de l'impôt. L'employé peut également choisir de verser des montants forfaitaires en tout temps au cours de l'année.

Sur le plan fiscal, le REER collectif est soumis aux mêmes règles que le REER individuel et il donne droit aux mêmes économies d'impôt. Cependant, ces économies ont la particularité d'être remises immédiatement sur chaque paie, plutôt qu'une fois l'an, au moment de la production des déclarations de revenus.

Ainsi, une cotisation hebdomadaire de 25 $ par prélèvement sur la paie pourrait se traduire par une économie d'impôt variant de 9 $ à 13,25 $, selon le revenu imposable, et par des débours nets variant donc entre 11,75 $ et 16 $.

L'employé a également plusieurs choix. Il peut fixer lui-même le montant qu'il veut placer périodiquement dans le REER. Il peut décider également de la répartition de sa participation parmi les différents instruments de placement.

La plupart des REER collectifs offrent à l'employé le choix entre divers types de placements : des certificats de placement garanti (CPG), ainsi que des fonds d'actions, d'obligations ou de marché monétaire, par exemple. Le type de placements à privilégier doit tenir compte de l'âge de l'employé, de sa situation financière, de son goût du risque et de ses autres investissements.

Différents scénarios

Voyons différents scénarios de REER collectifs selon l'âge de l'employé, sa situation financière, son goût du risque et ses autres investissements...

Scénario n° 1

Geneviève est âgée de 25 ans et au tout début de sa carrière. Elle est célibataire et sans enfant. Elle aimerait prendre sa retraite à 50 ans et a déjà commencé à se constituer un fonds de retraite par l'entremise de son REER collectif. Elle vise la croissance de son capital à long terme et est assez à l'aise avec les fluctuations de capital. Voici la répartition d'actifs suggérée :
- 5 % en fonds d'épargne (encaisse, marché monétaire) ;
- 10 % en fonds de revenu (CPG, obligations, fonds mutuels de revenus) ;
- 10 % en fonds équilibrés (fonds de revenus et de croissance) ;
- 75 % en fonds de croissance (fonds mutuels avec contenu étranger (maximum 20 %), et fonds mutuels de croissance).

Scénario n° 2

Gabriel est âgé de 45 ans, il travaille depuis 20 ans et compte prendre sa retraite d'ici quelques années. Étant donné qu'il souhaite profiter de sa retraite bientôt, il est plus prudent dans ses choix de placements. Il est d'accord pour investir une partie de son argent dans des titres plus risqués, mais souhaite faire croître son portefeuille tout en protégeant le plus possible le capital accumulé. Voici ce que nous lui suggérons :

- 5 % en fonds d'épargne (encaisse, marché monétaire);
- 60 % en fonds de revenu (CPG, obligations, fonds mutuels de revenus);
- 15 % en fonds équilibrés (fonds de revenus et de croissance);
- 20 % en fonds de croissance, en profitant au maximum du 20 % de contenu étranger.

Les employés qui ne participent pas à un régime de pension agréé (RPA) ou à un régime de participation différée aux bénéfices (RPDB) peuvent cotiser jusqu'à concurrence du plafond établi par la *Loi de l'impôt*, soit 13 500 $. Les autres doivent tenir compte du facteur d'équivalence.

Le facteur d'équivalence s'explique comme suit. Les cotisants à un régime de retraite privé voient leur contribution maximale permise à un REER amputée d'un facteur, celui-ci étant établi en fonction des cotisations (employeur-employé) faites au fonds de retraite. L'amputation est d'autant plus grande que le régime est à prestations plutôt qu'à cotisations déterminées. Dans ce cas, le facteur d'équivalence viendra accorder un poids arbitraire important aux contributions effectuées en multipliant par neuf les prestations acquises.

Ce multiple vient gonfler la valeur des prestations acquises, réduisant d'autant le plafond de contributions annuelles à un REER. Avec un REER collectif, les notions de facteur d'équivalence et du poids arbitraire accordé aux prestations déterminées disparaissent.

Exemples

Bernard a un fonds de retraite avec son employeur. Son revenu annuel pour 1997 a été de 50 000 $ et son facteur d'équivalence est de 4 522 $ pour l'année 1997. Voici quel sera le montant qu'il pourra investir dans ses REER en 1998:

Maximum déductible au titre des REER pour 1997	6 000 $
Moins: Cotisations admissibles à un REER déduites en 1997	2 000 $
Déductions inutilisées au titre des REER à la fin de 1997	**4 000 $**
Plus: 18 % du revenu gagné en 1997 (maximum 13 500 $)	9 000 $
Moins: Facteur d'équivalence de 1997	4 522 $
Montant des cotisations pour 1997	**4 478 $**
Maximum déductible au titre des REER pour 1998	**8 478 $**
(Montant de la cotisation pour 1997 + contributions non utilisées)	

Gabrielle a un REER collectif avec son employeur. Elle gagne le même revenu que Bernard, soit 50 000 $, mais puisque son REER est collectif, un facteur d'équivalence ne vient pas réduire le montant de sa cotisation. En tenant pour acquis que Gabrielle a le même montant que Bernard au titre de ses cotisations non utilisées, voici la somme qu'elle pourra cotiser en 1998 :

Maximum déductible au titre des REER pour 1997	6 000 $
Moins : Cotisations admissibles à un REER déduites en 1997	2 000 $
Déductions inutilisées au titre des REER à la fin de 1997	**4 000 $**
Plus : 18 % du revenu gagné en 1997 (maximum 13 500 $)	9 000 $
Moins : Facteur d'équivalence de 1997	0 $
Montant des cotisations pour 1997	9 000 $
Maximum déductible au titre des REER pour 1998 ....**13 000 $** (incluant les cotisations au REER collectif)	
(Montant de cotisation pour 1997 + contributions non utilisées)	

C'est donc dire que Gabrielle peut contribuer 18 % de son revenu chaque année tout en respectant le maximum de 13 500 $.

Même si un employeur possède déjà un RPA, il peut décider d'inclure un REER collectif dans sa gamme d'avantages sociaux.

L'investissement dans un REER collectif étant généralement canalisé vers les fonds communs d'investissement, l'employé cotisant, à qui la gestion du régime incombe, n'aura finalement qu'à se préoccuper de la répartition de l'actif dans lequel il engage son épargne. En investissant de façon périodique, il bénéfice de la méthode de la moyenne d'achat, pouvant ainsi faire fi du *timing*, une variable importante lorsque l'investissement est effectué en un seul bloc. L'achat de titres à intervalles réguliers se traduit, dans une tendance baissière, par une diminution du prix moyen, et, lorsque la tendance des cours est à la hausse, par une augmentation du prix moyen d'achat.

Dans la situation où un employé perd ou quitte son emploi, le compte peut alors être transféré dans un autre régime.

On évite ainsi les contraintes rattachées aux fonds de retraite, contraintes qui, au moment des transferts, impliquent généralement une immobilisation de la portion employeur des sommes rapatriées.

Dans le cas d'un régime de retraite traditionnel, la personne quittant (ou perdant) son emploi se voit offrir trois possibilités :

– laisser ses fonds dans le régime de son ex-employeur ;

- les transférer dans le régime de retraite de son nouvel employeur (avec accord préalable de ce dernier) ; ou
- les transférer à un REER immobilisé. Cette dernière avenue est plus contraignante, puisque aucun retrait n'est permis avant la retraite.

L'employé pourrait également obtenir le remboursement des fonds accumulés, mais cela entraînerait des retenues d'impôt à la source.

Un irritant est à considérer : contrairement aux fonds de retraite traditionnels, l'employé ne reçoit aucune garantie de revenus à la retraite. Avec un REER collectif, ce revenu sera fonction du patrimoine accumulé, de la discipline d'épargne de l'individu et du véhicule de décaissement choisi une fois la retraite venue.

Dans la foulée d'un plus grand contrôle des coûts et de l'implantation d'un nombre croissant de programmes d'avantages sociaux flexibles au sein des entreprises, le REER collectif semble gagner en popularité. Davantage de travailleurs prennent conscience de l'importance de mieux assurer leur retraite, quoique, au Québec, on estime que moins de 20 % des travailleurs des PME profitent de régimes complémentaires de retraite. Les salariés non couverts se retrouvent notamment au sein d'entreprises de détail, de services ou de sous-traitance, ou bien parmi les professions libérales.

Régime de retraite simplifié

À la Régie des rentes du Québec, on a voulu emprunter au meilleur des deux mondes en introduisant, en juin 1994, le régime de retraite simplifié (RRS). On visait l'implantation de régimes de retraite au sein des PME.

Le RRS se veut, pour l'employeur, moins coûteux à administrer qu'un régime de retraite traditionnel. Comme ce dernier, il garantit au travailleur un revenu viager de retraite et, au décès du participant, il prévoit le versement d'une prestation à son conjoint ou aux ayants droit. Il s'inspire des REER collectifs par le faible nombre de tâches administratives dévolues à l'employeur.

Le RRS est un régime à cotisation déterminée, et les cotisations de l'employeur appartiennent au travailleur dès leur versement. Le RRS est administré par une institution financière qui, à l'instar des REER collectifs, assume la plupart des tâches administratives revenant, dans le cas d'un régime traditionnel, à l'employeur ou au comité de retraite.

Le travailleur peut fixer annuellement la cotisation qu'il s'engage à verser au régime, cette cotisation ne pouvant être inférieure à la cotisation salariale minimale que l'employeur pourra avoir établie. Il a le loisir de répartir, comme bon lui semble, les sommes accumulées dans son compte entre les divers placements offerts par l'institution financière.

Il peut, à partir de 55 ans et même s'il continue de participer au régime, transférer la totalité ou une partie de son compte dans un autre instrument d'épargne-retraite. Cet instrument peut être un autre régime de retraite, un compte de retraite immobilisé, un contrat de rentes ou un fonds de revenu viager.

Le RRS se distingue du REER collectif en ce que les cotisations versées par l'employeur ne se traduisent pas par des augmentations des cotisations à l'assurance-chômage, à la CSST et à la RRQ. Le RRS ne permet pas au travailleur, contrairement au REER collectif, d'échapper à l'immobilisation ni de retirer les sommes accumulées avant la retraite. Une fois cette retraite venue, les fonds accumulés devront de plus servir à produire un revenu viager, c'est-à-dire en ayant recours à un fonds de revenu viager ou à un contrat de rentes.

Insaisissabilité des REER

Est-ce vrai ?
En cas de revers de fortune, tous les biens qui constituent notre patrimoine sont saisissables par nos créanciers. Le REER fait partie intégrante de ce patrimoine et n'échappera pas à l'appétit des créanciers ordinaires, privilégiés ou garantis, du ministère du Revenu fédéral et du syndic en cas de faillite. La saisissabilité d'un REER est la règle et en conséquence les REER détenus par la très grande majorité d'entre nous sont saisissables. Toutefois, les législations québécoise et fédérale prévoient certaines exceptions d'insaisissabilité des REER, comme par exemple les comptes de retraite immobilisés. Il est important de garder à l'esprit en lisant les lignes qui suivent que ce bref survol des critères d'insaisissabilité s'applique uniquement aux REER de rente à terme fixe version Québec, et qu'il est fait en vertu de la loi québécoise et fédérale applicable et que les conclusions peuvent être différentes sous les lois des autres provinces canadiennes.

Compte de retraite immobilisé

La première exception au principe de la saisissabilité des REER est le REER de type immobilisé. Ce REER est celui dont les fonds proviennent d'un régime de pension ou fonds de pension. Dans le cas des rentiers dont les employeurs sont assujettis à la loi québécoise, ce REER est un compte de retraite immobilisé. Pour les rentiers dont les employeurs sont régis par une loi de juridiction fédérale, ce REER est appelé REER immobilisé.

Rente à terme fixe

La loi québécoise prévoit aussi que certains REER non immobilisés constitués en contrats de rente auprès d'une compagnie d'assurance-vie ou d'une société de fiducie peuvent, à certaines conditions, bénéficier du privilège d'insaisissabilité. Dans le cas des sociétés de fiducie, le contrat de rente est généralement à terme fixe.

D'entrée de jeu, nous précisons que cette protection contre les créanciers est assurée, si les conditions discutées ci-dessous sont remplies, à l'égard des créanciers ordinaires seulement et que cette protection peut être attaquée par des créanciers privilégiés ou garantis, le ministère du Revenu fédéral et par un syndic de faillite. L'état du droit québécois sur la question est en pleine effervescence et l'application des différentes dispositions juridiques à l'encontre des créanciers privilégiés ou garantis, du ministère du Revenu fédéral et du syndic de faillite est remise en question.

Sous réserve de ce que nous venons d'exprimer, pour qu'un REER non immobilisé soit insaisissable, il doit prévoir la constitution d'une rente et la désignation d'un bénéficiaire. Cette désignation doit être faite à titre irrévocable lorsque en faveur d'un tiers, ou elle peut être révocable si elle désigne le conjoint ou le descendant du rentier constituant de la rente.

Finalement, votre conseiller financier et votre institution financière ne sont pas tenus par la loi de vous garantir l'insaisissabilité de votre REER. En raison des nombreux changements jurisprudentiels sur la question et parce que la législation applicable en cette matière peut être changée sans préavis pour modifier les conditions d'insaisissabilité, plusieurs institutions financières refusent de garantir l'insaisissabilité de leurs produits financiers. De plus, chaque cas doit être évalué spécifiquement afin de déterminer si le produit est à l'abri des créanciers, à savoir si toutes les conditions d'insaisissabilité ont été remplies.

Investir à l'étranger

Le maximum que l'on peut investir en placements étrangers est fixé à 20 % de l'actif total du REER. S'il est dépassé, le fisc perçoit une pénalité de 1 % par mois sur l'excédent. On peut franchir ce plafond de 20 %, sans pénalité, de plusieurs façons. On pourrait même investir la totalité de l'actif de son REER dans des placements étrangers sans contrevenir aux règles.

La façon la plus utilisée consiste à investir 20 % de l'actif du REER directement dans des placements étrangers et le 80 % qui reste dans des fonds communs d'investissement canadiens qui utilisent leur propre plafond de 20 %. Aussi longtemps que la proportion de placements étrangers est inférieure à cette borne de 20 %, ces fonds sont considérés comme des placements entièrement canadiens. De cette manière, le REER pourrait finalement être composé à 36 % de placements étrangers.

On peut aussi recourir à des multi-fonds, à des fonds communs investissant dans les parts d'autres fonds communs. En multipliant les 20 % des uns et des autres, on obtient facilement une proportion de 52 % de son avoir REER engagé à l'étranger.

Enfin, on peut avoir recours aux véhicules de placement (obligations) émis par des institutions ou des entreprises canadiennes, mais libellés en monnaies étrangères. Le gouvernement fédéral, certains gouvernements provinciaux, Hydro-Québec, Hydro-Ontario et de grandes institutions financières ou entreprises canadiennes sont au nombre des institutions qui offrent ce genre d'instruments financiers. Comme le plafond de 20 % s'applique à la nationalité de l'incorporation de l'émetteur, et non à la devise en laquelle les titres émis sont libellés, ces titres sont considérés comme entièrement canadiens aux fins des REER, de sorte qu'ils n'empêchent pas le contribuable de détenir d'autres placements étrangers dans son REER.

De plus en plus de fonds communs permettent aux investisseurs de contourner la limite de 20 % de contenu étranger. En moyenne, toutefois, les Canadiens n'utilisent même pas le maximum permis. Ces fonds contiennent au moins 80 % en argent canadien (bons du Trésor), mais ils achètent des contrats à terme sur des indices étrangers comme le S&P 500 aux États-Unis ou le CAC40 en France. Grâce à l'effet de levier de ces produits dérivés, les gestionnaires de portefeuille peuvent reproduire exactement la même performance qu'un indice donné, comme un fonds indiciel traditionnel.

Ces produits permettent évidemment aux investisseurs de diversifier leur portefeuille REER au-delà du Canada, qui ne représente que 2,5 % de la valeur boursière mondiale. Autre avantage à considérer : historiquement, le marché américain a offert des rendements plus élevés que le marché canadien, en raison de la prépondérance des titres cycliques au Canada et de la faiblesse de notre dollar.

REER-hypothèque pour acheter une propriété

Un REER hypothécaire représente une hypothèque détenue dans un REER. C'est un produit conventionnel soumis à la loi de l'impôt et dont l'argent doit être puisé à même un REER autogéré.

Le REER hypothécaire est une bonne façon de mettre à contribution dans l'achat d'une propriété l'avoir accumulé dans un REER. On n'a pas ainsi à subir l'imposition généralement applicable sur les sommes retirées d'un régime. Pour ce faire, le titulaire peut se prévaloir du Régime d'accession à la propriété (RAP) en puisant en partie dans son REER. Il peut également s'octroyer une hypothèque, à même son régime. Il existe deux types de REER hypothécaires : l'hypothèque liée et l'hypothèque non liée ou à distance.

Dans le cas de l'hypothèque liée, le titulaire du REER autogéré est l'emprunteur. Il se prête à même son REER autogéré pour s'acheter une maison contre une hypothèque équivalente. Par la suite, il rembourse son hypothèque à son REER autogéré. Revenu Canada exige que la Société canadienne d'hypothèques et de logement (SCHL) assure ce type d'hypothèque. La prime varie entre 0,5 % et 2,5 % du montant, suivant l'importance du dépôt et l'analyse de crédit qu'effectue la SCHL.

Comme il s'agit d'un placement, il faut suivre le cycle de remboursement et payer des frais annuels de gestion. L'institution financière perçoit mensuellement les paiements et les dépose directement dans le REER autogéré de l'emprunteur.

Le programme permet au titulaire d'un REER de retirer jusqu'à **20 000 $** de son régime (**ou 40 000 $ dans le cas d'un couple**) pour acheter une maison qui deviendra le lieu principal de résidence au plus tard le 1er octobre de l'année qui suit son acquisition. Une condition cependant : ne pas avoir été propriétaire d'une maison servant de lieu de résidence principale pendant les quatre années civiles et jusqu'au 31e jour précédant le moment du retrait du REER.

Le programme prévoit également que le montant retiré doit être **remboursé au REER sur une période de 15 ans (sans intérêt)**, à défaut de quoi tout retrait non remboursé devra être ajouté dans le calcul du revenu imposable du titulaire. Cette période de remboursement débute la deuxième année civile suivant le retrait, selon les modalités rattachées aux contributions à un REER. Et toute contribution supplémentaire, au-delà du montant nécessaire au remboursement, peut donner droit à une déduction fiscale. Si le titulaire ne rembourse pas le montant prévu pour une année donnée ou s'il choisit de n'en rembourser qu'une partie, l'écart sera ajouté au revenu gagné pour l'année et assujetti à l'impôt.

Il y a un autre inconvénient majeur : les sommes retirées ne rapportant rien tant qu'elles ne sont pas remboursées au REER, l'accumulation du capital-retraite s'en trouve ralentie d'autant.

L'hypothèque non liée fonctionne sur le même principe que l'hypothèque liée, mais le REER sert à prêter à un tiers. La loi n'oblige pas de la faire assurer par la SCHL. C'est le titulaire du REER lui-même qui choisit l'emprunteur et qui assume le risque.

Après la négociation du taux et de l'amortissement avec l'institution financière, le prêteur signe un contrat avec le débiteur devant le notaire. Tout se complique quand il y a plusieurs créances sur la propriété. Si le titulaire détient une deuxième hypothèque, il peut demander un taux d'intérêt plus élevé.

Obligation de liquider son REER à 69 ans... Que faire ?

On se rappellera que les sommes accumulées dans un REER peuvent être retirées (et imposées), en tout ou en partie, n'importe quand pendant la durée de vie du régime. Le retrait devient toutefois obligatoire à la fin de l'année civile au cours de laquelle le titulaire atteint l'âge de 69 ans.

Celui-ci peut alors choisir :
- le retrait total et l'encaissement des sommes amassées (déconseillé) ;
- le transfert du capital à un FERR ;
- l'établissement d'une rente, viagère ou certaine ;
- ou une combinaison des trois options.

Les sommes accumulées dans un REER étant pleinement imposables au moment du retrait, il n'est pas recommandé de retirer la totalité des fonds de son REER. La facture fiscale à payer serait alors très lourde. Pour éviter cette imposition massive, les FERR permettent de poursuivre le mécanisme de report de l'imposition des sommes accumulées. Cela donne la possibilité de répartir dans le temps l'utilisation du patrimoine amassé dans le régime et ainsi de limiter l'imposition aux seuls retraits effectués.

Fonds enregistré de revenu de retraite (FERR)

Le FERR est le prolongement naturel du REER. Il permet au rentier d'étaler son revenu de retraite et de déterminer le montant exact qui lui sera versé chaque année. Ce retrait, qui s'ajoute à votre revenu imposable, est toutefois soumis à un minimum annuel et à des échéances. Il est important de noter que, depuis 1993, le calcul du minimum de retrait à partir de 71 ans est plus souple et le capital transféré dans un FERR n'est plus soumis à un épuisement obligatoire à la fin de l'année civile au cours de laquelle le titulaire atteint l'âge de 90 ans. Le FERR est désormais valide la vie durant.

Le FERR a également l'avantage d'être souple et flexible. Acheter une rente est une décision irréversible. Transférer son REER dans un FERR est un choix à partir duquel vous pourrez décider, à chaque année si vous le voulez, du montant des sommes que vous retirerez. Formules de versement, périodicité des versements et choix des véhicules de capitalisation peuvent être modulés selon les besoins spécifiques du rentier. Ce véhicule permet également à son titulaire de répondre à un besoin ponctuel puisque les retraits de n'importe quel montant d'un FERR sont autorisés à tout moment.

Les différentes formes de FERR sont :
– le FERR à taux variable ;
– le FERR à taux fixe ;
– le FERR-fonds de placement ;
– le FERR autogéré.

On vous permet d'y adhérer sans être obligé de liquider vos REER. Si vous choisissez la formule autogérée ou la formule fonds de placement, votre FERR pourra accueillir par transfert tous les placements déjà inclus dans vos REER.

Le FERR, qui est offert dans les banques, les caisses populaires, les sociétés de fiducie, les maisons de courtage en valeurs mobilières, les sociétés de fonds mutuels, de même que les compagnies d'assurance-vie, est soumis à une règle incontournable : il faut en retirer chaque année le montant requis par la loi. Pour ce qui est du maximum, la décision vous appartient entièrement. Vous avez donc le choix d'épuiser votre FERR rapidement, comme vous pouvez aussi l'étaler votre vie durant.

Le retrait minimum auquel vous êtes soumis se calcule de la façon suivante :
– **Avant l'âge de 71 ans** Pourcentage de retrait équivalent à la différence entre votre âge et 90 ans.
À 65 ans, vous devrez retirer un vingt-cinquième du capital investi (90 – 65 = 25), soit 4 %.

À 70 ans, vous devrez retirer un vingtième de ce qui reste (90 – 70 = 20), soit 5 %.
- **À partir de 71 ans** Les nouvelles règles permettent au rentier d'étaler son revenu sa vie durant et d'ajouter au minimum la somme désirée.

De plus, l'impôt sur tout retrait du FERR excèdant le retrait minimum obligatoire est prélevé à la source par l'institution financière.

Retraits obligatoires d'un FERR capital : 60 000 $

Calculé selon un taux de rendement de 8 %

Exemple A

Âge	Année	Valeur	Retrait mensuel net sans retenue d'impôt
65	2000	60 000,00 $	0,00 $
66	2001	64 800,00 $	215,99 $
67	2002	67 280,55 $	233,61 $
68	2003	69 739,10 $	252,67 $
69	2004	72 155,72 $	273,31 $
70	2005	74 507,34 $	295,66 $
71	2006	76 767,41 $	319,86 $
72	2007	78 905,38 $	485,26 $
73	2008	79 144,21 $	493,33 $
74	2009	79 301,21 $	501,58 $
75	2010	79 367,55 $	509,93 $
76	2011	79 334,59 $	518,98 $
77	2012	79 185,82 $	527,24 $
78	2013	78 921,69 $	536,00 $
79	2014	78 256,74 $	545,10 $
80	2015	77 986,34 $	554,35 $
81	2016	77 286,98 $	563,55 $
82	2017	76 416,55 $	572,48 $
83	2018	75 364,63 $	582,19 $

84	2019	74 107,11 $	591,62 $
85	2020	72 630,95 $	601,02 $
86	2021	70 919,06 $	610,49 $
87	2022	68 951,65 $	619,99 $
88	2023	66 707,99 $	629,83 $
89	2024	64 161,64 $	639,47 $
90	2025	61 290,88 $	649,17 $
91	2026	58 069,13 $	659,08 $
92	2027	54 465,57 $	668,56 $
93	2028	50 455,07 $	677,77 $
94	2029	46 008,40 $	687,05 $
95	2930	41 089,86 $	684,83 $

Au fil des ans, le taux d'intérêt peut varier selon qu'il est garanti pour un an ou davantage par votre certificat de dépôt.

Si votre FERR est sous forme de fonds de placement, le taux sera fluctuant.

Un retrait de 20 % du solde est obligatoire à partir de vos 94 ans jusqu'à la fin de vos jours…

Exemple B

Imaginons que vous avez 71 ans et un capital de 60 000 $. Bâtissons différents scénarios pour répondre à des questions que vous pourriez poser à votre conseiller financier…

Comment s'échelonneraient vos revenus si vous demandiez un retrait mensuel fixe de 700 $?

Âge	Année	Valeur	Retrait mensuel net sans retenue d'impôt
71	2000	60 000,00 $	700,00 $
72	2001	56 038,82 $	700,00 $
73	2002	51 760,74 $	700,00 $
74	2003	47 140,41 $	700,00 $
75	2004	42 150,46 $	700,00 $
76	2005	36 761,32 $	700,00 $
77	2006	30 941,04 $	700,00 $

78	2007	24 655,14 $	700,00 $
79	2008	17 866,37 $	700,00 $
80	2009	10 534,50 $	700,00 $
81	2010	2 616,07 $	700,00 $
82	2011	0,00 $	0,00 $
83	2012	0,00 $	0,00 $
84	2013	0,00 $	0,00 $
85	2014	0,00 $	0,00 $
86	2015	0,00 $	0,00 $
87	2016	0,00 $	0,00 $
88	2017	0,00 $	0,00 $
89	2018	0,00 $	0,00 $
90	2019	0,00 $	0,00 $
91	2020	0,00 $	0,00 $
92	2021	0,00 $	0,00 $
93	2022	0,00 $	0,00 $
94	2023	0,00 $	0,00 $
95	2024	0,00 $	0,00 $

Imaginons que vous avez 71 ans et un capital de 60 000 $.
Comment s'échelonneraient vos revenus si vous décidiez un retrait mensuel de 450 $, comparativement à l'exemple A ?

Âge	Année	Valeur	Retrait mensuel net sans retenue d'impôt
71	2000	60 000,00 $	450,00 $
72	2001	59 167,81 $	450,00 $
73	2002	58 269,05 $	450,00 $
74	2003	57 298,38 $	450,00 $
75	2004	56 250,06 $	450,00 $
76	2005	55 117,88 $	450,00 $
77	2006	53 895,12 $	450,00 $
78	2007	52 574,54 $	450,00 $
79	2008	51 148,31 $	450,00 $

80	2009	49 607,99 $	450,00 $
81	2010	47 944,44 $	450,00 $
82	2011	46 147,80 $	450,00 $
83	2012	44 207,44 $	450,00 $
84	2013	42 111,85 $	450,00 $
85	2014	39 848,61 $	450,00 $
86	2015	37 404,30 $	450,00 $
87	2016	34 764,46 $	450,00 $
88	2017	31 913,43 $	450,00 $
89	2018	28 834,31 $	450,00 $
90	2019	25 508,87 $	450,00 $
91	2020	21 917,39 $	450,00 $
92	2021	18 038,59 $	450,00 $
93	2022	13 849,49 $	450,00 $
94	2023	9 325,26 $	450,00 $
95	2024	4 439,09 $	450,00 $

Comment s'échelonneraient vos revenus si vous décidiez plutôt de liquider votre FERR dans les cinq prochaines années, comparativement à l'exemple A ?

Âge	Année	Valeur	Retrait mensuel net sans retenue d'impôt
71	2000	60 000,00 $	1 037,16 $
72	2001	51 818,91 $	1 037,16 $
73	2002	42 983,33 $	1 037,16 $
74	2003	33 440,91 $	1 037,16 $
75	2004	23 135,09 $	1 037,16 $
76	2005	12 004,81 $	1 037,16 $
77	2006	0,00 $	0,00 $
78	2007	0,00 $	0,00 $
79	2008	0,00 $	0,00 $
80	2009	0,00 $	0,00 $
81	2010	0,00 $	0,00 $

82	2011	0,00 $	0,00 $
83	2012	0,00 $	0,00 $
84	2013	0,00 $	0,00 $
85	2014	0,00 $	0,00 $
86	2015	0,00 $	0,00 $
87	2016	0,00 $	0,00 $
88	2017	0,00 $	0,00 $
89	2018	0,00 $	0,00 $
90	2019	0,00 $	0,00 $
91	2020	0,00 $	0,00 $
92	2021	0,00 $	0,00 $
93	2022	0,00 $	0,00 $
94	2023	0,00 $	0,00 $
95	2024	0,00 $	0,00 $

Rente viagère

La rente viagère ne comporte aucune échéance. Le montant de la rente annuelle sera déterminé en fonction de l'espérance de vie du rentier. La plus répandue est la rente viagère garantie, où le terme *garantie* viendra encadrer les modalités relatives à la succession. Si le décès survient avant la période de garantie, les versements restants ou la valeur rachetée équivalente seront remis au conjoint survivant ou à la succession.

Moins populaires, les rentes certaines se démarquent par leurs versements égaux et par l'établissement d'une échéance, généralement à l'âge de 90 ans. Entre la rente viagère et la rente certaine s'insère toute une panoplie d'options et de modalités. Parmi elles, le choix d'un véhicule précis ne doit jamais faire abstraction des besoins et de la situation financière du rentier. Ce choix sera fait en fonction de l'âge de la personne, de ses objectifs financiers, du montant accumulé dans son REER et de ses besoins financiers.

Les experts évaluent que la rente viagère constitue l'avenue la plus avantageuse pour le rentier âgé de 68 ans ou plus. À cet âge, où le rentier estime que son statut de retraité sera de courte durée, le premier choix revient au FERR.

Examinons à présent les divers moyens de maximiser la portée de vos REER-FERR.

Retraits minimums du FERR

La très grande majorité des gens ont retenu leur âge pour établir le plan des retraits minimums annuels. Si leur conjoint est plus jeune, ils peuvent utiliser son âge pour établir ces retraits. Les retraits exigés auraient été moins élevés dans le cas d'un conjoint ayant moins de 71 ans.

Par exemple, les retraits du FERR d'un rentier de 75 ans sont établis en fonction de son âge alors qu'il a une conjointe de 65 ans.

Pour cette année, le retrait correspond à 90 – 75 = 15, soit 6,6 % de la valeur du régime au 1er janvier, qui constitue le taux du retrait pour une personne de 75 ans.

Pour les prochaines années, le rentier veut réduire ce retrait qui est trop élevé pour ses besoins et trop fortement imposé. C'est possible s'il transfère les valeurs de son régime dans un nouveau régime en précisant à l'institution d'utiliser l'âge de son conjoint pour établir le retrait. Ce retrait correspondra alors à 4,0 % de la valeur du nouveau régime au 1er janvier prochain, qui constitue le taux du retrait pour une personne de 65 ans.

Plus le conjoint est jeune, plus le retrait minimum diminue. Peu importe votre âge, vous avez la possibilité de modifier vos retraits minimums du FERR en utilisant l'âge de votre conjoint s'il est plus jeune. Cette stratégie peut s'appliquer avec un nouveau conjoint ou un conjoint de fait.

Cotisations accumulées et d'autres sources de revenus

Tout n'est pas terminé avec le REER lorsqu'une personne atteint l'âge de 69 ans. Bien sûr, vous n'échappez pas à la conversion obligatoire REER en FERR ou en rente avant la fin de l'année où vous atteignez ces 69 ans. Il reste possible de maximiser ses cotisations au REER une dernière fois.

Si vous avez des droits de cotisation accumulés, versez-les dans votre régime avant le 31 décembre, en plus de la cotisation annuelle permise. Versez également votre cotisation excédentaire permise de 2 000 $ dans le régime avant qu'il ne prenne fin. Certains d'entre vous encaissent des revenus nets d'immeuble ou des revenus professionnels qui sont par définition des revenus gagnés. Ces revenus gagnés dans la dernière année d'existence du REER donnent droit à une cotisation pour l'année suivante, mais l'année suivante le REER n'existera plus. Que faire ? Au mois de décembre, versez votre cotisation dans votre REER même s'il dépasse l'excédent permis accumulé de 2 000 $. Vous allez payer la pénalité mensuelle de 1 %

du montant excédentaire une seule fois, soit pour le mois de décembre, mais vous pourrez aussi déduire la cotisation de vos revenus imposables de l'année suivante ou de toute autre année ultérieure.

Convertir une partie de votre REER en FERR

Vous avez 58 ans et êtes retraité. Vous souhaitez recevoir un montant mensuel de 500 $, pendant disons 6 mois, à partir de votre REER.

Attention si on vous propose de transformer une partie de votre REER en FERR (Fonds enregistré de revenus de retraite) en alléguant que vous pourrez ainsi réduire vos impôts...

Il n'est absolument pas nécessaire de convertir son régime enregistré d'épargne-retraite (REER) en FERR pour pouvoir effectuer des retraits mensuels du régime. Il vous suffit de retirer l'argent désiré directement de votre régime, selon vos besoins. Sinon, en convertissant votre REER en FERR à l'âge de 58 ans, vous vous obligez à retirer le minimum annuel imposé par les règles fiscales. Et même si cette conversion vise des retraits pour une période de six mois, vous serez encore tenu de retirer le minimum imposé par la loi pour toute l'année. C'est donc dire que si vous convertissez votre REER en FERR pour le 1er janvier 2000, vous devrez retirer de votre FERR le minimum imposé non seulement pour les six premiers mois de l'année, mais pour toute l'année 2000...

Si vous le faites quand même, votre agent vous évitera les retenues d'impôt à la source, puisque les institutions financières ne sont pas tenues par la *Loi de l'impôt* d'effectuer des retenues à la source sur les retraits minimums du FERR, alors que dans le cas d'un retrait direct du REER, les retenues à la source sont obligatoires. En faisant la conversion d'une partie de votre REER en FERR, vous reportez votre impôt, car ne l'oubliez pas, vous devrez ajouter à vos revenus imposables de l'an 2000 les retraits effectués du FERR durant cette même année. C'est le seul avantage que vous vaudra cette conversion du REER en FERR, si ce n'est aussi que le processus dans lequel vous vous serez embarqué est réversible tant que vous n'avez pas atteint l'année de votre 79e anniversaire.

Vous comprendrez qu'il est toujours plus sage d'éviter les retraits systématiques du REER le plus longtemps possible. Si vous devez le faire, il est préférable d'effectuer les retraits directement du REER, surtout si, dans une année, vous comptez retirer un montant inférieur au minimum imposé par les règles du FERR.

Cotisations dans le REER du conjoint

Un retraité dont le REER est terminé a le droit de continuer de cotiser dans celui de sa conjointe qui n'a pas encore atteint 69 ans. Par exemple, s'il réalise chaque année des revenus gagnés tels que ceux qui proviennent d'immeubles à revenu, ce retraité a droit à une cotisation annuelle.

Comme son REER est terminé, il peut verser sa cotisation dans le REER de sa conjointe. Il peut alors déduire la cotisation de ses propres revenus imposables.

Les REER immobilisés

Les REER immobilisés ont été conçus pour accueillir les fonds accumulés dans le régime de retraite de son employeur devenu ex-employeur en raison de la perte ou d'un changement d'emploi. Il se peut alors que le titulaire n'ait pas accès immédiatement aux cotisations que, conjointement avec son employeur, il a effectuées dans le régime de pension agréé. Si ces fonds ne sont pas immobilisés, ils peuvent alors être transférés carrément dans un REER. Mais si on ne procède pas à ce transfert des fonds dans une REER, il est possible que seul un transfert au régime de retraite du nouvel employeur ou à un REER immobilisé soit autorisé.

Dans ce cas, lorsque le titulaire du fonds atteint l'âge de la retraite prévu dans le régime, il n'a d'autre choix que de transformer son capital-retraite en rente viagère. Dans certains régimes de juridiction provinciale, comme au Québec, on permet de contourner cette rigidité par le transfert des fonds dans un compte de retraite immobilisé (CRI). Le titulaire peut alors mettre fin à son CRI au moment qui lui convient, sans devoir attendre l'âge de la retraite prévu par le régime. De plus, il n'est pas contraint de recourir à une rente viagère ; il peut également transférer son épargne dans un fonds de revenu viager, dont les modalités s'apparentent à un FERR mais avec l'obligation de convertir le tout en une rente viagère avant d'atteindre 80 ans.

Transférer l'allocation de départ dans un REER pour reporter l'impôt

En plus de sa cotisation annuelle au régime enregistré d'épargne-retraite (REER), l'employé qui quitte ou perd son emploi en empochant une allocation de départ a la possibilité de verser une partie de cette allocation dans son REER. S'il participait au régime de retraite de l'employeur, il a le droit de verser une somme de 2 000 $ par année de service antérieure à 1996. S'il ne participait pas au régime de l'employeur, l'employé peut ajouter un montant additionnel de 1 500 $ pour les années de service antérieures à 1989, ce qui fait un total de 3 500 $ par année.

Par exemple, la personne qui reçoit une allocation de départ de 60 000 $ correspondant à une année de salaire après 30 ans de services peut verser cette somme intégralement dans son REER.

Il est important de savoir que les fractions d'année de travail sont aussi prises en compte. Quelqu'un qui a commencé à travailler un 30 décembre se verra calculer les 2 dernières journées de l'année comme une année complète, ce qui peut donc lui permettre de transférer 2 000 $ de plus.

Exemple 1

Une personne est mise à pied le 1er janvier 1999, après 30 années de services. Elle avait commencé à travailler le 30 décembre 1969 et a participé au régime de retraite de l'employeur pendant toutes ces années.

L'employeur lui verse une allocation de départ de 90 000 $. Pour ce qui est des années postérieures à 1996, les montants annuels transférables ont été supprimés. Ainsi, dans le cas présent, on ne peut transférer que les sommes qui étaient admissibles au transfert avant 1996, donc de 1969 à 1995, soit 27 ans (à cause de la date d'embauche qui est le 30 décembre 1969).

L'employé peut donc transférer un montant total de 54 000 $, soit 2 000 $ par année pendant 27 ans.

Que faire des 36 000 $ qui restent ?

Il y a lieu de se poser deux questions :

1. Est-ce que la personne en question a cotisé à son REER pour l'année courante ?
2. Est-ce que cette personne dispose de contributions inutilisées ?

Si la réponse à la première question est non ou que la réponse à la seconde est oui, alors il faut envisager la possibilité de verser des sommes additionnelles dans son REER. En effet, si la personne n'a pas besoin de cet argent à court terme, elle peut contribuer à son REER et ainsi différer l'impôt sur une partie de l'allocation de retraite restante de 36 000 $. Si, par exemple, la contribution de cette personne pour l'année courante a été établie à 5 000 $ et qu'elle dispose en plus de contributions inutilisées d'une valeur de 6 000 $, un total de 11 000 $ pourra être transféré dans son REER. Veuillez noter que ces informations (sur la cotisation courante et les contributions inutilisées) sont disponibles sur l'avis de cotisation qu'émet Revenu Canada à chaque contribuable produisant une déclaration de revenus.

En second lieu, il nous apparaît important d'analyser la situation financière de la personne pour élaborer la stratégie d'utilisation maximale des sommes restantes. Cette stratégie sera déterminée en fonction des besoins de la personne. Toutefois, on pourra lui suggérer de considérer la possibilité de rembourser partiellement ou en totalité ses dettes pour lesquelles les taux d'intérêt sont les plus élevés, si elle a d'autres sources de revenus et n'a pas réellement besoin de cet argent pour ses dépenses courantes. Nous pensons entre autres aux soldes impayés des cartes de crédit, des marges de crédit et des prêts personnels.

Exemple 2

Voyons maintenant ce qui se passe dans le cas d'un employé qui n'a pas participé au régime de retraite de son employeur.

Cet employé peut-il ajouter 1 500 $ par année aux 2 000 $ déjà consentis?

Avec une date d'embauche au 30 décembre 1969 et un départ le 1er janvier 1999, cet employé pourra-t-il, après avoir quitté son emploi, transférer à son REER 3 500 $ par année de service pendant 27 ans?

La réponse est non.

Un employé qui reçoit une allocation de retraite et n'a pas participé au régime de retraite de son employeur peut en effet verser 1 500 $ supplémentaires (en plus du 2 000 $) par année de service dans son REER, mais seulement pour les années de service antérieures à 1989.

Dans notre exemple, la date d'embauche est le 30 décembre 1969 et la date du départ le 1er janvier 1999. Pour les fins du calcul du montant maximum d'une allocation de retraite admissible au transfert dans un REER, le nombre d'années admissibles au montant de 3 500 $ est donc de 20, soit de 1969 à 1988 inclusivement. À ce montant, on ajoute 14 000 $, soit 7 ans à 2 000 $ (1989 à 1995 inclusivement) pour un total maximum de 84 000 $ admissibles au transfert dans le REER.

Il ne fait pas de doute qu'il est très avantageux de verser son allocation de départ dans un REER, car cela permet de placer une somme importante à l'abri d'une imposition immédiate.

Il est dommage que des salariés qui ont perdu leur emploi bien avant l'âge de la retraite préfèrent garder une partie de leur prime plutôt que de l'immobiliser dans un REER.

Il vaut toujours mieux verser cet argent dans son REER. On n'est jamais pénalisé, car on peut en investir une partie en liquide et la retirer petit à petit jusqu'à ce que l'on retrouve du travail. Cette mesure ne vaut par contre que pour les allocations de départ.

Fonds de travailleurs pour payer moins d'impôt

Si vous visez le plus grand retour d'impôt possible, il faut vous en remettre aux actions des fonds de travailleurs, c'est-à-dire le Fonds de solidarité des travailleurs de la FTQ et Fondaction, de la CSN. Vous devrez troquer la liquidité de votre placement pour avoir la possibilité d'empocher une récupération pouvant atteindre 83 % de votre mise de fonds la première année. D'autres fonds sont admissibles à un REER, mais ils ne donnent droit à un crédit d'impôt qu'au fédéral seulement.

En supposant un taux marginal d'imposition, le coût net d'un placement de 1 000 $ sous la forme d'actions du Fonds de solidarité ou de Fondaction, en incluant le transfert dans un REER, s'établit à 170 $ seulement. Ainsi, un rendement de 6,7 % offert sur les actions du Fonds de la FTQ passe à 138 % la première année si l'on tient compte de l'investissement réel du contribuable. On ne peut dissocier la récupération fiscale dans l'analyse du rendement de ces véhicules sans faire fi de la nature, des particularités et de la mission même de ces fonds. Par contre, le marché de la revente est contraint à certains paramètres qui viennent réduire de beaucoup la liquidité de ce placement, car les actions de ces fonds ne sont pas rachetables en tout temps. On ne peut avoir accès au capital qu'une fois la retraite venue ou lorsqu'une situation extrême se présente, un contexte de tension ou de crise financière individuelle par exemple.

Au chapitre du rendement, les actions des fonds de travailleurs n'ont rien de spectaculaire en comparaison des autres véhicules de placement, mais les actions du Fonds de solidarité de la FTQ font bonne figure. Cette situation s'explique par l'orientation de ses investissements vers le capital de risque, vers les entreprises en redressement ou en phase de croissance, tout comme vers la récupération, le maintien ou la création d'emplois au Québec. Depuis sa création au début des années 80, le rendement du Fonds de solidarité de la FTQ atteint en moyenne 6,7 % par an.

À la fin de l'exercice se terminant le 30 juin 1999, l'avoir des actionnaires avait dépassé les 3 milliards de dollars pour se fixer à 3 121 867 000 $ et la valeur de l'action se situait à 21,72 $; le rendement du Fonds pour cet exercice se situait à 8,1 % et le nombre d'adhérents dépasse maintenant le chiffre de 350 000.

Depuis son lancement en janvier 1996, le rendement moyen du Fondaction de la CSN s'établit à 7,3 %. Au 31 mai 1999, l'avoir des actionnaires se chiffrait à 74,9 millions de dollars et la valeur de l'action atteignait 11,87 $ en février 1999. Le nombre d'adhérents est passé à 20 215.

Qu'est-ce qui justifie d'avoir un REER autogéré ?

Force est d'admettre que les épargnants ont fait leurs classes et connaissent mieux, en général, les marchés monétaires, financiers et boursiers que par le passé.

Les actions de plusieurs sociétés ont permis aux titulaires de ces régimes de réaliser des rendements enviables au cours des récentes années, ce qui a incité certains épargnants à lorgner du côté des régimes enregistrés d'épargne-retraite (REER) autogérés. Il est donc compréhensible que les REER autogérés gagnent de plus en plus en popularité.

Étant donné que c'est le titulaire du REER autogéré qui prend les décisions de placement, il lui faut connaître un tant soit peu le monde du placement. Pour toutes ces raisons, il faut posséder un actif REER assez important pour ouvrir un REER autogéré. Certains conseillers financiers suggèrent aux particuliers de ne pas penser à ouvrir un REER autogéré avant d'avoir accumulé au moins 25 000 $ dans leurs REER ordinaires. D'autres parlent même d'un minimum de 50 000 $.

Il ne faut pas oublier les frais d'administration annuels des REER autogérés. Ces frais peuvent s'élever à plusieurs centaines de dollars et ne sont pas admissibles au titre des dépenses effectuées pour gagner des revenus de placement.

Un REER autogéré n'est pas rentable s'il vous rapporte un montant équivalent à celui de vos frais d'administration annuels. Il ne vous restera alors aucun revenu à investir dans ce REER...

Le REER autogéré permet à l'épargnant d'investir dans un éventail de produits de placement plus large que les REER conventionnels offerts par les banques : toutes les catégories de produits allant du simple certificat de dépôt aux contrats à terme beaucoup plus sophistiqués. De plus, l'épargnant peut aussi recevoir des conseils de placement de son courtier.

Depuis quelques années, le courtage à escompte gagne en popularité puisqu'il permet d'investir dans presque les mêmes produits que les REER autogérés. La différence réside dans le fait que les frais annuels sont beaucoup moins élevés (habituellement gratuit pour les portefeuilles supérieurs à 25 000 $ ou 25 $ pour les portefeuilles moindres. L'autre différence est que l'investisseur ne reçoit aucun conseil et doit gérer lui-même son portefeuille.

Habituellement, en passant par un courtier, étant donné la diversification des produits, l'investisseur s'attend d'avoir un rendement supérieur qui couvrira amplement les frais d'administration (d'environ 150 $). Sa satisfaction réside dans le rendement obtenu. Si par exemple son portefeuille est de 10 000 $ et que le rendement obtenu par le REER autogéré est de 7 %, alors qu'un CPG aurait rapporté du 6 %, il est certain que le rendement supérieur obtenu (100 $) ne couvre pas les frais annuels (150 $). Dans ce cas, donc, le REER autogéré n'a pas été rentable.

Par contre, si un investisseur ayant un portefeuille de 15 000 $ investi dans des actions qui lui ont rapporté 30 % même en comptant les frais d'administration et les frais de transactions sur les actions, il aura bien rentabilisé son REER autogéré.

Il faut être conscient que les frais d'administration annuels ne sont pas les seuls frais que devra payer le titulaire d'un REER autogéré. Si ce dernier met fin à son REER, il est possible que des frais de cessation lui soient facturés. N'oubliez pas aussi que chaque fois qu'une somme sera transférée, en totalité ou en partie, du REER autogéré dans un REER que vous possédez dans une institution financière concurrente, des frais de transfert s'appliqueront. Ces transferts peuvent devenir onéreux, sans oublier les frais d'opération dans les cas d'achat ou de vente d'actions, par exemple. Ces derniers équivalent généralement aux frais exigés dans le cas d'opérations similaires effectuées à l'extérieur d'un REER.

Chaque achat ou chaque vente peut représenter des frais de 3 % du coût de la transaction...

De plus, le REER autogéré vous permet d'inclure des titres étrangers. Puisque c'est vous qui gérez votre REER, il est évident que vous devez être assez familier avec l'actualité économique et financière internationale pour tirer pleinement avantage de cette possibilité. Le contenu en titres étrangers du portefeuille peut se situer à 20 % de la valeur marchande du REER au moment où son titulaire acquiert les titres étrangers. Les taux de change peuvent jouer autant en faveur de l'épargnant qu'à son désavantage.

Il faut donc posséder un actif de REER assez important pour justifier les frais que commande un REER autogéré et posséder les connaissances requises pour le gérer.

Quand les marchés sont instables à cause de facteurs comme la fluctuation du dollar canadien, la crise asiatique et la chute du prix de l'or, beaucoup d'investisseurs sont sujets à faire de l'insomnie.

La baisse des taux d'intérêt des dernières années a contribué à promouvoir le REER autogéré. L'épargnant doit garder le contact avec les mouvements de l'économie et des marchés financiers, ce qui contribue à son éducation financière et à lui rappeler que le portefeuille autogéré suit les hauts et les bas du marché. Le REER autogéré peut alors constituer à la fois un atout déterminant et un calmant..., car l'investisseur peut à la fois cotiser pour le plein montant admissible et investir pour l'avenir. Le REER autogéré constitue un excellent moyen de minimiser les risques et de maximiser ses chances d'obtenir des rendements plus élevés. L'investisseur peut se constituer un portefeuille REER personnalisé et doté d'un fort potentiel de croissance grâce au choix de placements qui s'offre à lui : actions ordinaires ou privilégiées, grande sélection d'obligations ou de coupons détachés gouvernementaux ou corporatifs, fonds communs de placement, CPG, bons du Trésor, titres hypothécaires, sans oublier certaines actions d'entreprises privées pouvant se qualifier dans le REER.

Pour minimiser la contrainte fiscale du mois de février qui dicte souvent le choix à la hâte d'un véhicule de placement pour la retraite, la plupart des firmes de courtage en valeurs mobilières sont en mesure d'offrir l'étalement de la décision d'achat de l'investisseur sur une base mensuelle et systématique. Les petites sommes investies mensuellement peuvent rapporter beaucoup ; l'investisseur sera avantagé s'il sait profiter de la moyenne d'achat par versements périodiques. Dans un tel cas, l'acquisition de fonds communs de placement sous-évalués peut s'avérer très rentable. L'investisseur qui recourt à cette méthode à partir du REER autogéré peut déposer immédiatement sa contribution et attendre patiemment son reçu d'impôt, tout en demandant à son conseiller en placements d'investir une somme fixe à partir du montant dans le compte, dans le fonds commun de placement de son choix, à intervalles réguliers.

Utiliser son REER à des fins autres que la retraite

Idéalement, il ne faudrait jamais toucher aux sommes d'argent contenues dans vos REER. Avant d'envisager une telle solution, pensez-y très sérieusement et surtout essayez de voir s'il n'y a pas d'autres solutions à vos problèmes. Si vous avez temporairement besoin de liquidités, allez plutôt vers l'obtention d'un prêt ou d'une marge de crédit, car si vous pigez dans votre REER, vous serez confronté à des retenues à la source dont le niveau augmentera avec l'importance du retrait. Vous avez donc intérêt à limiter ces retraits à leur strict minimum.

À titre d'exemple, un retrait allant jusqu'à 5 000 $ entraînera des retenues combinées de 25 % (5 % à Ottawa et 20 % au Québec) ; pour un retrait variant entre 5 000 $ et 15 000 $, le pourcentage de retenues à la source grimpe à 33 % et à 38 % au-delà de 15 000 $. C'est beaucoup d'argent pour se payer des vacances ou un congé quelconque...

Même si vous avez un coup dur, essayez de voir ailleurs plutôt que de piger dans vos REER...

Voyons un exemple qui vous fera réfléchir.

Fatiguée de souffrir de la chaleur, Danielle décide d'acheter une piscine au montant de 8 000 $. Puisqu'elle vient juste de terminer les paiements pour son prêt voiture, elle ne veut pas d'un prêt personnel et avoir encore à faire des remboursements mensuels. Elle décide donc de retirer ce montant de ses REER.

Voyons la différence que cela aurait fait au bout de cinq ans si Danielle avait choisi de faire un prêt personnel au lieu de prendre cet argent de ses REER.

Retirer l'argent des REER

Étant donné que le taux d'imposition à la source est de 33 % pour un montant de 8 000 $, Danielle devra retirer 11 940,30 $. De plus, au moment de faire ses impôts, ce montant de 11 940,30 $ sera ajouté à son revenu ; Danielle risque donc de changer de fourchette d'imposition et de payer un impôt supplémentaire sur ce montant.

Ainsi, Danielle a dû débourser 11 940,30 $ pour l'achat de sa piscine, sans compter tous les intérêts qu'elle perdra, si elle ne rembourse pas ce montant dans ses REER.

À titre d'exemple, 12 000 $ investis pendant 20 ans à un taux de 7 % font la rondelette somme de 46 436 $.

Faire un prêt personnel pour l'achat d'une piscine

Prêt de 8 000 $ pendant 5 ans à 10 %.

Versements mensuels de 170,03 $ × 60 mois = 10 201,80 $. Au lieu de 11 940,30 $, Danielle aurait déboursé 10 201,80 $ pour l'achat de sa piscine.

Doit-on rembourser son hypothèque ou favoriser son REER?

Pierre et Danièle ont 30 ans. Ils achètent une maison en copropriété. L'hypothèque est de 80 000 $. Son taux annuel est de 6,45 % pour une durée de 5 ans. Leur salaire annuel est de 55 000 $ chacun.

Pierre cotise chaque année le maximum à son REER. Quant à son portefeuille hors REER, il se compose de fonds dont le rendement composé a été de 14 % par année.

Devrait-il vendre ces fonds pour rembourser plus rapidement son hypothèque?

Danièle est passée par le Régime d'accession à la propriété (RAP) pour acheter. Devrait-elle utiliser son épargne pour rembourser le plus rapidement son REER ou réduire son hypothèque?

Tout est une question de rendement prévu après impôt des placements REER et hors REER comparativement au coût de l'hypothèque.

Exemple n° 1
Pierre devrait-il vendre ses fonds hors REER pour rembourser plus rapidement son hypothèque?

Réponse : Hypothèque de 80 000 $.
Amortissement de 25 ans.
Terme de 5 ans.
Taux de 6,45 %.
Versement mensuel de 533,44 $.
Solde résiduel de 72 316,48 $ à la fin du terme de 5 ans.
Placement hors REER de 10 000 $ au rendement composé de 14 % (estimation) = revenu estimé pour la prochaine année de 1 400 $ s'il conserve ses fonds. Nous considérons que les revenus sont des revenus d'intérêts.
Si Pierre désire rembourser une partie de son hypothèque avec ses placements, il pourra le faire de la façon suivante :
Étant donné que Pierre et Danièle ont choisi un terme hypothécaire de 5 ans, ils peuvent rembourser un montant équivalent à 15 % par année du solde initial d'emprunt, soit 12 000 $. Pierre est donc en mesure s'il le désire de vendre ses placements (de payer les impôts sur le rendement obtenu de ses placements au moment du retrait) et de rembourser avec le montant restant son prêt hypothécaire.

**Gain net sur le portefeuille de placements
hors REER au bout de cinq ans**
Ainsi, 10 000 $ composés à 14 % annuellement pendant 5 ans donnent un portefeuille de 19 254,15 $ au bout de 5 ans.

Moins l'impôt, à un taux d'imposition de 49,35 %, l'impôt à payer est de 4 566,92 $ pour les 5 ans.

Donc le gain net est de 9 254,15 $ – 4 566,92 $ = 4 687,23 $

**Réduction du solde de l'hypothèque si Pierre
applique les 10 000 $ sur le montant de son hypothèque**
Solde résiduel au bout de 5 ans si Pierre n'applique pas les 10 000 $:
72 316,48 $.

Solde résiduel au bout de 5 ans si Pierre applique les 10 000 $:
58 573,21 $*.

Pour une économie nette de 13 743,27 $ – 10 000 $ = 3 743,27 $.

* Ce calcul a été fait en conservant les mêmes versements de 533,44 $.

Conclusion
Pierre devrait garder son investissement puisque le rendement qu'il obtiendra au bout de cinq ans est supérieur à l'économie qu'il en aurait tiré s'il l'avait appliqué sur son hypothèque.

Dans ce cas précis, nous en sommes arrivés à cette conclusion. Toutefois, une foule de facteurs entrent en ligne de compte lorsqu'on analyse ce genre de situation. Si l'amortissement avait été différent, la conclusion aurait été différente. Si le taux de rendement sur les placements et le taux de l'hypothèque avaient été différents, là encore la décision aurait pu être différente. Nous aurions également pu envisager la possibilité de conserver un petit coussin de 5 000 $ et d'appliquer les autres 5 000 $ sur l'hypothèque, ou mieux encore investir les 10 000 $ dans les REER. Puisque Pierre investit toujours le maximum dans ses REER, il pourrait être intéressant d'appliquer le retour d'impôt sur son hypothèque. Il faut toujours considérer la situation cas par cas et c'est pour cette raison qu'il est important de considérer diverses possibilités et d'en parler à votre conseiller financier.

Exemple n° 2
Danièle a utilisé le Régime d'accession à la propriété (RAP) pour une somme de 15 000 $ lors de l'achat de sa maison. Devrait-elle utiliser son épargne au montant de 10 000 $ pour rembourser le plus rapidement son REER ou bien en profiter pour réduire son hypothèque ?
Réponse : Hypothèque de 80 000 $.

Amortissement de 25 ans.

Terme de 5 ans.
Taux de 6,45 %.
Versement mensuel de 533,44 $.
Solde résiduel de 72 316,48 $ à la fin du terme de 5 ans.
Placement hors REER de 10 000 $.

Différence au bout de 10 ans si Danièle rembourse son RAP
Différence au bout de 10 ans si elle prend ses économies de 10 000 $
pour rembourser immédiatement le retrait (RAP) dans son REER :

Investissement	10 000 $ immédiatement
Taux de rendement	8 %
Montant accumulé après 10 ans	21 589,25 $
Gain net	**+11 589,25 $**

**Réduction du solde de l'hypothèque si Danièle applique les 10 000 $
sur le montant de son hypothèque**
Solde résiduel au bout de 10 ans si elle n'applique pas les 10 000 $:
61 766,33 $.
　　Solde résiduel au bout de 10 ans si elle applique les 10 000 $:
42 877,00 $*.
　　Pour une économie nette de : 18 889,33 $ – 10 000 $ = 8 889,33 $.
* Ce calcul a été fait en conservant les mêmes versements.

Conclusion
Danièle devrait définitivement rembourser ses REER puisque, au
bout de 10 ans, elle aura un gain net de 11 589,25 $ compara-
tivement à une économie de 8 889,33 $ si elle avait appliqué ce
montant à son hypothèque. Là encore, des paramètres différents
auraient changé la réponse et nous aurions pu suggérer une foule
d'autres alternatives, comme par exemple d'utiliser ses retours
d'impôt pour rembourser son RAP, etc. Encore une fois, il est bon
d'examiner diverses solutions avec votre conseiller financier.

Emprunter à long terme peut être très payant

Les Canadiens, nous l'avons mentionné, sont nombreux chaque
année à ne pas cotiser pleinement à leur REER. Pourtant, ils épar-
gnent 10 % de leur revenu brut annuel. Leur reste la possibilité de
reporter indéfiniment à une année ultérieure la partie de la cotisation
annuelle permise qui n'a pas été versée. Le problème est que,

quatre, cinq ou six ans plus tard, ils ne sont toujours pas parvenus à verser cette cotisation permise. Et évidemment, le montant des droits de cotisation accumulés augmente sans cesse.

Depuis 1991, les Canadiens ont accumulé plus de 150 milliards de dollars en droits de cotisation au REER. On peut imaginer ce que ça représente comme montant d'intérêts annuels non imposés dont ils se privent, ne serait-ce qu'avec un rendement de 5 %.

Si on suppose un taux marginal d'impôt de 50 % aux contribuables qui montrent un solde de 15 000 $ et plus, cela signifie que tous ces gens se privent littéralement d'un report d'impôt de 7 500 $ et surtout des intérêts composés libres de tout impôt qu'auraient rapportés les 15 000 $ ou plus en droits de cotisation accumulés s'ils avaient été versés au régime.

Prêt d'appoint

La Banque Scotia a été la première institution financière à lancer le prêt d'appoint, dont l'objectif est de permettre d'emprunter sur une période pouvant aller jusqu'à 10 ans pour verser le plus rapidement possible les droits de cotisation accumulés au REER. Depuis, la plupart des autres institutions financières ont emboîté le pas. Vous pouvez donc magasiner auprès des autres institutions financières afin d'obtenir le taux d'intérêt le plus bas disponible.

Il est intéressant, de visiter le site web de la Banque Scotia http://www.scotiabank.com Sélectionnez la touche « français » et appuyez ensuite sur celle du « calculateur du prêt d'appoint ». Tout de suite, on vous explique comment fonctionne le prêt en question. Un calculateur vous donne une bonne idée de ce que sera la valeur du montant versé dans le REER à la retraite. Le client peut emprunter jusqu'à 50 000 $. La durée maximale du prêt est de 15 ans. Le taux d'intérêt peut être fixé sur une période de 5 ans au maximum. Afin de garder les mensualités capital et intérêts au strict minimum, le contribuable doit utiliser son remboursement d'impôt pour réduire le solde initial de son prêt. Pour l'accommoder, la Banque accepte de différer les premières mensualités de quatre mois, soit jusqu'au moment où le client recevra son remboursement d'impôt. L'emprunteur peut aussi souscrire à une assurance couvrant la mensualité et le solde du prêt advenant son décès ou une incapacité majeure.

À la page 2 du site, vous faites l'entrée des données de base :
– le montant du prêt ;
– le taux prévu ;

- la période de remboursement désirée (de 1 an à 15 ans) ;
- votre taux marginal d'impôts ;
- le rendement composé de la somme empruntée et versée dans le REER ;
- le nombre d'années qui vous séparent de votre retraite ou du début de la période de retraits du REER ;
- le pourcentage de remboursement d'impôt que vous appliquerez à titre de remboursement du prêt (il devrait préférablement être de 100 %).

Vous appuyez ensuite sur la touche « calculer ». Les réponses requises apparaîtront à l'écran :

- la mensualité ;
- le montant des intérêts pour la durée du prêt ;
- la valeur croissante du montant investi dans le REER ;
- la période réelle de remboursement du prêt ;
- la valeur de la somme initiale versée dans votre REER à la fin de la période de remboursement du prêt.

Quand vous entrerez vos données, ne cherchez surtout pas à emprunter le montant le plus élevé possible pour verser ensuite la totalité des droits de cotisation accumulés au REER. Tout est relié à votre taux marginal d'impôt.

Vous devriez donc verser au REER la cotisation permettant de réduire votre revenu imposable jusqu'à 29 590 $, soit au niveau où votre taux marginal d'impôt est d'au moins 46,02 %. Si vous descendez sous ce niveau, votre taux marginal d'impôt tombe à 38,24 % ou moins. Et là, chaque dollar de cotisation additionnelle vous donnera un remboursement d'impôt moindre que les montants déjà cotisés.

Dans ce cas, vous devriez attendre à l'année suivante pour verser le reste de vos droits de cotisation accumulés.

Quand vous aurez terminé cet exercice, vous aurez découvert combien il peut être rentable d'emprunter à long terme pour verser la totalité de vos droits de cotisation accumulés au REER...

Que vous optiez pour des produits entièrement garantis tels les CPG, obligations du Canada ou certains fonds distincts, ou encore des produits issus de valeurs mobilières comme les fonds communs de placement, les actions, les obligations gouvernementales et les débentures convertibles, il n'en demeure pas moins que la vraie force des REER réside dans les rendements par rapport à l'inflation que l'on peut obtenir avec des sommes qu'on a pu déduire de ses revenus imposables. Rappelez-vous qu'un rendement de 8 % non imposé et accumulé d'année en année, par rapport au taux d'inflation actuel (moins de 1 %), est un des moyens dont dispose l'investisseur qui a pris du retard au cours des dernières années pour rattraper le temps perdu, soit les droits de cotisation inutilisés apparaissant sur son dernier avis de cotisation fédéral. Le prêt REER constitue sans doute l'outil complémentaire pour profiter des arrérages.

Regrouper tous ses REER sous un même toit

Revenu Canada vous permet de détenir autant de REER que vous le voulez. À ce niveau, pas de problème. Ce qui est souvent compliqué et difficile, c'est de suivre l'évolution de chaque régime. Cela peut devenir un véritable casse-tête. Prenons le cas de la limite de 20 % en contenu étranger. Cette limite s'applique à chaque régime individuel. Non seulement il peut devenir plus compliqué de bien gérer son argent, sans compter que cela peut être coûteux s'il faut payer des frais d'administration… mais bien des détenteurs de plusieurs REER trouvent difficile, voire impossible, d'investir le maximum permis en titres étrangers dans chacun de leurs régimes.

D'où l'importance de regrouper tous vos REER sous un même toit. Les avantages sont nombreux. D'abord, les taux sont presque toujours garantis. Les conseils sont gratuits et n'entraînent souvent aucuns frais d'établissement. Vous aurez un seul revenu régulier et en un coup de fil vous pourrez obtenir la valeur totale de votre REER et le rendement de vos placements.

Comment calculer le rendement du capital investi et le temps requis pour doubler et plus la valeur de votre REER ?

Tout le monde a envie de faire des projections et de connaître le montant que vaudra son REER dans 5 ans ou 10 ans.

La calculatrice financière peut vous fournir la réponse, selon le rendement prévu du capital investi. Il y a une autre façon de faire le calcul : la règle de 72.

En tenant pour acquis que la plupart des Canadiens devraient établir leurs projections financières sur la base d'un rendement se situant entre 6 % et 8 %, faisons les calculs.

Vous avez un REER de 100 000 $.

Vous croyez pouvoir obtenir un rendement annuel composé du capital investi de 6 %.

Combien de temps faudra-t-il pour doubler votre capital ?

Divisez le nombre 72 par le rendement prévu de 6 %. Cela donne 12 ans.

La même règle vous permet de déterminer le rendement requis pour atteindre l'objectif visé.

Par exemple, vous avez un REER de 250 000 $.

Vous comptez prendre votre retraite dans 5 ans avec un régime d'une valeur de 500 000 $.

Quel rendement devrez-vous obtenir de votre capital pour réaliser votre objectif ?

Divisez 72 par le nombre d'années constituant la période d'investissement.

Dans ce cas-ci, le rendement annuel composé de votre REER devra être de 14,4 % pour que celui-ci vaille 500 000 $ dans 5 ans. Un rendement composé annuel de 14,4 % sur 5 ans est très élevé.

Vous comprendrez qu'il est important d'établir ses projections en fonction d'un laps de temps et d'un rendement réalistes. Autrement, pour atteindre son objectif de richesse, l'épargnant sera incité à prendre des risques considérables qui pourraient le conduire tout droit au désastre financier.

Ceux qui ne se soucient guère de bien investir leurs épargnes devront se contenter d'un très faible rendement du capital investi. Ce rendement sera probablement inférieur à 6 %, ce qui veut dire qu'il leur faudra entre 14 et 28,8 ans pour doubler leur capital.

Les personnes s'occupant davantage de leurs épargnes devraient être en mesure de dégager un rendement composé annuel se situant entre 6 % et 8 %. Il leur faudra entre 9 et 12 ans pour doubler leur capital.

Quant aux investisseurs plus avertis, ils devraient réaliser un rendement annuel composé entre 8 % et 9 %, ce qui leur permettra de doubler leur capital tous les 7 ou 9 ans.

Il ne faut pas rêver en couleurs… Il n'y a vraiment que les investisseurs expérimentés qui peuvent prétendre obtenir un rendement composé annuel de plus de 10 % de leur capital investi et doubler ainsi leur capital tous les 6 ans ou moins.

N'oubliez pas non plus que la forte concentration d'unités d'un fonds dans un portefeuille n'augmente pas en soi les risques de pertes dues à la faillite d'entreprises. Chaque fonds est suffisamment diversifié pour réduire à son strict minimum un tel risque. Par contre, cette concentration vous expose à une seule stratégie de placement. Notez également que ce fonds devrait avoir une bonne partie (au moins 60 %) de ses REER investie dans les titres à revenu fixe de grande qualité, alors que les actions et les fonds d'actions devraient se retrouver en priorité en dehors de ses régimes.

Un REER au conjoint n'est pas sans risque

Un REER au conjoint constitue un excellent moyen pour économiser de l'impôt grâce au fractionnement des revenus futurs, mais les règles doivent être bien comprises si on veut éviter certains pièges.

Par exemple, ce n'est pas parce qu'un contribuable gagne plus que son conjoint que c'est lui qui devrait systématiquement verser une cotisation au REER de son conjoint. Il faut tenir compte du revenu prévu au moment de la retraite pour chacune des deux personnes.

Qu'arrive-t-il quand le conjoint dont le revenu est le moins élevé bénéficie d'un très bon régime de retraite ?

L'objectif principal visé est d'équilibrer les revenus à la retraite. Il est important d'étudier votre situation financière actuelle avec votre conseiller financier afin de déterminer ce que seront les revenus de chacun à la retraite. Forts de cette information, il vous sera plus facile de déterminer qui doit cotiser et combien.

Comme vous pouvez le constater, il est difficile de répondre à cette question puisque c'est vraiment du cas par cas.

Qu'arrive-t-il dans le cas où le conjoint au revenu le plus faible doit bénéficier d'un héritage important qui pourra être investi en vue de la retraite ?

Après que toutes les cotisations REER souhaitables ont été effectuées, il pourrait être bon de voir avec votre conseiller financier quels instruments de placement pourraient être les plus intéressants pour vous afin de faire fructifier votre avoir au maximum, toujours en respectant votre profil d'investisseur.

Un contribuable peut-il verser une cotisation au REER de son conjoint , en plus d'un plein versement à son propre régime, croyant diminuer ainsi son taux d'imposition ?

Pour répondre à cette question voici un cas type :

Claude et Sylvie vivent ensemble depuis 10 ans et ont 2 enfants. Claude a un revenu annuel de 65 000 $, mais pas de fonds de retraite avec son employeur. Ses cotisations non utilisées sont de 14 000 $. Quant à Sylvie, elle a un revenu de 28 000 $, mais bénéficie d'un excellent fonds de retraite. Ses cotisations non utilisées atteignent 5 000 $.

Non, un contribuable ne peut pas verser le maximum à son régime et le maximum au régime de son conjoint. Il doit se limiter à la cotisation maximale qu'il peut cotiser au cours d'une année. Par exemple, si Claude veut cotiser à son régime et aussi à celui de Sylvie, le montant total pour ses deux contributions ne devrait pas excéder 14 000 $, son montant maximal.

Qui bénéficie de la déduction d'impôt pour la cotisation au REER du conjoint ?

Le cotisant qui effectue la cotisation au nom du conjoint bénéficie toujours de la déduction d'impôt. Dans le cas de Claude et de Sylvie, Claude devra inscrire la cotisation totale de 14 000 $ sur sa déclaration de revenus et bénéficier totalement du retour d'impôt.

Le fait de cotiser au nom du conjoint ne permet qu'une chose : le fractionnement des revenus à la retraite ; cela ne donne aucun autre avantage fiscal.

Par contre, il est important de noter que si une cotisation versée au nom du conjoint est retirée au cours des deux années civiles suivant l'année de la cotisation, c'est la personne qui a effectué la contribution qui devra payer l'impôt sur le retrait (dans notre cas, Claude). Après cette période, c'est le bénéficiaire (Sylvie) qui doit payer l'impôt sur le retrait.

Encaisser ses REER pour rembourser ses dettes ?

Hervé et Pauline Tremblay, âgés respectivement de 64 et de 56 ans, sont tous deux retraités.

Leurs deux enfants sont aux études et sont âgés de 19 et de 22 ans

Actif :
- des REER de 200 000 $ (100 000 $ chacun avec un rendement moyen annuel de 8 %) ;
- une propriété d'une valeur marchande de 250 000 $.

Revenus : rentes annuelles de 27 500 $ chacun.

Dettes :
- marge de crédit de 45 000 $, dont le solde utilisé est de 45 000 $ au taux de 8,5 % annuellement ;
- solde hypothécaire de 25 000 $ (prêt hypothécaire ayant un solde actuel de 25 000 $, amortissement restant de 5 ans, à échéance dans 2 mois au taux de 7,5 % et dont le versement mensuel est de 500 $.

Nos deux retraités ont des revenus de 4 583,33 $ par mois et doivent faire des versements mensuels de 1 859,00 $ pour payer leurs dettes, ce qui fait que 41 % de leur revenu brut avant impôt est destiné au paiement de leurs dettes. C'est énorme étant donné que nous n'avons pas encore comptabilisé les dépenses courantes telles que nourriture, chauffage, taxes de la maison, sorties, etc.

Afin d'alléger leurs paiements et de profiter pleinement de leur retraite, devraient-ils encaisser une partie de leurs REER pour rembourser leurs dettes totalisant 70 000 $?

Encaisser les REER pour payer la dette
Puisque Pauline et Hervé reçoivent chacun le même revenu, nous supposons qu'ils retirent 35 000 $ chacun de leur REER. Et puisqu'un retrait de 35 000 $ équivaut à une retenue à la source de 38 %, c'est 56 451 $ chacun qu'ils devraient retirer pour obtenir leur montant de 70 000 $.

Il est important de noter qu'un retrait au REER est imposable et qu'il est ajouté au revenu de l'année. Donc, il est très probable qu'un impôt supplémentaire devra être payé puisque le revenu étant augmenté de 56 451 $, le taux d'imposition sera ajusté en conséquence.

Conclusion
En retirant l'argent de leurs REER, les Tremblay ont réussi à éponger leurs dettes. Toutefois, leurs REER sont largement amputés. En plus, ils risquent d'avoir à payer davantage d'impôt à cause de ce retrait. De plus, ils ne peuvent compter que sur leurs rentes pour subvenir à leurs besoins et à ceux de leurs enfants aux études. Nous croyons que c'est loin d'être la meilleure solution pour eux!

Garder les REER et refinancer l'hypothèque
Puisque l'objectif de ce couple est d'alléger le fardeau de leurs dettes, nous leur suggérons de refinancer leur hypothèque en ajoutant la dette de 45 000 $ à l'hypothèque déjà existante de 25 000 $. Ils pourraient refaire une nouvelle hypothèque de 70 000 $. Et afin de diminuer leurs paiements le plus possible, nous leur suggérons un amortissement de 25 ans.

En tenant pour acquis un taux de 7,5 % pour un terme de 5 ans, les paiements pour cette nouvelle hypothèque seraient de 512,00 $. Avec ce nouveau paiement, Pauline et Hervé pourraient enfin respirer et si jamais ils réussissaient à se mettre un peu d'argent de côté, ils pourraient faire des paiements forfaitaires de 15 % chaque année. Et puisque M. Tremblay aura 65 ans l'année prochaine; il commencera alors à retirer sa pension de vieillesse, ce qui lui procurera un revenu supplémentaire.

Conclusion
Il est toujours préférable d'envisager d'autres solutions avant de retirer de l'argent de ses REER. (Évidemment, nous faisons abstraction du fait que nous devons obligatoirement convertir le REER en

FERR au plus tard au 31 décembre de l'année où nous atteignons 69 ans. Le FERR oblige un retrait minimum chaque année.) Il est toujours bon de retarder le moment de commencer à retirer l'argent des REER à cause de l'avantage fiscal qu'il procure (intérêts à l'abri de l'impôt) et du fait que les retraits au REER sont imposables.

Où investir son REER en 2000 ?

- Portefeuille très audacieux ;
- Portefeuille audacieux ;
- Portefeuille conservateur ;
- Portefeuille très conservateur ;
- Portefeuille type REER ;
- Portefeuille de croissance ;
- Pour le contenu canadien ;
- Pour le contenu étranger.

Nous ne pouvons dire dans quels produits les investisseurs devraient placer leur argent en 2000-2001, car les choix de placements dépendent en grande majorité du profil de chacun. Par exemple, une personne n'aimant pas les fluctuations de capital et préférant les placements sûrs, a le profil de l'épargnant qui devrait détenir un portefeuille de type prudent. Si une autre personne est prête à investir dans des placements plus risqués, elle devrait alors détenir un portefeuille de type audacieux. Tout dépend aussi de l'âge, de la situation financière, de l'horizon de placement et de la tolérance au risque de chacun des individus. C'est l'ensemble de tous ces facteurs qui détermine le profil de l'investisseur. Avant d'investir, presque toutes les institutions financières vous poseront une série de questions leur permettant de saisir votre profil. Il leur sera ainsi plus facile de vous conseiller en matière de placements. Et à moins d'un changement important de votre situation financière, il est assez rare qu'un portefeuille demande à être modifié. On parle de long terme, peu importe les fluctuations que subit le marché. Vous trouverez ci-dessous différentes répartitions d'actifs selon les différents profils d'investisseurs :

PRUDENT	65 % placements garantis
	5 % liquidités
	20 % fonds de revenu
	10 % fonds équilibrés
MODÉRÉ	50 % placements garantis
	5 % liquidités
	15 % fonds de revenu
	15 % fonds équilibrés
	15 % fonds de croissance
ÉQUILIBRÉ	35 % placements garantis
	5 % liquidités
	15 % fonds de revenu
	15 % fonds équilibrés
	20 % fonds de croissance
	10 % fonds ambitieux
DYNAMIQUE	20 % placements garantis
	5 % liquidités
	10 % fonds de revenu
	15 % fonds équilibrés
	30 % fonds de croissance
	20 % fonds ambitieux
AUDACIEUX	5 % placements garantis
	5 % liquidités
	5 % fonds de revenu
	20 % fonds équilibrés
	40 % fonds de croissance
	25 % fonds ambitieux

Dans tous les portefeuilles où le profil de l'investisseur permet d'avoir des fonds de croissance, nous suggérons que l'investisseur profite au maximum du contenu étranger de 20 %.

Si, par exemple, un investisseur avait un portefeuille de 400 000 $ dont 200 000 $ seraient dans le REER et 200 000 $ seraient dans le hors REER, nous suggérons de faire une répartition selon le profil, mais de favoriser les achats de placements produisant des revenus d'intérêt pour les REER et de favoriser les placements produisant des revenus de dividendes ou de gain en capital pour les placements hors REER à cause des avantages fiscaux que ces types de revenus procurent.

Puiser dans le capital du REER
ou dans celui hors REER

Âge :   63 ans
REER :   250 000 $
Hors REER :   120 000 $
Rentes annuelles : 15 000 $
Souhaite avoir des revenus supplémentaires de 15 000 $.

Pourquoi ne pas s'approvisionner dans le capital hors REER jusqu'à la transformation du REER en FERR à 69 ans ?

Oui, le capital hors REER est suffisant pour fournir les revenus supplémentaires de 15 000 $ avant l'âge de 69 ans. De plus, les seuls revenus imposables pour cette période seront les intérêts, dividendes ou gains en capital. Il est toujours bon de retarder l'incidence fiscale le plus possible, car les retraits au REER sont imposables.

Voici le tableau d'amortissement des versements pour la période de 63 à 69 ans pour le portefeuille hors REER (supposons un taux de rendement de 7,50 %).

Année	Retraits mensuels	Retraits annuels	Intérêts, dividendes et gains en capital gagnés	Solde
1	1 250 $	15 000 $	8 491 $	113 491 $
2	1 250 $	15 000 $	8 002 $	106 494 $
3	1 250 $	15 000 $	7 478 $	98 972 $
4	1 250 $	15 000 $	6 914 $	90 886 $
5	1 250 $	15 000 $	6 307 $	82 193 $
6	1 250 $	15 000 $	5 655 $	72 849 $
7	1 250 $	15 000 $	4 954 $	62 804 $

Ainsi, à l'âge de 69 ans, il restera à l'investisseur un capital hors REER de 62 804 $.

Un capital de 370 000 $ et une rente de 15 000 $ par année constituent-ils un avoir suffisant pour prétendre à une retraite confortable ?

Cela dépend des besoins de chaque individu. Dans le cas qui nous intéresse, le capital est suffisant pour assurer un revenu d'au moins 30 000 $ pendant toute la retraite.

Puisque nous avons gardé intact le capital REER de 63 à 69 ans, il peut continuer à fluctuer à l'abri de l'impôt et, en supposant un taux d'intérêt de 7,5 %, le capital REER se composera de 385 825 $ à l'âge de 69 ans. Donc, à compter de 69 ans, il faudra obligatoirement convertir le REER en FERR et retirer un montant minimum chaque année. Voici les retraits minimums, toujours en supposant un taux de rendement de 7,5 % que devra retirer annuellement notre retraité :

Âge	Année	Valeur	Retrait annuel obligatoire
69	2000	385 901 $	17 541 $
70	2001	395 987 $	18 856 $
71	2002	405 415 $	20 270 $
72	2003	414 030 $	30 555 $
73	2004	412 235 $	30 835 $
74	2005	410 005 $	31 119 $
75	2006	407 302 $	31 403 $
76	2007	404 092 $	31 721 $
77	2008	400 298 $	31 983 $
78	2009	395 938 $	32 268 $
79	2010	390 944 $	32 565 $
80	2011	385 257 $	32 862 $
81	2012	378 824 $	33 147 $
82	2013	371 603 $	33 407 $
83	2014	363 560 $	33 702 $
84	2015	354 598 $	33 970 $
85	2016	344 674 $	34 226 $
86	2017	333 732 $	34 474 $
87	2018	321 701 $	34 711 $
88	2019	308 514 $	34 954 $
89	2020	294 076 $	35 171 $
90	2021	278 323 $	35 374 $
91	2022	261 169 $	35 571 $
92	2023	242 518 $	35 722 $
93	2024	222 304 $	35 835 $
94	2025	200 454 $	35 921 $
95	2026	176 872 $	35 374 $
96	2027	152 110 $	30 422 $

97	2028	130 815 $	26 163 $
98	2029	112 501 $	22 500 $
99	2030	96 750 $	19 350 $
100	2031	83 205 $	16 641 $

Les retraits étant au-delà de ses besoins, notre retraité pourra jouir amplement de sa retraite. De plus, il lui reste le capital hors REER.

Est-ce un problème qu'une portion importante de mon avoir se trouve dans mon REER?
Non, pas vraiment. Les intérêts à l'intérieur du REER continuent à fructifier à l'abri de l'impôt tant et aussi longtemps que l'investisseur ne commence pas à retirer de l'argent son REER. De plus, le REER peut être transféré sans impôt au conjoint au moment du décès.

Se constituer un revenu à partir d'un REER

Il existe plusieurs façons de se constituer un revenu à partir de son REER, qu'il s'agisse du retrait de montants forfaitaires, de rente viagère, de rente à échéance fixe ou de fonds enregistré de revenu de retraite. La décision de piger dans votre REER dépend de vos besoins. Il est important de ne pas oublier que tout retrait de votre REER s'ajoute à votre revenu imposable l'année du retrait et que votre REER doit être vide le 31 décembre de l'année de votre 69e anniversaire de naissance. Sinon, dès le lendemain, la totalité de votre REER devient imposable.

Montants forfaitaires
Plusieurs personnes utilisent ce moyen pour combler un manque à gagner entre le moment où elles prennent leur retraite et l'année où elles sont éligibles à recevoir leur rente du Régime des rentes ou leur pension de retraite.
Lorsque vous effectuez un retrait dans votre REER, votre institution financière est responsable aux yeux du fisc du paiement de vos impôts et retiendra à cet effet le montant nécessaire.
- Pour un retrait de moins de 5 000 $, elle fera une retenue de 25 %.
- Pour un retrait entre 5 000 $ et 15 000 $, elle retiendra 33 %.
- Pour un retrait de 15 000 $ et plus, ce sera aussi 33 %.

Ainsi, si vous retirez 4 000 $, vous recevrez 3 000 $ et l'institution acheminera 1 000 $ au fisc. Il n'y a pas de problème si cela constitue votre seul revenu durant l'année. L'impôt vous remboursera cette somme de 1 000 $ intégralement après que vous aurez produit votre déclaration de revenu. Mais si les 4 000 $ s'ajoutent à un revenu imposable de 28 000 $, vous devrez payer des impôts additionnels. Soyez prudent si vous voulez éviter les mauvaises surprises!

Rente viagère

La rente viagère est offerte uniquement pas les compagnies d'assurance-vie.

La rente viagère est payable en montants mensuels égaux jusqu'au décès du rentier, sauf s'il s'est prévalu d'une période de garantie, qui est généralement de 5, 10 ou 15 ans, ou encore jusqu'au décès du conjoint.

La rente viagère peut également être indexée au coût de la vie, mais elle s'ajoutera à votre revenu imposable parce qu'elle prend sa source dans un capital qui n'a jamais été soumis à l'impôt. Quand on parle ici de garantie, il s'agit de la garantie de paiement aux survivants. Le rentier, lui, est assuré de recevoir sa rente jusqu'à sa mort. Il faut comprendre que plus la période de garantie est longue, moins la rente est élevée. Selon les statistiques, comme la femme a une espérance de vie plus longue que celle de l'homme, la compagnie d'assurances lui fait payer le risque de devoir payer plus longtemps la rente viagère en diminuant sa rente mensuelle de 10 $ à 20 $ par mois, selon la garantie choisie.

Exemple

Rente à échéance fixe.

Montant: 45 000 $.

Taux de rendement de 8 %.

Âge à l'achat: 60 ans pour les 2 conjoints.

On notera que, bien que les conjoints aient le même âge, les montants varient légèrement. L'espérance de vie de la femme étant plus longue, elle est pénalisée. En effet, plus la femme est jeune, et plus elle verra diminuer le montant de sa rente.

Nom de la personne:	**André**
Date de naissance:	21 septembre 1939
Date de naissance du conjoint:	21 septembre 1939
Date d'achat de la rente:	21 septembre 1999
Capital détenu dans le REER:	45 000 $
Taux d'intérêt – Rentes:	8 %

Taux d'indexation :		0 %			12 versements/an
Rente viagère garantie		0 an .... :			378,34 $
Rente viagère garantie		5 ans .... :			375,05 $
Rente viagère garantie		10 ans .... :			366,79 $
Rente viagère garantie		15 ans .... :			355,45 $
Rente viagère garantie		20 ans .... :			342,75 $
Rente viagère garantie		25 ans .... :			330,18 $
Rente viagère garantie		30 ans .... :			318,97 $
Rente viagère garantie jusqu'à 90 ans .... :					318,97 $
Rente certaine à 90 ans .... :					321,48 $
Rente certaine à 90 ans au conjoint .... :					321,48 $
Rente reversée au conjoint	100 %	Garantie	0 an .... :		327,74 $
Rente reversée au conjoint	80 %	Garantie	0 an .... :		336,75 $
Rente reversée au conjoint	75 %	Garantie	0 an .... :		339,08 $
Rente reversée au conjoint	67 %	Garantie	0 an .... :		343,03 $
Rente reversée au conjoint	60 %	Garantie	0 an .... :		346,26 $
Rente reversée au conjoint	50 %	Garantie	0 an .... :		351,23 $
Rente reversée au conjoint	100 %	Garantie	5 ans .. :		327,76 $
Rente reversée au conjoint	80 %	Garantie	5 ans .. :		336,24 $
Rente reversée au conjoint	75 %	Garantie	5 ans .. :		338,43 $
Rente reversée au conjoint	67 %	Garantie	5 ans .. :		342,14 $
Rente reversée au conjoint	60 %	Garantie	5 ans .. :		345,17 $
Rente reversée au conjoint	50 %	Garantie	5 ans .. :		349,81 $
Rente reversée au conjoint	100 %	Garantie	10 ans .. :		327,48 $
Rente reversée au conjoint	80 %	Garantie	10 ans .. :		334,65 $
Rente reversée au conjoint	75 %	Garantie	10 ans .. :		336,49 $
Rente reversée au conjoint	67 %	Garantie	10 ans .. :		339,61 $
Rente reversée au conjoint	60 %	Garantie	10 ans .. :		342,14 $
Rente reversée au conjoint	50 %	Garantie	10 ans .. :		346,02 $
Rente reversée au conjoint	100 %	Garantie	15 ans .. :		326,54 $
Rente reversée au conjoint	80 %	Garantie	15 ans .. :		331,94 $
Rente reversée au conjoint	75 %	Garantie	15 ans .. :		333,32 $
Rente reversée au conjoint	67 %	Garantie	15 ans .. :		335,64 $
Rente reversée au conjoint	60 %	Garantie	15 ans .. :		337,53 $
Rente reversée au conjoint	50 %	Garantie	15 ans .. :		340,39 $
Rente reversée au conjoint	100 %	Garantie	20 ans .. :		324,49 $
Rente reversée au conjoint	80 %	Garantie	20 ans .. :		327,99 $
Rente reversée au conjoint	75 %	Garantie	20 ans .. :		328,87 $

Nom de la personne :	**Michèle**
Date de naissance :	21 septembre 1939
Date de naissance du conjoint :	21 septembre 1939
Date d'achat de la rente :	21 septembre 1999

Capital détenu dans le REER :   45 000 $
Taux d'intérêt – Rentes :   8 %
Taux d'indexation :   0 %   12 versements/an

Rente viagère garantie	0 an		:	352,39 $
Rente viagère garantie	5 ans		:	350,86 $
Rente viagère garantie	10 ans		:	346,69 $
Rente viagère garantie	15 ans		:	340,74 $
Rente viagère garantie	20 ans		:	333,55 $
Rente viagère garantie	25 ans		:	325,48 $
Rente viagère garantie	30 ans		:	317,17 $
Rente viagère garantie jusqu'à 90 ans			:	317,17 $
Rente certaine à 90 ans			:	321,48 $
Rente certaine à 90 ans au conjoint			:	321,48 $
Rente reversée au conjoint	100 %	Garantie 0 an	:	327,74 $
Rente reversée au conjoint	80 %	Garantie 0 an	:	332,39 $
Rente reversée au conjoint	75 %	Garantie 0 an	:	333,58 $
Rente reversée au conjoint	67 %	Garantie 0 an	:	335,57 $
Rente reversée au conjoint	60 %	Garantie 0 an	:	337,18 $
Rente reversée au conjoint	50 %	Garantie 0 an	:	339,62 $
Rente reversée au conjoint	100 %	Garantie 5 ans	:	327,76 $
Rente reversée au conjoint	80 %	Garantie 5 ans	:	332,13 $
Rente reversée au conjoint	75 %	Garantie 5 ans	:	333,24 $
Rente reversée au conjoint	67 %	Garantie 5 ans	:	335,11 $
Rente reversée au conjoint	60 %	Garantie 5 ans	:	336,62 $
Rente reversée au conjoint	50 %	Garantie 5 ans	:	338,91 $
Rente reversée au conjoint	100 %	Garantie 10 ans	:	327,48 $
Rente reversée au conjoint	80 %	Garantie 10 ans	:	331,15 $
Rente reversée au conjoint	75 %	Garantie 10 ans	:	332,08 $
Rente reversée au conjoint	67 %	Garantie 10 ans	:	333,64 $
Rente reversée au conjoint	60 %	Garantie 10 ans	:	334,90 $
Rente reversée au conjoint	50 %	Garantie 10 ans	:	336,81 $
Rente reversée au conjoint	100 %	Garantie 15 ans	:	326,54 $
Rente reversée au conjoint	80 %	Garantie 15 ans	:	329,29 $
Rente reversée au conjoint	75 %	Garantie 15 ans	:	329,98 $
Rente reversée au conjoint	67 %	Garantie 15 ans	:	331,14 $
Rente reversée au conjoint	60 %	Garantie 15 ans	:	332,08 $
Rente reversée au conjoint	50 %	Garantie 15 ans	:	333,49 $
Rente reversée au conjoint	100 %	Garantie 20 ans	:	324,49 $
Rente reversée au conjoint	80 %	Garantie 20 ans	:	326,26 $
Rente reversée au conjoint	75 %	Garantie 20 ans	:	326,71 $

Placement Épargne Canada et Placement Québec : une stratégie saine et sans risque

Grâce à la plus grande polyvalence des produits d'épargne, les contribuables peuvent davantage établir une saine stratégie de portefeuille sans risquer leur capital.

Placement Épargne Canada, qui supervise les émissions de titres d'épargne du gouvernement du Canada, et son jumeau québécois, Placement Québec, se font une chaude lutte pour solliciter l'épargne des Québécois.

Du côté fédéral, en plus de la multiplication durant l'année des périodes de sollicitation de l'épargne des Canadiens, on multiplie également les formes d'émission. Le gouvernement fédéral profite ainsi de la campagne annuelle des REER (de janvier et de février) pour solliciter une fois de plus l'épargne publique en émettant les obligations REER. Outre l'émission d'obligations d'épargne en octobre 1997, Placement Épargne Canada a procédé jusqu'en décembre 1997 à une émission d'obligations d'épargne mieux adaptées aux besoins du Fonds enregistré de revenus de retraite (FERR). Les obligations FERR du Canada permettent d'établir un plan de retraits mensuels du régime.

Il faut dire que Placement Épargne Canada avait un sérieux rattrapage à faire pour rejoindre Placement Québec, qui avait pris une sérieuse avance sur son concurrent canadien au chapitre de la diversité des produits. Après avoir introduit l'émission en continu d'obligations à terme à taux fixe ou à taux progressifs de 10 ans, Placement Québec s'est doté d'un autre véhicule, les obligations boursières. Celles-ci fonctionnent sur le même principe que les certificats de dépôt, dont le rendement est fonction de celui d'un indice boursier. Dans le cas des obligations boursières du Québec, leur rendement est fonction de l'indice XXM de la Bourse de Montréal.

Cette multiplicité des produits d'épargne donne toute la flexibilité requise à l'épargnant pour pratiquer une saine gestion de son portefeuille.

Si vous êtes à la fois prudent et craintif, vous avez là des véhicules de placement qui vous permettent de diversifier votre avoir entre différents produits sans risquer un seul petit sou de votre capital. Vous avez le choix d'investir pour une courte durée en optant pour les obligations d'épargne traditionnelles, mais vous pouvez aussi choisir d'investir à plus long terme, sur une période de 10 ans par exemple, tout en ayant l'assurance d'un taux fixe ou de taux minimums progressifs.

Chapitre 8
Régime enregistré d'épargne-études (REEE)

Que faire ?

Selon la Fédération canadienne des étudiants, quatre années d'études postsecondaires à temps plein représentent une dépense d'environ 49 000 $. Certains parents voudront prendre les moyens nécessaires pour s'assurer que leurs enfants puissent profiter d'une meilleure éducation. Plusieurs avenues permettent d'y arriver. La première sera de payer les frais de scolarité dès le moment où ils se présentent. En deuxième lieu, on pourra faire appel aux programmes de prêts et bourses. Une troisième voie consiste à épargner maintenant, en déposant des sommes dans un compte spécial en prévision de ces dépenses futures ; dans ce cas, les revenus de placements seront imposés au taux marginal du contribuable. La quatrième option consiste à cotiser à un régime d'épargne-études (REEE). Les épargnes déposées dans un tel compte, avec certaines limites, abritent de l'impôt les revenus de placement.

Pour créer un REEE, il faut d'abord ouvrir un compte dans lequel on nomme un seul souscripteur (règle générale, un parent), au nom d'un ou de plusieurs enfants, qui deviennent ainsi les bénéficiaires. Une souscription au REEE doit être faite entre le 1er janvier et le 31 décembre ; contrairement au REER, aucun délai supplémentaire n'est accordé. La somme maximale pouvant être déposée dans ce compte annuellement est de 4 000 $ par bénéficiaire, avec un maximum à vie de 42 000 $ par bénéficiaire. Pour éviter d'ouvrir plusieurs comptes, on peut accumuler les sommes destinées à plusieurs bénéficiaires à l'intérieur d'un même compte, à condition que ces bénéficiaires soient de la même famille.

Le régime d'épargne-études comporte plusieurs avantages. Il a pour but notamment d'encourager les contribuables à épargner afin de faciliter les études postsecondaires de leurs enfants. Malheureusement, les contributions au régime ne sont pas déductibles.

Toutefois, les revenus de placement générés dans un tel régime sont libres d'impôt et sont la propriété du bénéficiaire, tout comme le sont les subventions du gouvernement fédéral. Les économies fiscales qu'on en retire peuvent paraître minimes les premières années, mais vous réaliserez rapidement que, lorsqu'un tel régime est actif depuis plusieurs années, les rendements composés deviennent plus importants et entraînent davantage d'économies. Il faut se rappeler aussi que le gouvernement fédéral ajoute une subvention équivalant à 20 % – jusqu'à concurrence de 400 $ par année – du montant de la cotisation annuelle.

Types de REEE et admissibilité

Il existe trois principaux types de REEE :
- les régimes individuels ;
- les régimes familiaux ;
- et les régimes collectifs.

Un régime individuel est établi spécifiquement pour un seul individu et, comme il peut être autogéré, le choix des placements est généralement plus vaste.

Un régime familial permet de désigner plus d'un enfant au moment de l'ouverture du régime et d'autres bénéficiaires peuvent s'ajouter par la suite.

Un régime collectif regroupe plusieurs bénéficiaires qui, dans la plupart des cas, n'ont aucun lien de parenté. Les placements qui y sont choisis ne sont presque jamais sous la gouverne du souscripteur et, si le bénéficiaire n'accède pas à des études postsecondaires, le capital retourne au souscripteur, tandis que les revenus de placement demeurent entre les mains de la fiducie.

Malgré l'attrait d'un tel régime, plusieurs parents et grands-parents se posent des questions sur la pertinence de s'en prévaloir.

Quelles sont les institutions admissibles ?
Tous les établissements postsecondaires au Canada et à l'étranger, en plus de certaines écoles de formation technique et profession-nelle. Lorsque l'étudiant y est inscrit à temps plein, les dépenses relatives à la fréquentation d'une telle institution sont admissibles.

À combien s'élèvent les subventions ?
À raison de 20 % de la cotisation annuelle, jusqu'à concurrence de 400 $ par année. La cotisation annuelle maximum par bénéficiaire étant de 4 000 $, ceci représente un retour d'au moins 10 %.

S'il y a plusieurs bénéficiaires,
le revenu doit-il être réparti également?
Dans un régime familial, le gestionnaire des fonds (soit le sous-cripteur) peut en décider comme bon lui semble.

Quelle peut être la durée d'un tel régime?
Un tel régime peut atteindre 25 ans. Aucune cotisation n'est permise au-delà de la 21e année suivant la date de la création de ce dernier. Les cotisations maximales à un REEE s'établissent à 4 000 $ par bénéficiaire, par année; le maximum est de 42 000 $ à vie.

Qu'advient-il si le bénéficiaire n'entreprend pas
d'études postsecondaires?
Dans le cadre d'un régime familial, si l'un des bénéficiaires n'entre-prend pas d'études postsecondaires, les revenus de placement peu-vent être conservés dans le REEE pour un autre bénéficiaire.

Depuis 1998, les revenus de placement peuvent vous être ver-sés si le REEE a été établi depuis 10 ans ou plus, si tous les béné-ficiaires désignés ont atteint l'âge de 21 ans et si aucun d'entre eux ne poursuit des études postsecondaires. Cependant, cette somme versée au souscripteur devient imposable au même titre que des revenus de placement, en plus d'une pénalité fiscale de 20 %.

S'il y a une marge de cotisation au REER, il est possible d'y transférer ces sommes de revenus jusqu'à concurrence de 50 000 $, mais tout montant excédant la somme transférée au REER devient imposable, en plus de la pénalité de 20 %.

Les cotisations sont la propriété du souscripteur. Elles sont libres d'impôt puisque ce souscripteur n'aura pas profité de déduc-tion lors de ces cotisations.

Quant aux versements de SCEE (Subventions canadiennes épargne-études), ils doivent être remboursés au gouvernement, quoique les revenus de placement qui en découleront n'ont pas à être remboursés.

Exemple

Prenons le cas de parents qui ont un enfant en bas âge et qui disposent de *4 000 $ au 1er janvier 2000*. S'ils souhaitent investir cette somme pour les études postsecondaires de leur enfant, ils peuvent le faire dans un compte imposable ou dans un REEE.

Supposons qu'ils investissent ce montant dans un placement d'une durée de 5 ans rapportant un taux d'intérêt de 5 % composé annuellement.

Le taux d'imposition est de 45 %.

Après 5 ans, la valeur finale après impôt serait de : 4 607,82 $.

Si les 4 000 $ sont investis dans un REEE, leur valeur finale sera de 5 105,13 $.

Voyons maintenant pourquoi.

Dans le premier cas, le véhicule de placement choisi n'est pas à l'abri de l'impôt ; donc les intérêts générés sur le placement sont imposables à 100 %.

La valeur finale du placement après 5 ans est de 5 105,13 $.

Les intérêts de 1 105,13 $ sont imposés à 45 % ; donc l'impôt à payer est de 497,31 $ pour les 5 années.

La valeur nette du placement après impôt est donc de 4 607,82 $.

Dans le deuxième cas, puisque l'argent est investi dans un REEE, les intérêts sont à l'abri de l'impôt. La valeur finale au bout de 5 ans est de 5 105,13 $, soit une différence de 497,31 $ par rapport au premier cas.

Il est intéressant de noter qu'à l'intérieur d'un REEE, le gouvernement donne une contribution de 20 % par année, pour un maximum annuel de 400 $. Cet avantage n'est pas à négliger. De plus, dans le cas qui nous intéresse, une subvention de 400 $ pourrait être accordée.

Le REEE permet aussi de retirer les sommes requises pour parer aux besoins financiers de l'étudiant lorsque ce dernier est inscrit dans une institution postsecondaire reconnue. On peut dès lors considérer que les premiers retraits sont représentés par les revenus de placement gagnés dans le régime. Ils deviennent imposables entre les mains du bénéficiaire, lequel est généralement moins imposé (sinon aucunement).

Si le bénéficiaire ne fréquente aucune institution postsecondaire, le souscripteur a plusieurs choix :
- il peut nommer un autre bénéficiaire ;
- il peut retirer le capital et être imposé sur les revenus de placement ;
- il peut aussi, selon certaines conditions, transférer cette somme dans son régime d'épargne-retraite. Le montant transféré ne doit pas être supérieur au total des droits de cotisation inutilisés durant les années antérieures et de la cotisation annuelle maximale au REER permise l'année du transfert.

Régime d'éducation permanente (REP)

Dans le cadre du régime d'éducation permanente, il vous est possible de sortir 10 000 $ par année jusqu'à un maximum de 20 000 $ de votre REER sans devoir payer d'impôt. Cependant, les sommes que vous retirez doivent être retournées dans votre REER à l'intérieur d'une période maximale de 10 ans.

Il y a deux façons d'effectuer ce remboursement. Ou bien celui-ci commence dans l'année qui suit la dernière année comme étudiant à temps plein, ou bien encore dans les 60 jours suivant la cinquième année postérieure à celle où le premier retrait du REER a été effectué.

Pour être reconnue, l'institution d'enseignement doit être de niveau postsecondaire.

Toutes les institutions dont les cours donnent présentement accès à des bourses et à des crédits d'impôt sont admissibles, à condition que ces institutions soient de niveau postsecondaire (université, collège ou toute institution agréée).

Le Régime d'éducation permanente exige également que l'étudiant poursuive des études à plein temps. Pour avoir le statut d'étudiant à plein temps, il faut que l'étudiant soit inscrit à un programme d'études d'une durée d'au moins 3 mois consécutifs, au cours desquels il y consacre au moins 10 heures par semaine.

Chapitre 9
Retraite

Introduction

Vous faites partie de la génération des *baby boomers*? Vous êtes maintenant les «vieux bébés» de l'après-guerre. Le temps ayant suivi imperturbablement son cours, certains d'entre vous achèvent leur vie de «travail», si ce n'est déjà fait. L'heure de la retraite a sonné. C'est le moment de profiter de tout ce que vous avez accumulé tout au long de votre vie: de l'argent que vous aurez mis de côté et du patrimoine que vous vous serez constitué.

Au moment de la retraite, vous voudrez pouvoir réaliser vos projets, atteindre vos objectifs de retraite, bénéficier d'une sécurité financière et aussi avoir la possibilité de bien utiliser vos ressources. Pour ce faire, il est très important que vous ayez planifié et que vous ayez pris en main vos finances personnelles. L'arrivée de la retraite est une étape de la vie qui vous oblige à faire face à des changements et surtout à vous y adapter. Pas de panique! des changements et des bouleversements importants, vous en avez vu d'autres, n'est-ce pas? La crise économique du début des années 30, le second conflit mondial, la montée du syndicalisme, la Révolution tranquille et tous les changements qu'elle a générés dans les domaines de l'éducation et des lois sociales, comme l'assurance-maladie et les différents régimes de sécurité de la vieillesse. Donc, comme ce fut à diverses reprises le cas dans votre vie jusqu'à ce jour, vous devrez une nouvelle fois vous adapter et conséquemment modifier certains aspects de votre vie, certaines habitudes, pour tirer le meilleur parti possible de cette nouvelle étape.

Si vous avez été sage et que vous avez pris en main vos finances personnelles, vous pourrez protéger votre capital contre les ravages de l'inflation. Même si elle est faible aujourd'hui, il ne faut pas conclure pour autant qu'il en sera ainsi éternellement... Vous aurez aussi pris des moyens pour ne pas vous retrouver à payer des

impôts trop élevés... Vous aurez également pris des moyens pour prévenir les risques inhérents à l'invalidité et au vieillissement. Et compte tenu de la situation actuelle, vous aurez arrangé vos affaires pour pallier un retrait progressif de l'État dans le domaine de la santé et des revenus de retraite...

Comme le disait souvent un ancien premier ministre du Canada, il faut que vous soyez «en contrôle». Vous devez effectivement prendre le contrôle de la situation et planifier les changements nécessaires en élaborant les projets et surtout en vous donnant les moyens de les réaliser. Pour cela, il faut que vous précisiez vos besoins et vos désirs. Il n'y a qu'un seul moyen: vous devez avoir une vue globale et lucide de votre situation économique. Il est donc très important que vous dressiez votre bilan, ce qui vous permettra de bien voir votre situation et d'apporter les modifications qui peuvent s'imposer. Ce bilan vous permettra de brosser un tableau clair et précis de votre situation actuelle et de connaître votre avoir net.

Bilan

ACTIFS

Liquidités .... _____ $
Placements .... _____ $
Biens personnels .... _____ $
Inventaire .... _____ $
Immeubles .... _____ $
Total de l'actif: _____ $

PASSIF

Sommes dues .... _____ $
Dettes à court terme .... _____ $
Dettes à long terme .... _____ $
Total du passif: _____ $

Avoir net: _____ $

Une fois ce bilan financier établi, vous pourrez faire votre budget...

BUDGET
(voir Achat d'une propriété)

Vous faites très probablement partie des 70 % de Canadiens à revenu moyen élevé dont les revenus diminuent au moment de la retraite. Cette diminution varie généralement entre 25 % et 50 %.

Rassurez-vous, en faisant votre budget, vous aurez sûrement remarqué aussi que les dépenses diminuent dans les mêmes proportions puisque vous n'aurez plus à vous déplacer quotidiennement vers votre lieu de travail, ce qui fait que vos dépenses de transport vont considérablement diminuer. Même chose pour les repas à l'extérieur, pour l'habillement de même que pour toutes les dépenses qui étaient reliées à votre travail. De plus, si vous êtes propriétaire, il y a de fortes chances que vous n'ayez plus d'hypothèque et que votre maison soit payée. Et vous êtes meublé, cela va de soi. Vous réaliserez qu'à partir de 55 ans, de 60 ans ou de 65 ans, des biens et services vous seront offerts gratuitement ou à prix réduit. C'est le cas des transports en commun, des cinémas, des médicaments, etc.

Un pourcentage constitue en quelque sorte « la règle » : on dit que pour maintenir le niveau de vie auquel vous êtes habitué et pour réaliser vos projets de retraite, vous aurez besoin d'environ 70 % de votre revenu antérieur. Donc, en plus de connaître impérativement les revenus de toutes sortes auxquels vous aurez droit à l'intérieur des régimes publics, il faut aussi que vous sachiez tirer le meilleur parti possible de vos revenus privés qui s'ajouteront aux diverses allocations gouvernementales : rentes complémentaires de retraite des employeurs, régimes enregistrés d'épargne-retraite (REER), placements boursiers ou immobiliers...

Les nouveaux retraités, et ceux qui approchent de cette étape, se posent à peu près tous la même question fondamentale : « Peut-on encore se fier à l'État pour prendre soin de ses vieux jours ? » Les gens s'inquiètent de l'avenir de la pension de la Sécurité de vieillesse (fédéral) et se demandent s'ils y auront encore droit dans l'avenir ou encore si la pension de vieillesse va carrément disparaître. Les retraités s'inquiètent également de ce qui va se passer avec la Régie des rentes du Québec. Ils se demandent si le Régime des rentes (Québec) va réussir à se maintenir.

Programme fédéral de la sécurité de la vieillesse

Au Canada, la pension de la Sécurité de la vieillesse a été instaurée en 1927. Seules étaient alors admissibles les personnes de 70 ans et plus pouvant fournir une preuve qu'elles étaient pauvres. En 1952, le gouvernement a élargi cette pension à tous ceux qui avaient 70 ans et plus ainsi qu'à ceux de 65 à 70 ans qui pouvaient fournir une preuve de leur pauvreté. Il a fallu attendre 1965 pour que soit abaissé à 69 ans l'âge d'admissibilité universelle à la pension, jusqu'à atteindre progressivement 65 ans en 1970. En 1989, une large brèche a été percée : le gouvernement a alors décrété que tout retraité devrait dorénavant rembourser une somme égale à 15 % de ses revenus dépassant le seuil de 50 000 $ de revenu net, et cela jusqu'à concurrence de la totalité de la pension versée par Ottawa, soit à l'époque une somme de 4 050 $. Ainsi, un retraité qui déclarait un revenu net de 77 000 $ devait remettre la totalité de sa pension. Cette mesure, dans le temps, a touché à peine 4 % des contribuables canadiens. Trois ans plus tard, c'est presque un million de contribuables qui ont dû remettre au gouvernement fédéral, en totalité ou en partie, leur pension. Dans 10 ans, cette mesure touchera au-delà de 1 700 000 contribuables. Dans 25 ans, avec une inflation moyenne de 4 % par année, la majorité des retraités à revenu moyen seront touchés. Heureusement, le gouvernement fédéral a renvoyé l'ascenseur avec la réforme du REER qui a pris effet en janvier 1991 et qui encourage le travailleur à se constituer lui-même un fonds de retraite. En l'an 2001, tout ce qui touche la pension de Sécurité de la vieillesse, le supplément de revenu garanti, l'allocation au conjoint, de même que les crédits d'impôt en raison de l'âge ou d'un revenu de pension sera refondu dans la nouvelle Prestation aux aînés. Même la Régie des rentes du Québec se prépare à apporter des correctifs à son financement dans le but d'éviter l'épuisement de sa réserve. Ces réformes déterminantes suscitent inquiétudes et interrogations chez tous les gens qui, au cours des dernières années, avaient fait une planification financière en fonction de leurs projets de retraite. Ils doivent aujourd'hui tout revoir. En refaisant leurs calculs, ils se voient obligés de consentir un effort financier considérable, pendant les prochaines années, s'ils veulent réaliser leurs rêves.

Vous êtes éligible au programme fédéral de la Sécurité de la vieillesse si vous êtes âgé de 65 ans ou plus et si vous résidez au Canada depuis au moins 10 ans. Contrairement au Régime des rentes du Québec, le programme fédéral, qui est vieux de plus de 70 ans, est un régime universel et non contributif. Cela signifie que vous avez droit à une allocation que vous ayez occupé ou non un emploi. En janvier 1999, la prestation mensuelle maximale consentie par le programme de la Sécurité de la vieillesse, communément appelée la pension fédérale, était de 410,82 $. Cette pension est indexée au coût de la vie à chaque trimestre. Vous pouvez obtenir d'autres allocations en fonction de vos revenus annuels et de votre état civil. Vous pouvez, par exemple, vous prévaloir du Supplément de revenu garanti, si vos revenus autres que celui de la pension sont limités. Si vous êtes marié ou si vous vivez en union de fait, votre conjoint pourrait être admissible à l'Allocation au conjoint en autant qu'il a entre 60 et 65 ans et qu'il satisfait aux conditions de résidence. Si vous êtes veuf ou veuve, vous pourriez avoir droit à l'Allocation aux veufs et aux veuves, dans la mesure où vos revenus sont peu élevés.

Les seules conditions qui déterminent votre éligibilité à l'obtention de la pension de la Sécurité de la vieillesse sont l'âge et la résidence au Canada. Le revenu n'intervient d'aucune manière, que ce soit pour déterminer l'admissibilité ou encore pour fixer le montant de la prestation.

Pour ce qui est du supplément de revenu garanti, de l'allocation au conjoint ainsi que de l'allocation au conjoint payable aux veufs et aux veuves, leur attribution est reliée à des exigences précises.

Pension de la sécurité de la vieillesse

Conditions d'admission :

- Vous devez avoir 65 ans et plus ;
- Vous devez faire la demande. En cas de retard pour faire la demande, une somme équivalant à un maximum d'un an de prestations peut être versée rétroactivement ;
- Vous devez être citoyen canadien ou être résident autorisé du Canada ;
- Vous devez aussi avoir un minimum de 10 ans de résidence au Canada après l'âge de 18 ans ;

ou

- Si vous ne résidez plus au Canada lorsque vous faites votre demande :
  - vous devez avoir été citoyen canadien ;
  - ou encore résident autorisé au moment où vous avez quitté le Canada ;
  - et vous devez avoir résidé au Canada au moins 20 ans.

Le Canada est un pays d'adoption pour beaucoup de nos compatriotes qui ont immigré ici. Dans sa politique de Sécurité de la vieillesse, le gouvernement fédéral a dû tenir compte de ce phénomène. Par exemple :

- Si vous avez résidé au Canada pendant au moins 40 ans après l'âge de 18 ans, vous êtes éligible à une pension intégrale ;
- Dans les autres cas, une pension partielle vous sera versée au prorata du nombre d'années où vous aurez vécu au Canada ;
- Si vous demeurez à l'extérieur du Canada, et que vous avez moins de 20 ans de résidence au Canada après l'âge de 18 ans, on cessera de vous payer votre pension après 6 mois consécutifs passés à l'étranger ;

– Si vous avez résidé au Canada pendant plus de 20 ans, votre pension vous sera payée sans restriction partout dans le monde jusqu'à votre décès.

Montant perçu
Le montant maximal perçu mensuellement est de 410,82 $ (janvier 1999).

Toutefois, un retraité qui a déclaré un revenu net supérieur à 53 215 $ en 1998 a reçu une pension réduite en 1999.

Le montant de la pension est indexé au début de chaque trimestre : janvier, avril, juillet, octobre.

Le montant de la pension peut être viré à votre institution bancaire.

La pension est aussi payable à l'étranger.

Supplément de revenu garanti (SRG)
Conditions d'admission
Il faut faire la demande si les revenus nets sont inférieurs à :
- 11 736 $ pour une personne pensionnée ;
- 15 312 $ pour des conjoints ;
- 28 418 $ pour un pensionné dont le conjoint a moins de 65 ans.

Prestation maximale
Le supplément de revenu garanti s'ajoute alors au montant de la pension, le montant maximal pouvant être perçu est de :
– 488,23 $ pour une personne pensionnée (janvier 1999) ;
– 318,01 $ pour chacun des conjoints pensionnés (janvier 1999) ;
– 488,23 $ pour un pensionné dont le conjoint a mois de 60 ans (janvier 1999) ;
– 318,01 $ pour un pensionné dont le conjoint a entre 60 et 65 ans (janvier 1999).

Plus les revenus sont élevés, moins la prestation est importante : un revenu de 2 $ diminue cette prestation de 1 $.

Comme c'est le cas pour la pension de base, le supplément de revenu garanti est indexé à chaque trimestre (janvier, avril, juillet, octobre). Il est non imposable. Il n'est par contre payable que pendant six mois, si vous vivez à l'étranger.

Allocation au conjoint
Lorsque le revenu d'un couple est nul ou encore trop faible, le programme fédéral de Sécurité de la vieillesse accorde une prestation mensuelle au conjoint d'un pensionné.

Pour y être éligible, il faut:
- être le conjoint d'un pensionné;
- avoir entre 60 et 65 ans;
- répondre aux exigences relatives au temps de résidence au Canada;
- avoir des revenus de couple (excluant le revenu de supplément garanti) inférieurs à 21 888 $.

L'allocation mensuelle maximale prévue
- 728,83 $ (janvier 1999).

Comme c'est le cas pour la pension de base, et le supplément de revenu garanti, l'allocation au conjoint est indexée à chaque trimestre (janvier, avril, juillet, octobre). Ce revenu est non imposable. Cependant, il n'est payable que pendant six mois si vous vivez à l'étranger. Bien sûr, plus les revenus du couple sont élevés, moins l'allocation est importante.

Allocation au conjoint payable aux veufs et aux veuves

Quand le revenu d'un veuf ou d'une veuve qui a entre 60 et 65 ans est nul ou trop faible, le programme fédéral de Sécurité de la vieillesse prévoit le versement d'une prestation mensuelle.

Pour y être éligible, il faut:
- être veuf ou veuve;
- avoir entre 60 et 65 ans;
- avoir des revenus inférieurs à 16 032 $.

La prestation mensuelle maximale sera de:
- 804,64 $ (janvier 1999).

Comme c'est le cas pour la pension de base, le supplément de revenu garanti, et l'allocation au conjoint, l'allocation au conjoint payable aux veufs et aux veuves est indexée à chaque trimestre (janvier, avril, juillet, octobre). Ce revenu est non imposable. Cependant, il n'est payable que pendant six mois si vous vivez à l'étranger. Bien sûr, plus les revenus sont élevés, moins l'allocation est importante.

Régime des rentes du Québec

Assurance-vie et assurance-salaire

Le Régime des rentes du Québec (RRQ) a été créé en 1966, à une période où les perspectives de croissance économique étaient bonnes et où la dénatalité était à peine amorcée. À l'époque, on a fait le pari de la double croissance à long terme : économique et démographique. Ce pari a été perdu, on le sait, et malheureusement, on n'en a pas tiré les conséquences à temps. Résultat : le montant des cotisations sera insuffisant pour couvrir les obligations à long terme de la Régie. Entre le 1er janvier 1966 et le 1er janvier 1987, tout travailleur âgé de 18 à 70 ans qui avait des gains de travail au Québec et qui ne recevait pas une rente de la Régie, devait cotiser au Régime des rentes 1,8 % d'une partie de son revenu. Son employeur en faisait autant ; ce qui totalisait une cotisation de 3,6 %. Fixé à 3,6 % du maximum des gains admissibles en 1966, c'est seulement en 1987 que le taux de cotisation a commencé à progresser : il a atteint 6 % le 1er janvier 1997 et continue encore d'augmenter au fil des ans. De plus, depuis la mise en place du Régime des rentes du Québec, de nouvelles protections (ou des aménagements nouveaux de protections existantes) ont été ajoutées sans que la cotisation soit augmentée. Ainsi, depuis 1984, des prestations de retraite anticipée peuvent être versées à compter de l'âge de 60 ans. Certaines autres améliorations aux protections – comme les rentes d'invalidité, d'orphelin et de conjoint survivant – ont aussi eu pour effet d'augmenter les obligations du Régime des rentes du Québec et d'accroître ses besoins de financement. Les hausses étant arrivées trop tard, elles ne suffisent pas à corriger le problème. Une réforme plus importante s'impose, car on voit poindre à l'horizon l'arrivée à la retraite des *baby boomers* qui ont actuellement entre 30 et 50 ans et qui, à partir de 2010, imposeront des charges très lourdes au Régime des rentes, en raison de leur grand nombre. Le grand choc se produira après 2015. Ainsi, en 2030, la proportion de personnes âgées de 65 ans et plus s'établira à 46 % de celle des 20 à 64 ans, comparativement à 20 % en 1996.

En 1966, il fallait bénéficier d'un revenu annuel d'au moins 600 $ pour avoir le droit de cotiser au Régime. Pour cotiser au maximum, il fallait un revenu d'au moins 5 000 $. En 1999, pour avoir le droit de cotiser, le travailleur doit avoir un revenu d'au moins 3 500 $, pour cotiser au maximum et bénéficier d'une rente maximale, il lui faut un revenu de 37 400 $.

Un travailleur doit commencer à cotiser au Régime à partir de 18 ans et poursuivre jusqu'à ce qu'il retire une rente. Si vous aviez déjà 18 ans en 1966, votre période de cotisation a commencé le 1er janvier 1966. La Régie accorde également à tout le monde une réduction de 15 % de leur période cotisable. Cette générosité de la Régie a pour effet d'augmenter la moyenne des gains, ce qui augmente aussi la rente. La Régie soustrait aussi de la période cotisable les mois ou les années pendant lesquels vous auriez reçu une rente d'invalidité avant l'âge de 60 ans. La Régie soustrait aussi les mois et années au cours desquels une personne aurait reçu en son nom des allocations familiales pour la charge d'un enfant de moins de 7 ans.

Le Régime des rentes du Québec, devenu effectif en janvier 1966, est à la fois une grosse caisse de retraite, une assurance-vie et une assurance-salaire. Les fonds accumulés visent à protéger financièrement le cotisant et ses proches dans trois situations précises : la retraite, le décès et l'invalidité. Il y a donc versement de la rente de retraite, de la rente du conjoint survivant, et de la rente d'invalidité.

Gains cotisables et cotisations

	Revenu annuel minimal pour avoir le droit de cotiser	Revenu annuel qui permet une cotisation maximale	Cotisation maximale du salarié
1966	600 $	5 000 $	79,20 $
1967	600 $	5 000 $	79,20 $
1968	600 $	5 100 $	81,00 $
1969	600 $	5 200 $	82,00 $
1970	600 $	5 300 $	84,60 $
1971	600 $	5 400 $	86,40 $
1972	600 $	5 500 $	88,20 $
1973	700 $	5 900 $	93,60 $
1974	700 $	6 600 $	106,20 $
1975	700 $	7 400 $	120,60 $
1976	800 $	8 300 $	135,00 $
1977	900 $	9 300 $	151,20 $
1978	1 000 $	10 400 $	169,30 $
1979	1 100 $	11 700 $	190,80 $
1980	1 300 $	13 100 $	212,40 $
1981	1 400 $	14 700 $	239,40 $
1982	1 600 $	16 500 $	268,20 $
1983	1 800 $	18 500 $	300,60 $

1984	2 000 $	20 800 $	338,40 $
1985	2 300 $	23 400 $	379,80 $
1986	2 500 $	25 800 $	419,40 $
1987	2 500 $	25 900 $	440,60 $
1988	2 600 $	26 500 $	478,00 $
1989	2 700 $	27 700 $	440,60 $
1990	2 800 $	28 900 $	574,20 $
1991	3 000 $	30 500 $	632,50 $
1992	3 200 $	32 200 $	696,00 $
1993	3 300 $	33 400 $	752,50 $
1994	3 400 $	34 400 $	806,00 $
1995	3 400 $	34 900 $	850,50 $
1996	3 500 $	35 400 $	893,20 $
1997	3 500 $	35 800 $	969,00 $
1998	3 500 $	36 900 $	1 068,80 $
1999	3 500 $	37 400 $	1 186,50 $

Rente de retraite

Pour recevoir une prestation mensuelle, le cotisant doit répondre aux conditions générales suivantes :
- avoir au moins 60 ans ;
- avoir cotisé au Régime par des gains de travail pendant au moins un an ;
- en faire la demande, car ce n'est pas automatique.

Si la rente est mise en paiement en 1999, vous recevrez :
- 526,17 $ à 60 ans ;
- 751,67 $ à 65 ans ;
- 977,17 $ à 70 ans.

Explications :
- Si on demande sa rente alors qu'on a entre 60 et 65 ans, il faut avoir cessé de travailler et la rente est réduite de 0,5 % (6 % par année) pour chacun des mois précédant le 65e anniversaire ;
- Une personne est réputée avoir cessé de travailler si ses gains de travail sont inférieurs à 9 020 $ sur une base annuelle ;
- Si on demande sa rente alors qu'on a entre 65 et 70 ans, il n'est pas nécessaire d'avoir cessé de travailler et la rente est

augmentée de 0,5 % (6 % par année) pour chacun des mois suivant le 65e anniversaire ;
- Cette rente est un revenu imposable ;
- Cette rente est indexée chaque année ;
- En cas de divorce (ou séparation légale ou annulation civile) effectif après le 1er juillet 1989, il y a automatiquement partage égal des gains enregistrés à la Régie au compte de l'un ou l'autre des conjoints. Cependant, il faut faire la demande pour obtenir les prestations. Une renonciation au partage est acceptée si elle est faite devant le juge au moment du divorce ou de la séparation.

Rente de conjoint survivant

Pour qu'une prestation mensuelle soit versée au conjoint survivant d'un cotisant au Régime, les conditions suivantes s'appliquent :
- Le cotisant doit avoir versé des contributions durant au moins le tiers de sa période cotisable (entre 3 et 10 ans en 1999) ;
- Il faut en faire la demande.
- **Si la rente est mise en paiement en 1999, vous recevrez :**
- moins de 45 ans

sans enfant	368,91 $
avec enfant(s)	597,36 $
invalide (avec ou sans enfant)	621,65 $
- de 45 ans à 55 ans	621,65 $
- de 55 ans à 65 ans	681,47 $
- 65 ans et plus	451,00 $

Explications :
- La rente est indexée chaque année ;
- Elle est imposable ;
- Le conjoint survivant peut se remarier sans perdre sa rente ;
- Les unions de droit commun sont reconnues après trois années de vie commune ou après un an si un enfant est né de cette union ;
- Une rente combinée de retraite et de conjoint survivant est possible ;
- Une prestation forfaitaire de décès au montant de 2 500 $ peut être versée aux ayants droit du cotisant, s'ils en font la demande dans les cinq ans suivant la date du décès ;
- Le conjoint marié et non séparé légalement aura priorité sur le conjoint de fait et la rente de retraite acquise durant le mariage par un des conjoints peut être versée en parts égales à chacun des deux.

Rente d'invalidité

Si un cotisant ne peut plus travailler en raison d'une invalidité physique ou mentale, il peut recevoir une prestation mensuelle selon les conditions suivantes:
- Il doit avoir moins de 65 ans;
- Il doit être déclaré invalide par la Régie des rentes;
- Il doit avoir cotisé pendant le tiers de sa période cotisable (10 ans en 1999) et durant un minimum de 5 ans dans les 10 dernières années;
- Il doit en faire la demande.

Si la rente est mise en paiement en 1999, le cotisant recevra:
- 903,52 $.

Explications:
- La rente est indexée chaque année et constitue un revenu imposable;
- S'il n'a pas atteint 60 ans, le cotisant doit faire la preuve de son invalidité permanente;
- S'il a plus de 60 ans, il n'a qu'à fournir la preuve qu'il ne peut plus occuper l'emploi qu'il a quitté en raison de son invalidité;
- À 65 ans, la rente d'invalidité est remplacée par la rente de retraite; celle-ci sera réduite de 0,5 % pour chacun des mois pour lesquels le bénéficiaire aura reçu une rente d'invalidité entre 60 et 65 ans.

Formulaire

Ci-joint, à titre indicatif, vous trouverez une copie du formulaire que vous devrez remplir si vous désirez obtenir vos prestations de la Régie des rentes du Québec. Des formulaires de demande spécifiques doivent être remplis pour chacune des rentes ou chacun des services de la Régie: rente d'invalidité, rente de conjoint survivant, demande de partage de droits en cas de divorce, demande de virement automatique ou relevé de participation au régime.

Vous trouverez ces formulaires (voir page suivante)
- dans tous les bureaux de la Régie des rentes du Québec;
- dans les Caisses populaires Desjardins;
- de même que dans les bureaux de Communication-Québec.

Il se peut aussi que vous ayez travaillé dans un autre pays où vous avez contribué à un régime de pension, en plus d'une contribution au programme fédéral de la Sécurité de la vieillesse et au Régime des rentes du Québec. Il peut donc arriver que vous ayez de la difficulté à retracer ce régime. Si c'est le cas, adressez-vous à:

Direction des équivalences et de l'administration des ententes
de sécurité sociale
Ministère des Affaires internationales, de l'Immigration et des
Communautés culturelles
454, Place-Jacques-Cartier
Montréal (Québec)
H2Y 3B3

| | Téléphone : | (514) 873-5030 |
| | | 1 800 565-7878 |

Programmes de la sécurité du revenu
Développement des Ressources humaines Canada

| | Téléphone : | 1 800 361-3755 |

Régimes complémentaires de retraite

Définition

Si vous faites partie des 50 % des travailleurs canadiens qui possèdent un régime de retraite avec leur employeur, vous avez là un régime complémentaire de retraite. Il s'agit tout simplement d'un contrat entre un employeur et ses employés en vertu duquel ceux-ci recevront une rente de retraite dans des conditions et à un âge déterminés. Dans le régime à cotisations déterminées, les cotisations patronales et salariales sont fixées à l'avance. Dans le régime à prestations déterminées, c'est la rente qu'on détermine ; les cotisations, elles, sont basées sur des hypothèses actuarielles. La rente que vous retirez est imposable. Les régimes de pension des secteurs public et parapublic de même que plusieurs régimes du secteur privé sont coordonnés avec le Régime des rentes du Québec. Cela signifie que, quand vous aurez atteint 65 ans, la rente de votre régime de retraite sera amputée d'une somme à peu près équivalente à celle que vous allez retirer de la Régie des rentes, qui joue d'ailleurs un rôle de chien de garde en ce qui a trait aux régimes complémentaires. C'est elle qui a la responsabilité de s'assurer que l'administration et le fonctionnement des régimes soient conformes à la loi. Non seulement la Régie a-t-elle le droit d'inspecter à sa convenance n'importe quel régime, mais elle peut aussi exiger d'un administrateur qu'il prenne certaines mesures. Elle peut même se substituer temporairement à ce dernier pour assumer l'administration de ce régime, si elle juge nécessaire d'agir dans ce sens. C'est également la Régie des rentes qui contrôle le transfert des cotisations et les prestations acquises dans un autre régime. Ce transfert ne peut être exigé qu'à l'intérieur des 180 jours qui suivent la cessation d'emploi et, par la suite, tous les 5 ans.

Montant de la rente

Il y a plusieurs façons de déterminer le montant de la rente.

La plus répandue est celle qui veut que la prestation soit égale à :

un pourcentage du salaire   2 %
multiplié par le nombre
d'années de service ou de   ×   35 ans
participation au régime.
Rente   =   **70 %**   du salaire antérieur.

Ce qu'il est très important de savoir, c'est de quel salaire il s'agit.

– S'agit-il du salaire moyen du total des années de service ?
– S'agit-il du salaire de la dernière année ?
– S'agit-il du salaire moyen des cinq dernières années ?
– S'agit-il du salaire moyen des cinq meilleures années ?

Le calcul le plus rentable est sans doute celui qui établit une moyenne salariale basée sur les cinq meilleures années, mais ce n'est pas toujours cette formule qui est appliquée. Très souvent, le montant de la retraite est basé sur les cinq dernières années, au cours desquelles, malheureusement, il arrive fréquemment que le travailleur subisse des baisses de salaire. De plus, il faut savoir que, dans bien des cas, votre retraite sera amputée des périodes de grève que vous aurez faites de même que des années de chômage et d'invalidité que vous aurez vécues.

Âge de départ à la retraite

La tradition établit à 65 ans l'âge de la retraite, ce qui n'empêche pas de nombreux travailleurs de quitter plus tôt. Certains régimes autorisent les employés à partir si la somme des années de service et de l'âge atteint le chiffre 90, 85, voire 80. Par exemple, vous avez 54 ans et vous avez cumulé 36 années de service. Cela vous donne droit à une rente totale. Au cours des dernières années, de nombreux employeurs ont abaissé considérablement la barrière du 90, qui est descendue à 85 et même à 80. Dans ce cas, les gouvernements et les sociétés d'État offraient des compensations pour inciter les travailleurs ayant le plus grand nombre d'années de service à partir. Ces offres ont été alléchantes parce que les pénalités étaient réduites et aussi parce que l'employeur offrait une prime de départ intéressante. Dans le cas des travailleurs qui n'ont pas la possibilité de profiter de tels programmes, mais qui décident de prendre une retraite anticipée ou sont obligés de le faire, on calcule une réduction, qui est généralement de 6 % et qui est basée sur des contributions qui resteront moins longtemps que prévu dans la caisse et une période de rentes qui sera plus longue. La loi prévoit également que celui qui continue de travailler après l'âge normal de la retraite, c'est-à-dire après 65 ans, a droit à une retraite, totale ou partielle, de manière à compenser une réduction de rémunération durant cette période.

Versement de la rente

Les versements des prestations d'un régime complémentaire de retraite peuvent se faire de différentes manières.

D'abord, il y a la *rente mensuelle, viagère, réversible au conjoint* dans une proportion de 60 % au décès du retraité. Il y aussi la *rente avec garantie*. Le retraité sans conjoint peut se prévaloir d'une rente mensuelle viagère avec une garantie de 5 ans, de 10 ans ou même de 15 ans, dont le montant diminue en proportion du nombre d'années de garantie. En cas de décès avant l'échéance de la garantie, c'est la succession qui recevra la rente jusqu'à son terme. La *rente nivelée* est versée à un retraité de moins de 65 ans. Pendant cette période, la rente mensuelle sera plus élevée, mais elle diminuera à partir de son 65e anniversaire.

Dans le cas du *décès d'un cotisant avant la retraite*, le conjoint ou ses ayants droit recevront la valeur de la rente que le travailleur aurait obtenue avant son décès. S'il n'avait pas eu droit à une rente, le conjoint ou ses ayants droit recevront le remboursement de ses contributions et le cumul des intérêts.

Dans le cas du décès d'un retraité, le conjoint survivant recevra 60 % de la rente jusqu'à sa mort. Comme il s'agit d'un rente viagère convertible au conjoint, la rente du participant aura été réduite. Le conjoint a toujours la possibilité de renoncer à ce droit, mais cette renonciation doit se faire avant le début des versements. Quand on parle de conjoint, il s'agit du conjoint légal, c'est-à-dire de la personne vivant maritalement depuis au moins trois ans avec le participant au régime, ou depuis au moins un an si un enfant est né ou à naître, ou a été adopté durant cette période. Dans le cas où le participant au régime n'a pas de conjoint, certains régimes l'autorisent à choisir une rente plus consistante, parce que non garantie, qui s'éteindra avec le décès. D'autres régimes obligent le participant à verser au moins l'équivalent des contributions versées, plus les intérêts, moins les sommes déjà perçues en rentes de retraite.

Retraite progressive

Avec la loi 102, qui a été adoptée par l'Assemblée nationale en 1997, la retraite progressive compte désormais parmi les avenues qui peuvent être envisagées. Non seulement les dispositions de cette nouvelle loi permettent-elles de réduire votre temps de travail si vous êtes à 10 ans et moins de l'âge normal de la retraite, mais elles vous donnent aussi accès à une prestation annuelle prélevée à même votre régime de retraite. Cette rente, qui est fixée par la loi, ne peut dépasser le moindre des trois montants suivants :

– soit la valeur des droits accumulés dans votre régime ;
– soit 70 % de la perte de revenu provenant de la réduction de vos heures de travail, ce qui veut dire que, si la réduction de vos heures fait diminuer votre revenu de 25 000 $, vous avez droit à 70 % de cette perte, soit 17 500 $;
– soit 40 % du maximum des gains admissibles en vertu de la *Loi sur le Régime des rentes du Québec*; pour 1998, ce maximum était de 36 900 $, ce qui fait que 70 % équivaut donc à 14 760 $.

Prenons le cas de Pierre, qui a 55 ans et dont le salaire est de 50 000 $ par année. Il s'est entendu avec son patron (condition essentielle) pour travailler à mi-temps au cours des 5 prochaines années, puisqu'il compte prendre sa retraite à 60 ans.

Il pourra donc retirer 14 760 $ qui s'ajouteront à ses 25 000 $ de salaire, pour un total de 39 760 $. Et puisque l'entente avec son patron est prévue pour 5 ans, Pierre doit aussi s'assurer que son régime complémentaire vaut au moins 73 800 $, soit (14 760 $ × 5 ans).

Lorsque Pierre prendra sa retraite à 60 ans, sa retraite progressive pourrait le pénaliser si on se basait sur son salaire des 5 dernières années pour évaluer sa rente de retraite. Encore là, la nouvelle loi est généreuse puisqu'elle prévoit que la rente de Pierre sera calculée d'après la moyenne des salaires obtenus durant les trois ou cinq meilleures années, en excluant les dernières qui sont évidemment les plus faibles. La beauté de l'histoire, c'est d'abord que les cotisations versées par Pierre pendant cinq ans ajoutent deux ans et demi à ses années de service. C'est ensuite que, si son patron est d'accord pour cotiser au Régime des rentes, la loi prévoit que Pierre pourra continuer lui aussi à cotiser au Régime des rentes durant ses années de retraite progressive, comme si de rien n'était.

Tout cela fait que pendant que des dizaines de milliers de travailleurs (plus âgés) profitent d'une retraite progressive, cela permet à des jeunes d'entrer sur le marché du travail. Ainsi, d'un côté, on améliore les conditions de travail des travailleurs plus âgés et, de l'autre, on crée de l'emploi...

Chapitre 10
Assurances

Assurance-vie

Introduction

Contrairement à ce que beaucoup de gens pensent, le concept d'assurance n'est pas une invention des temps modernes, loin de là. Il remonte au temps des Romains, mais ce n'est qu'au XVIIIe siècle qu'il a pris les formes précises qu'on lui connaît de nos jours. Le concept est simple : il consiste essentiellement à répartir le risque financier entre un grand nombre de personnes qui cotisent à une caisse commune, ce qui permet de minimiser les coûts en cas de revers inattendu.

Aujourd'hui, on peut trouver des assurances pour à peu près n'importe quel type de risques. En plus des polices traditionnelles d'assurance-vie, d'auto et d'habitation, les assureurs et les institutions bancaires vous offrent une ribambelle de polices d'assurances de toutes sortes allant de l'assurance-invalidité, à l'assurance-maladie, à l'assurance-dentaire, à l'assurance-médicaments et à l'assurance de soins à domicile, en passant par l'assurance-découverts de comptes, l'assurance-budget, l'assurance-paiements, l'assurance-comptes d'épargne, l'assurance-hypothèque, l'assurance-voyage, l'assurance-REER, l'assurance-soldes de cartes de crédit, l'assurance-habitation, l'assurance-auto, etc. Il ne faut pas perdre de vue que le portefeuille d'assurances doit servir à protéger le patrimoine (biens, meubles, auto, responsabilité civile) et à procurer un revenu adéquat aux membres de votre famille en cas de décès ou d'invalidité. C'est dans cette perspective qu'il faut faire ses choix...

Ainsi, la police d'assurance-vie est tout simplement un contrat que vous passez avec une société d'assurances qui, à votre décès, garantit le paiement d'une somme qu'on appelle le capital assuré.

On estime généralement que le capital d'assurance-vie dont vous avez besoin se situe entre cinq et sept fois votre revenu courant

net. Il est souhaitable que vous fassiez une analyse des besoins financiers pour bien évaluer votre situation personnelle.

Ce qui est assez étonnant, voire aberrant, c'est que de nombreuses personnes accordent plus d'importance à leurs biens qu'à leur vie. Eh oui! vous avez bien lu. On s'occupe davantage de sa voiture et de sa maison que de son assurance-vie...

Beaucoup trop de gens ont tendance à ne pas se préoccuper de leur portefeuille d'assurance-vie. Ils n'en voient pas le besoin, car ils se croient capables de vivre jusqu'à au moins 80 ans pour allonger les tables actuarielles d'espérance de vie. Plus sérieusement, ces personnes se satisfont de leur assurance-vie collective au travail et tiennent pour acquis qu'elles conserveront le même poste toute leur vie. Elles risquent ainsi de ne plus être assurables au moment de changer d'emploi parce qu'elles auront pris de l'âge et aussi parce qu'elles pourraient être en moins bonne santé. Avec uniquement une assurance-vie collective, qui accorde habituellement une protection égale à seulement une fois le salaire, les héritiers auront très peu de capital ou de revenus d'intérêt pour subvenir à leurs besoins futurs.

Vous auriez intérêt à réfléchir sur certaines questions.

Vous partagez votre vie avec quelqu'un? Quelle est votre contribution au budget familial? Si vous décédez prématurément, comment vos survivants et surtout vos enfants à charge s'en sortiront-ils? Avez-vous d'autres dépendants (parents, grands-parents, frères ou sœurs? Si vous êtes parent seul, quel soutien financier fournissez-vous ou recevez-vous? En cas de décès de la personne qui pourvoit aux besoins, comment ce soutien sera-t-il assuré?

Si vous décédez, voulez-vous que le solde de votre prêt hypothécaire soit remboursé? Voulez-vous que de l'argent mis de côté permette à vos enfants de poursuivre leurs études? Voulez-vous laisser de l'argent à d'autres membres de votre famille ou à certains organismes? Est-ce que votre assurance-vie pourrait servir à payer l'impôt sur les biens transmis à vos descendants?

Le tableau qui suit peut vous aider à estimer la valeur de votre succession, celle des revenus qu'elle produirait de même que les autres sources de revenus dont vos survivants pourraient bénéficier, si vous décédiez aujourd'hui.

**Estimation des biens
productifs de revenus**

ACTIF

(additionner)

Assurance-vie (collective comprise) ....

Épargne, liquidités ....

Placements ....

REER ....

Autres ....

            Total .... **(1)**

PASSIF

(additionner)

Derniers frais ....

Dettes non assurées (prêts hypothécaires, ...
solde de cartes de crédit, impôts, etc.)

            Total .... **(2)**

Soustraire le passif de l'actif (total (1)
moins total (2)) .... **(A)**

Revenu nécessaire

Besoins mensuels .... **(3)**

Revenu disponible

Succession (multiplier (A) par 0,005[**]) ....

RRQ/RPC ou autre rente de retraite ....

Emploi ....

Autre ....

            Total .... **(4)**

Soustraire (4) de (3) .... **(B)**

Si les besoins dépassent le revenu
disponible, passer à l'étape C

(C) Capital nécessaire

Multiplier (B) par 12 pour obtenir l'écart annuel .... **(5)**

Diviser le résultat (5) par le taux d'intérêt net escompté après impôt (par
exemple 6 % comme à l'étape (B) pour déterminer le capital supplémentaire
requis qui répondra aux besoins de vos survivants.

[**] À titre d'exemple, considérez que l'actif productif de revenus de votre
    succession pourrait engendrer un rendement brut de 10 % par an. Cela
    revient à un taux d'intérêt net après impôt d'environ 6 % par an. Compte
    tenu de ce taux d'intérêt net estimatif, chaque tranche de 1 000 $ de votre
    succession produira un revenu approximatif de 60 $ par an, soit 5 $ par
    mois.

Polices d'assurance-vie

Il existe deux formes principales d'assurance-vie : l'assurance-vie permanente et l'assurance-vie temporaire. Il y a aussi l'assurance collective.

Généralement, *l'assurance-vie permanente* couvre les besoins à long terme. Il peut s'agir des sommes nécessaires pour subvenir aux besoins des enfants qui, en raison d'une invalidité, restent à charge toute leur vie, pour arrondir le revenu d'un survivant, pour couvrir l'impôt à payer sur les gains en capital au moment du décès, ou encore pour assurer les frais des funérailles. Vous serez couvert par une assurance-vie permanente si vous souscrivez une assurance-vie entière, une assurance-vie universelle ou un contrat variable. Ces formules vous couvrent votre vie durant, à condition que la police soit maintenue en vigueur.

La plupart des polices d'assurance-vie permanente prévoient le paiement de primes qui restent les mêmes pendant toute la durée du contrat, même si les risques augmentent avec l'âge ; c'est ce qu'on appelle des primes nivelées. Du total de ces primes que vous payez au fil des ans provient la *valeur de rachat*. Vous pouvez utiliser la valeur de rachat si vous voulez emprunter sur votre police ou encore encaisser si vous voulez racheter votre contrat. Dans ce dernier cas, prenez des informations au sujet des conséquences fiscales puisqu'une partie de la valeur de rachat pourrait constituer un revenu imposable. Certaines polices prévoient aussi une participation du titulaire aux résultats financiers de l'assureur.

Même si toutes les polices d'assurance-vie permanente impliquent une couverture pour la vie durant, les garanties peuvent varier, ce qui fait aussi varier les primes. La *police vie entière* constitue la police traditionnelle. C'est celle qui garantit pleinement le montant des primes à payer, le capital-décès, de même que la constitution de la valeur de rachat. Les *polices liées aux taux d'intérêt*, elles, tiennent compte des taux d'intérêt courants, qui sont rajustés régulièrement, ce qui fait que la prime peut être augmentée s'il y a une baisse des taux d'intérêt ou encore réduite si les taux d'intérêt montent.

La plus populaire des polices liées aux taux d'intérêt est la police d'*assurance-vie universelle*. Elle est souple et comporte deux éléments : l'assurance-vie et un compte de placement. Selon ce que vous déciderez, vous pourrez augmenter ou réduire vos primes ou votre capital-décès. Les revenus engendrés par le compte de placement ne sont évidemment pas garantis...

Dans le *contrat variable,* la prime est garantie, mais la valeur de rachat varie selon le rendement d'un fonds de placement. Quant au capital-décès, il peut être garanti ou varier selon le rendement du fonds.

L'*assurance-vie temporaire*, comme son nom l'indique, fournit une couverture sur une période déterminée par un certain nombre d'années ou jusqu'à un âge donné. L'assurance-vie temporaire vise, par exemple, à garantir un revenu continu tant que les enfants sont jeunes, à rembourser un prêt hypothécaire, ou à couvrir des engagements. Le capital-décès n'est versé que si le décès survient durant la période d'effet de la police. Ces polices sont le plus souvent souscrites pour 1 an, 5 ans, 10 ans ou 20 ans, ou encore jusqu'à l'âge de 60 ou de 65 ans. La plupart des polices d'assurance temporaire sont sans participation et ne comportent pas de valeur de rachat, ce qui fait que les primes sont moins élevées que dans le cas de l'assurance-vie permanente, du moins quand vous êtes jeune. *L'assurance-vie temporaire 100 ans*, souvent classée comme assurance permanente, offre une couverture jusqu'à l'âge de 100 ans. En général, cette formule ne prévoit pas de participation et ne comporte pas de valeur de rachat, ce qui fait que les primes sont inférieures à celles de l'assurance-vie entière traditionnelle.

L'*assurance-vie collective* peut vous être offerte par votre employeur ou même par votre syndicat, si vous êtes salarié. En général, il s'agit d'une assurance collective qui en principe va jusqu'à 65 ans et couvre un groupe de personnes en vertu d'un contrat collectif. Un certificat vous est remis comme attestation de couverture. Avec ce type d'assurance-vie, il peut arriver qu'aucune justification d'assurabilité, médicale ou autre, ne soit exigée, surtout lorsque le groupe est important.

Le *Guide du consommateur* publié par l'Association canadienne des compagnies d'assurances de personnes sera très utile à ceux qui veulent en savoir plus.

Prix et coûts

Les compagnies d'assurance sont dans l'impossibilité de connaître exactement leurs coûts, leurs revenus de placement ou leurs résultats techniques futurs. Pour déterminer leurs prix, elles se fondent sur des projections à long terme qui reposent sur des statistiques ou des données actuarielles, à l'aide de tables de mortalité, lesquelles indiquent les taux de mortalité propres aux différents groupes d'âge de la population. Elles se basent également sur leurs estimations en matière de dépenses, de taux d'intérêt et de taux de mortalité futurs.

Quand vous faites une demande, la compagnie d'assurance évalue le degré de risque que vous représentez avant d'approuver votre proposition. Vous comprendrez que le risque croît avec l'âge et la détérioration de l'état de santé. La mise en commun de risques similaires permet d'obtenir une tarification équitable. On réunit des données et des statistiques pour répartir les individus par catégories de risques. La prime traduit donc l'évaluation globale du risque. Plus le risque est faible pour une catégorie donnée, plus la prime est basse. Pour évaluer le risque, les assureurs prennent en considération des facteurs comme l'âge, les antécédents médicaux, l'état de santé et le sexe. Ainsi, les femmes en général paient des primes moins élevées que les hommes, car les statistiques démontrent clairement qu'elles vivent plus longtemps. Si vous êtes non fumeur, vous profiterez également de taux moins élevés.

Tirer le meilleur parti de son assurance-vie

Le **bénéficiaire** est la personne désignée dans la police pour recevoir à votre décès le montant de l'assurance. Le bénéficiaire en sous-ordre est la personne à qui revient le capital assuré si votre premier bénéficiaire – votre conjoint, par exemple – est décédé. Si vous décidez de laisser votre argent à vos ayants droit, l'argent sera assujetti à des frais d'homologation à l'occasion du règlement de la succession. Si l'argent va à une fiducie, prenez la peine de vous renseigner auprès d'un conseiller fiscal. Donc, si vous désignez un bénéficiaire, l'argent n'ira pas dans votre succession. Il sera versé directement à la personne ou à l'organisme que vous avez désigné. Le bénéficiaire n'a ni frais d'homologation ni impôt à payer sur cette somme.

Les lois provinciales sur les assurances stipulent que le capital assuré ne peut être saisi par quelque créancier que ce soit si le bénéficiaire est le conjoint, un enfant, un petit-enfant, le père ou la mère. Au Québec, le bénéficiaire doit être apparenté au titulaire de police alors que, dans les autres provinces, il doit être apparenté à l'assuré. Dans la plupart des provinces, cette disposition s'applique aux enfants adoptifs, mais non aux ex-conjoints, sauf si l'ex-conjoint a été désigné bénéficiaire irrévocable. Vous pouvez d'ailleurs désigner un bénéficiaire ou une fiducie à titre irrévocable. Dans ce cas, le capital assuré est protégé de vos créanciers et il n'entre pas dans votre succession. Au Québec, le conjoint est considéré comme bénéficiaire irrévocable. En cas de divorce, il perd ce statut automatiquement. Cela signifie que, à titre de titulaire de la police, pour changer ou pour révoquer votre bénéficiaire, il vous faut son consentement.

La désignation d'un bénéficiaire dans un testament n'annule pas une désignation faite antérieurement au titre d'une police d'assurance, sauf si le testament mentionne spécifiquement la police en cause, mais, même dans ce cas, le bénéficiaire irrévocable garde tous ses droits.

En cas de divorce, faites en sorte que les paiements de votre pension alimentaire soient assurés. Vous pouvez le faire en exigeant, dans la convention de divorce, que votre ex-conjoint prenne une assurance-vie et invalidité sur sa tête et vous désigne comme bénéficiaire irrévocable. Vous pouvez aussi prendre une assurance-vie sur la tête de votre conjoint, vous nommer bénéficiaire et payer les primes.

Si le bénéficiaire décède avant l'assuré, le capital assuré revient à la succession, à moins que vous ayez désigné un bénéficiaire en sous-ordre. En cas de décès simultané – accident de voiture –, la *Loi des assurances* stipule que le bénéficiaire est réputé être décédé le premier. Ainsi, le capital assuré va dans la succession, à moins que vous ayez désigné un bénéficiaire en sous-ordre.

Si le bénéficiaire est mineur, l'argent peut être versé à un fiduciaire désigné par l'assuré ou être confié à un tribunal.

Si vous désignez, comme bénéficiaire, un organisme de charité agréé par Revenu Canada, vos primes peuvent être déductibles de votre revenu imposable.

En général, le **paiement des primes** se fait tous les mois par prélèvement automatique sur un compte bancaire. Le paiement peut aussi être annuel, semestriel ou trimestriel. Vous pouvez même concentrer le paiement des primes sur un certain nombre d'années. Vos versements seront plus élevés, mais ensuite votre police sera libre de toute charge.

Si vous ne pouvez plus payer vos primes, vous bénéficiez d'un délai de grâce de 30 jours après l'échéance, après quoi la police prend fin. Cependant, votre police peut être remise en vigueur dans les deux années qui suivent si vous payez les primes et les intérêts en souffrance et présentez une justification médicale satisfaisante.

Un certain nombre de possibilités, appelées **avenants**, permettent d'adapter une police d'assurance à vos besoins personnels. Par exemple, si vous décédez dans un accident, vos bénéficiaires reçoivent une somme d'argent supplémentaire qui peut équivaloir au capital assuré, ce qui fait doubler la prime, comme on dit communément. Des prestations peuvent aussi vous être versées si vous perdez un membre ou la vue accidentellement. Si vous devenez totalement invalide, cet avenant garantit le paiement des primes et le maintien de la police en vigueur dans les mois qui suivent. L'avenant peut également vous permettre d'augmenter le capital assuré à dates fixes sans examen médical ou preuve d'assurabilité.

Dans les polices d'assurance-vie permanente, il existe aussi des **mesures de protection spéciales**, appelées options de non-déchéance, qui, si vous ne pouvez plus payer vos primes, vous évitent de perdre votre police.

La valeur de rachat de votre police d'assurance-vie permanente peut être élevée si vous conservez longtemps votre police. Ce fonds peut servir à maintenir votre police en vigueur si vous omettez de payer une prime. Il peut servir aussi à emprunter un montant équivalent à la valeur de rachat de votre police. Si vous décédez, le solde impayé et les intérêts sont déduits du capital assuré. **L'avance sur contrat est simple** et ne nécessite pas d'enquête sur la solvabilité. Il suffit de contacter votre agent ou la compagnie d'assurances directement. Si vous avez choisi un bénéficiaire irrévocable, vous devrez obtenir sa signature. Cette avance peut être imposable totalement ou en partie.

Les polices d'assurance-vie avec participation vous permettent de tirer des profits que vous pouvez utiliser pour augmenter le capital assuré ou encore pour acheter une assurance temporaire, par exemple. Vous pouvez encaisser vos participations ou les utiliser pour réduire vos primes, comme vous pouvez aussi les laisser en dépôt pour qu'elles rapportent des intérêts, qui sont malheureusement imposables.

Rôle de l'agent d'assurances

Souscrire une assurance-vie constitue un investissement important pour lequel le choix d'un agent signifie une décision tout aussi importante que celui d'un banquier ou d'un courtier en valeurs mobilières. L'agent d'assurance-vie joue un rôle important dans votre planification financière. Il fera avec vous une analyse de vos besoins financiers pour établir le montant d'assurance-vie dont vous avez besoin.

La profession d'agent d'assurance-vie est *régie par le gouvernement du Québec*, qui octroie des permis aux agents et qui réglemente leurs activités. Les agents d'assurance-vie, qui reçoivent une *commission* de la société d'assurances offrant le produit qu'ils placent, peuvent aussi vous assurer leur aide dans le cas d'un changement de bénéficiaire, d'un examen ou d'une mise à jour de la police. Ils sont également habilités à vous proposer de l'assurance-invalidité, des REER, de l'assurance collective. Ceux qui vous proposent des fonds communs de placement ou d'autres produits financiers doivent être détenteurs d'un autre type de permis. Ceux qui ont le titre d'assureur-vie agréé (A.V.A.) ou de conseiller financier agréé (C.FIN.A.) ont dû faire plusieurs années d'études en sus. Quant aux agents qui représentent plusieurs sociétés d'assurances, on les appelle des *courtiers*.

Quand on choisit un agent d'assurance-vie, il faut demander conseil et magasiner pour obtenir les meilleurs conseils et les meilleurs taux pour une police qui répond à ses besoins. Il faut que vous réussissiez à établir avec lui un climat de franchise et de confiance. Évitez de traiter avec celui qui essaie de vous vendre un contrat en particulier sans vous proposer d'autres formules. Surtout, méfiez-vous s'il tente de remplacer vos polices en vigueur. En lui posant quelques questions du type de celles qui suivent, vous pourrez savoir à qui vous avez affaire et voir beaucoup plus clair:

- Qu'est-ce qui est garanti exactement dans la police et qu'est-ce qui ne l'est pas, pour ce qui est notamment des primes et des prestations?
- Les prestations reçues au titre de la police sont-elles assujetties à l'impôt sur le revenu?
- Quel service après-vente offrez-vous?
- Les primes indiquées sont-elles garanties? Pourraient-elles varier? Dans quelles circonstances?
- Qu'arrive-t-il du rendement de la police si les participations baissent ou augmentent?
- Le capital-décès est-il garanti? Dans la négative, de quoi est-il tributaire?
- Si la police comporte un élément de placement, sur quel taux de rendement s'est-on basé pour les projections? Quel serait le rendement de la police si ce taux était plus bas? S'il était plus élevé?

Il peut être difficile de *comparer les valeurs de diverses polices*, surtout lorsqu'elles comportent des caractéristiques différentes.

- Vous pouvez comparer des polices temporaires si leurs modalités sont les mêmes. Par exemple, des polices
  - de 150 000 $;
  - renouvelables tous les 5 ans;
  - pour une femme de 35 ans;
  - non fumeuse.
- Comparez d'abord les primes actuelles des polices;
- Faites, pour chacune, le total des primes sur une période de 20 ou de 30 ans.
- Utilisez la «valeur actualisée» pour calculer le coût des futures primes en dollars d'aujourd'hui. Votre agent devrait posséder le logiciel nécessaire pour faire les calculs.

Signature d'une proposition d'assurance

Sur la *proposition*, vous devez non seulement indiquer votre nom et votre âge, mais aussi fournir d'autres renseignements personnels. Vous devez également préciser : le montant du capital et le type de police demandés, le bénéficiaire désigné ainsi que les modalités de paiement des primes. En général, la proposition comporte également un questionnaire médical. Le but du questionnaire est de déterminer le type de risque que vous représentez et d'établir les renseignements pertinents pour établir la police. En signant, vous autorisez la société d'assurance à contacter votre médecin traitant et votre hôpital ainsi que le Bureau de renseignements médicaux pour vérifier les renseignements que vous aurez fournis. Le Bureau de renseignements médicaux, créé il y a une centaine d'années, est une association sans but lucratif qui regroupe environ 750 sociétés d'assurance-vie. Il permet à ses membres d'échanger en toute confidentialité des données utiles dans le cadre de l'évaluation des risques. Son seul objectif est de prévenir les fraudes et les fausses déclarations. La confidentialité est rigoureusement protégée, car les assureurs-vie sont conscients qu'il est important de protéger le caractère confidentiel des renseignements personnels qui leur sont fournis. Ainsi, tous les salariés de compagnies d'assurances, les agents et les courtiers doivent se conformer à des règles très strictes en matière de confidentialité.

Le *service de tarification* de la société d'assurances vérifie si les informations fournies sont complètes. Il évalue le risque et décide si la police peut être établie conformément à la proposition. Il va sans dire que plus le capital demandé est élevé, plus l'information nécessaire à l'évaluation du risque devra être complète. Différents facteurs comme l'âge, le sexe, l'état de santé, les antécédents médicaux personnels et familiaux, la situation financière, la profession et les activités à risque seront pris en considération avant que la proposition soit acceptée. L'assurance pourrait être annulée si les renseignements fournis sont inexacts ou incomplets. Selon la loi, une police d'assurance-vie est incontestable après deux ans. Cela signifie qu'une fois ce délai expiré l'assureur ne peut pas refuser de payer le capital assuré en raison d'une inexactitude ou d'une omission de l'assuré, sauf en cas de fraude. Au fond, chaque société d'assurances établit ses propres règles pour obtenir confirmation des renseignements fournis dans la proposition et dans le questionnaire médical. Les exigences varient selon l'âge et selon le capital demandé. Plus vous êtes âgé, plus les renseignements devront faire l'objet de vérifications. Par exemple, une compagnie peut décider qu'aucune attestation médicale n'est nécessaire pour un capital inférieur ou égal à 200 000 $ jusqu'à 35 ans, alors qu'elle le serait pour les demandeurs de 45 à 50 ans.

L'*objectif de l'assureur* est d'établir des polices et non de refuser des clients. C'est pourquoi 94 % des personnes qui demandent une assurance obtiennent la couverture demandée au taux normal. Quant aux personnes en mauvaise santé ou œuvrant dans un secteur d'activité considéré comme dangereux, elles seront placées dans une classe de risque spéciale, celle des risques aggravés. On fera en sorte de les assurer quand même, mais leur prime sera plus élevée ou le contrat fera l'objet de certaines modifications. Seuls 3 % des demandeurs sont refusés.

Une fois que la police est établie au taux normal, l'assureur ne peut pas ni augmenter les primes ni imposer de nouvelles restrictions, même si vous présentez par la suite un risque aggravé. Et si la police a été établie en fonction d'un risque aggravé et que, par la suite, cette classification n'a plus sa raison d'être, l'assureur étudiera la possibilité d'annuler la surprime ou les autres modifications, s'il est prévenu du changement de situation. Vous constaterez aussi que les non-fumeurs profitent de taux de primes d'assurance-vie nettement inférieurs à ceux des fumeurs, à cause du risque de cancer du poumon et de maladies coronariennes associés au tabagisme. Certains assureurs proposent même des primes plus avantageuses en raison d'un mode de vie particulièrement sain. Ce sera le cas si vous faites de l'exercice, si vous surveillez votre poids ou si vous consommez peu ou pas d'alcool.

Mais attention : *une assurance peut être annulée si les renseignements fournis sont inexacts ou incomplets*. Si vous avez omis un fait ou donné involontairement une information inexacte, vous devez en aviser immédiatement la société d'assurances pour qu'elle fasse les ajustements nécessaires. Si de fausses déclarations ont été faites *sur le statut de non-fumeur, par exemple, l'assureur pourrait refuser la demande de règlement et ne rembourser que les primes*.

Comme client, vous avez aussi le droit de changer d'avis. À cet effet, la plupart des polices d'assurance-vie comportent un *droit d'annulation*. Il vous suffit de retourner votre police à l'assureur dans les 10 jours suivant sa réception. La prime payée vous sera alors remboursée.

À un moment donné, vous pouvez envisager de *remplacer une police* que vous possédez déjà ou encore quelqu'un peut vous inciter à le faire. Soyez prudent. C'est parfois avantageux, mais ce n'est pas toujours le cas. La sagesse commande de bien examiner les raisons qui vous incitent à le faire. Il est souvent possible de modifier une police en vigueur à moindre coût pour l'adapter à vos besoins. Alors, essayez d'avoir une idée claire et réaliste de vos besoins par rapport au budget dont vous disposez et soyez bien au fait des avantages et des inconvénients de votre police actuelle par rapport à la police proposée.

Les temps changent

L'assurance s'est fait une niche importante dans le monde d'aujourd'hui en répondant aux besoins de notre époque. Par exemple, l'arrivée sur le marché des travailleurs indépendants et l'éclosion des petites et moyennes entreprises ont provoqué des changements dans le monde de l'assurance. Il est important pour les travailleurs indépendants de souscrire une assurance-responsabilité et invalidité, tout comme pour les dirigeants des petites et moyennes entreprises, qui, en plus, doivent penser à une assurance collective pour leurs salariés de même qu'à une assurance-vie pour eux-mêmes et leurs collaborateurs immédiats.

Aujourd'hui, l'assurance-vie peut être utilisée
– pour garantir un prêt commercial;
– pour protéger une entreprise contre les pertes consécutives au décès du propriétaire, d'un associé ou d'un collaborateur important;
– pour mettre la famille des gens d'affaires à l'abri des dettes de l'entreprise.

Assurance-vie à la retraite

Certaines personnes à la retraite achètent de l'assurance-vie pour se rassurer, tout simplement. Pourtant, si vous détenez une police d'assurance-vie depuis 20 ou 30 ans, vous avez sûrement accumulé des valeurs de rachat que vous pourriez peut-être utiliser. Tout cela pour dire qu'à l'aube de la retraite, il est temps de faire le ménage dans son assurance-vie et d'évaluer celle qu'on devrait avoir, au besoin avec l'aide d'un courtier qui pourra très certainement vous prodiguer de bons conseils. Vous devez donc planifier tranquillement chez vous vos finances personnelles et déterminer quelle part devrait aller à l'épargne et quelle autre devrait aller à l'assurance-vie. Vous ne devez pas oublier qu'en assurant votre vie vous vous protégez contre le risque de mourir en laissant les vôtres dans le besoin. Demandez-vous quelle somme d'argent vous devez prévoir pour que vos dépendants conservent leur train de vie actuel. Demandez-vous également dans combien d'années vos dépendants seront financièrement autonomes, car dès que vos enfants atteignent leur indépendance financière, vos besoins en assurances diminuent. Ainsi, si vous êtes seul, sans dettes, et que vos économies vous permettent de payer vos funérailles, vous n'avez tout simplement pas besoin d'assurance-vie. Généralement, après 50 ans, le patrimoine accumulé peut remplacer la sécurité qu'apporterait l'assurance-vie.

Toucher son assurance-vie de son vivant

Il est devenu possible de toucher son assurance-vie de son vivant. Les personnes atteintes d'une maladie grave et incurable peuvent recevoir, par anticipation, une partie du capital-décès stipulé dans leur police d'assurance déjà en vigueur. Cela leur permet de se donner une meilleure qualité de vie et de se payer des traitements médicaux coûteux, ou de faire un dernier grand voyage, ou de préparer financièrement leur départ...

Sur présentation d'un relevé médical indiquant une espérance de vie de deux ans ou moins, les assureurs accepteront de verser jusqu'à 50 % d'une assurance-vie personnelle, sous la forme d'un prêt à un taux d'intérêt raisonnable, mais inférieur au taux des prêts personnels. Évidemment, le montant perçu sera déduit du capital que recevront les survivants. Votre agent ou votre assureur peut vous fournir des précisions au sujet du *paiement anticipé des prestations-décès.* Cette formule humaine se veut une réponse à l'émergence des escompteurs d'assurance, qui sont des entreprises spécialisées dans le rachat de polices d'assurance-vie des malades en phase terminale. Les escompteurs ont élaboré un service de marge de crédit dont le taux d'intérêt s'apparente à celui des cartes de crédit pour éviter l'imposition du montant cédé à l'assuré. Même si les escompteurs disent verser jusqu'à 80 % du montant de l'assurance, ils profiteront beaucoup plus de l'opération et goberont la majeure partie du capital restant, ne laissant que des miettes aux héritiers. Face à ce qui s'inscrit comme une tendance lourde de l'industrie des assurances, laquelle verse maintenant plus d'argent aux assurés de leur vivant qu'à leurs héritiers, il vaut probablement mieux négocier avec sa compagnie d'assurances qu'avec les escompteurs.

Quelques conseils

- Il faut *revoir vos besoins* d'assurance régulièrement. Ceux-ci changent en fonction des circonstances familiales et professionnelles.
- *Attention à l'inflation*, qui pourrait diminuer la valeur de votre assurance.
- *Avant d'encaisser* une partie ou la totalité de votre valeur de rachat, renseignez-vous sur les conséquences fiscales que

cela pourrait avoir, car une partie de la valeur de rachat pourrait constituer un revenu imposable. Si vos obligations immédiates sont importantes et que vous avez peu d'argent à consacrer à une assurance, choisissez la police qui répond à vos besoins actuels, quelle qu'elle soit. Si vous commencez par une assurance-vie temporaire, assurez-vous de pouvoir la renouveler et de pouvoir la transformer en une police permanente. Vous aurez ainsi toute la latitude nécessaire pour la modifier ultérieurement.

– Si vous désignez un bénéficiaire, *l'argent n'entre pas dans votre succession*. Il est versé directement à la personne ou à l'organisme que vous avez désigné. Le bénéficiaire n'a ni frais d'homologation ni impôt à payer sur cette somme.

– Il vous faut un *agent* qui comprenne vos besoins d'assurance et connaisse vos moyens, quelqu'un qui pourra vous donner des explications claires et en qui vous pourrez avoir confiance.

– Quand vous signez une proposition d'assurance, *répondez franchement aux questions de la proposition*. Le contrat d'assurance-vie repose sur la bonne foi et exige une franchise totale de la part du proposant et de l'assureur. Si des renseignements sont omis ou inexacts, la police pourrait être annulée.

– Tous les proposants n'ont pas nécessairement un dossier au *Bureau de renseignements médicaux:* 1 personne sur 10 seulement en a un. Vous avez le droit de savoir si le Bureau de renseignements médicaux possède un dossier sur vous et, si oui, de vérifier ce dossier.

    Bureau de renseignements médicaux
    330, avenue University
    Toronto (Ontario)
    M5G 1R7
    Téléphone: (416) 597-0590

– Il est sage de ranger votre police d'assurance avec vos documents financiers. Si vous avez un coffret bancaire, mettez-y une photocopie de la première page de la police ainsi que le nom et le numéro de téléphone de votre agent. Faites aussi une photocopie pour vos bénéficiaires et dites-leur où se trouve votre police.

– Avant de demander la *résiliation d'une ancienne police*, assurez-vous que la nouvelle police soit bel et bien en vigueur. Lisez-la attentivement. La demande de résiliation doit être faite par écrit.

- Lorsqu'il s'agit d'une police d'assurance individuelle, vous pouvez obtenir l'*aide de votre agent pour soumettre une demande de règlement*. Vous pouvez aussi vous adresser à la succursale ou au siège social de la compagnie d'assurances. Dans le cas d'une assurance collective, adressez-vous au gestionnaire des avantages sociaux de votre entreprise.
- Aujourd'hui, l'assurance-vie peut être utilisée
  • pour garantir un prêt commercial ;
  • pour protéger une entreprise contre les pertes consécutives au décès du propriétaire ou d'un associé ;
  • pour mettre la famille des gens d'affaires à l'abri des dettes de l'entreprise.
- Certaines sociétés d'assurance-vie offrent des produits prévoyant une *admission automatique* sans l'obligation de remplir un questionnaire médical. En général, le capital assuré sur la tête d'une personne de 50 à 75 ans peut atteindre 25 000 $. Lisez bien le contrat et faites attention aux restrictions.

Assurance-invalidité

Un gros risque

Dans le monde d'aujourd'hui où tout bouge tellement rapidement, on tient trop facilement pour acquis la santé de l'individu et sa capacité de générer des revenus à long terme. Pourtant, un accident sérieux ou une maladie grave peuvent survenir à tout moment et démolir tous vos plans. Gardez à l'esprit qu'au cours de votre vie active les probabilités de devenir invalide sont beaucoup plus grandes que celles de mourir, peu importe l'âge. On prend une assurance-vie, une assurance-habitation, une assurance-automobile. Quant à l'invalidité, c'est un risque qui est trop souvent négligé. Les conséquences d'un arrêt de travail ou d'un ralentissement des activités professionnelles peuvent être dramatiques pour le travailleur autonome ou l'entrepreneur qui se retrouve sans revenu pendant une longue période. Souvent, quand on réalise les conséquences engendrées par une perte financière à la suite d'une invalidité ou d'une maladie grave, il est déjà trop tard. On se retrouve avec l'obligation d'hypothéquer la maison, de liquider des biens ou, pire encore, de gruger prématurément les économies prévues pour la retraite. Pendant longtemps, les Québécois ont été crédules en pensant que famille et banquiers viendraient à leur secours en cas d'invalidité. Malheureusement, l'emprunt ne constitue pas une solution. Qui acceptera de prêter de l'argent à une personne invalide ?

Quand on s'arrête le moindrement à observer les statistiques, on constate que le danger qui nous guette avant l'âge de 65 ans, ce n'est pas la mort, mais la maladie et la pauvreté. Avant 65 ans, on a 1 chance sur 3 de devenir invalide. Cette invalidité peut durer de nombreux mois, voire plusieurs années. Les statistiques indiquent une moyenne de trois mois qui peut s'étirer jusqu'à deux et même trois ans. On risque donc de se retrouver longtemps sans revenu. Le tableau qui suit illustre les probabilités d'invalidité avant l'âge de 65 ans. Curieusement, les femmes sont plus à risque jusqu'à 45 ans, mais la tendance s'inverse après 50 ans.

Risque d'invalidité

Âge	Probabilité d'invalidité avant 65 ans
20 ans	31 %
25 ans	30 %
30 ans	29 %
35 ans	28 %
40 ans	28 %
45 ans	27 %
50 ans	25 %
55 ans	22 %
60 ans	16 %

Source : Réseau Proteck / Table d'invalidité

Régimes

L'ajout d'une protection individuelle ou le remplacement du plan collectif par un régime individuel constituerait donc pour plusieurs un bon moyen d'acquérir la certitude d'avoir en main une protection garantie que ni l'assureur ni l'employeur ne pourraient annuler dans le cas d'un changement désavantageux d'emploi ou de situation financière. Face au désengagement de l'État jumelé à la précarité du marché du travail, de plus en plus de gens prennent une assurance-maladie incluant l'assurance-invalidité. Celle-ci permet à son détenteur d'assurer son potentiel de gains jusqu'à 65 ans. Ce segment du marché se développe de plus en plus.

Il est possible d'avoir accès à un *régime collectif* par le biais d'une entreprise, d'un groupe professionnel. Sinon certains assureurs se chargent de regrouper les assurés. Même si le régime est moins souple, il a le mérite de vous offrir une couverture individualisée à l'intérieur d'un groupe. Certains *plans individuels* d'assurance-invalidité offrent de meilleures garanties : ils peuvent être non résiliables, avec ou sans prime garantie, à condition que vous exerciez une profession à faible ou à moyen risque. Un consultant en informatique, qui a un faible risque d'invalidité et un désir élevé de reprendre le travail, trouvera plus facilement une meilleure protection qu'un chauffeur de camion qui, en raison des maux de dos chroniques qui touchent sa catégorie de travailleurs, devra se contenter d'une police individuelle avec une protection moins étendue.

En général, le *coût d'une police* varie selon qu'elle comporte plus ou moins de garanties. Le coût varie également en fonction des critères habituels : sexe de l'assuré ; fumeur ou non-fumeur ; bilan de santé, etc. Il faut compter environ 1 000 $ par année pour une police individuelle offrant une bonne protection.

Dans le cas d'un travailleur autonome poursuivant une partie de ses activités pour assurer la survie de son entreprise en dépit de son invalidité, la notion d'*invalidité partielle* est très importante. Par exemple, si un journaliste à la pige se casse une jambe, il peut continuer à faire de la recherche, mais il pourrait difficilement partir en reportage à l'étranger ; ce qui constitue une perte non remboursable si son assurance ne comporte pas de clause concernant l'invalidité partielle liée au revenu. En plus de son salaire, le travailleur autonome ou le propriétaire d'une PME peut aussi souscrire un contrat d'assurance appelé « frais généraux d'entreprise ». Ce contrat assure le maintien des activités et le remboursement de frais que l'assuré engage au cours de son invalidité totale ou partielle. La liste complète des frais généralement couverts par ce type de contrat serait fastidieuse, mais on y retrouve entre autres : les assurances de biens, les abonnements professionnels, les cotisations professionnelles, les taxes professionnelles, la rémunération du personnel, les avantages sociaux, les charges sociales, l'assurance-responsabilité professionnelle, les fournitures de bureau, les contrats d'entretien, l'équipement en location, les frais bancaires, les frais de gestion, le loyer...

Certains courtiers vont également vous suggérer d'avoir un double régime d'assurance-invalidité : un plan de courte durée dans un régime collectif et un plan de longue durée à titre individuel. En dissociant vos risques, vous pouvez ainsi profiter de la souplesse des arrangements à court terme et aussi de la protection à long terme. Assurance-vie Desjardins-Laurentienne propose une nouvelle formule d'assurance-invalidité : avec l'*assurance-budget*, on vous propose une prime (moins chère) qui est déterminée en fonction de l'âge et de la protection et non en fonction de la profession. La rente maximum sera par exemple de 1 500 $ par mois pour un maximum de 12 mois. La compagnie d'assurances Aetna Canada propose quant à elle une solution novatrice et proactive en matière de substitution de revenu. Elle redéfinit la façon d'aborder la protection de l'avenir financier de ses clients en leur apportant une aide tangible ayant pour but de les aider à conserver leur santé. Par exemple, les titulaires ont accès à des renseignements médicaux sûrs et accessibles ayant trait à la prévention des troubles de santé et à la façon de les reconnaître. Cette source d'information leur permet d'entreprendre des traitements à domicile ou de reconnaître, par le biais du dépistage précoce, le moment propice pour avoir recours à des services professionnels. Au moment de l'acceptation de l'assurance-invalidité, la compagnie fait un geste à la fois étonnant et original en remettant à son nouveau client un *Guide des soins personnels* qui contient les renseignements les plus récents sur la façon de reconnaître les 180 troubles de santé les plus courants. En faisant de la prévention, Aetna Canada atteint deux objectifs : dans un premier temps, elle réalise des économies ; de plus, elle aide ses clients, dans certains cas, à réduire de façon importante certaines invalidités ainsi que leur durée.

Assurance-habitation

Introduction

Comme c'est le cas pour 99 % de la population, on achète de l'assurance-habitation les yeux fermés. Pourquoi ? Parce qu'en assurant ses biens et sa maison on croit que toutes les caractéristiques du service qu'on achète sont contenues dans un contrat qui prévoit tout. Une assurance constitue une dépense importante dans un budget. Nos biens, tout ce que nous possédons, sont mis en cause. Malgré tout, cette dépense est souvent faite sans discernement. Il est certain que vous avez plus de biens que vous ne le réalisez. C'est quand arrive un sinistre, un feu ou un vol, par exemple, que l'on comprend à quel point il est difficile et coûteux de remplacer ses biens. Faites-en la liste, vous verrez. Cet inventaire de tous vos biens vous permettra de connaître la valeur réelle de vos possessions et, par la suite, de déterminer plus facilement le montant de garantie que vous devriez acheter afin d'être suffisamment protégé.

Si l'assurance-habitation se veut une protection pour vos biens et pour les dommages que vous pourriez causer à autrui, elle n'est pas un contrat d'entretien et elle ne sert pas à remplacer des biens usés ou que vous auriez endommagés. Comme pour l'assurance-vie, répondez en toute franchise aux questions qui vous seront posées à l'occasion de l'achat de votre contrat d'assurance-habitation. Une fois que la police sera en vigueur, il est très important d'informer votre assureur ou votre courtier si vous apportez des changements importants à votre résidence, que ce soit l'ajout d'une ou de plusieurs pièces, l'installation d'un poêle à bois, l'utilisation du lieu à des fins commerciales... Le faire est particulièrement important si vous avez acheté la garantie valeur à neuf. De fausses déclarations pourraient invalider votre contrat d'assurance. Tous les contrats d'assurance-habitation sont structurés à peu près de la même manière; ce sont la nature et l'étendue des protections que vous choisissez qui font varier les contrats, que vous soyez propriétaire, copropriétaire ou locataire.

Contrats

Vous constaterez que la majorité des contrats d'assurance-habitation, comportent cinq sections:
- conditions particulières;
- assurance de vos biens;
- assurance de vos responsabilités;
- garanties supplémentaires;
- garanties facultatives.

Les *conditions particulières*, en début de contrat, réunissent des informations sur le nom de l'assuré, l'adresse des lieux assurés, ainsi qu'un sommaire des garanties et des montants de protection choisis. Les personnes assurées sont les membres de la famille, les personnes de moins de 21 ans dont vous avez la garde, ainsi que tout étudiant à la charge de l'assuré ou de son conjoint. Quant au lieu assuré, il se limite au terrain sur lequel est érigée votre habitation ou au terrain de l'immeuble où est situé votre appartement.

L'*assurance de vos biens* assure, elle, votre maison, ses dépendances et vos biens meubles contre le feu, les tornades, les vols, etc.

La section assurance de vos responsabilités vous protège contre les poursuites qui pourraient être intentées contre vous à la suite de blessures non intentionnelles que vous pourriez causer aux autres ou aux dommages accidentels à leurs biens (le postier fait une chute dans l'escalier en glissant sur une marche glacée).

Les garanties supplémentaires couvrent vos employés occasionnels en cas d'accident survenu dans l'exercice de leurs fonctions et qui leur cause des dommages corporels (la femme de ménage qui fait une chute en nettoyant les fenêtres).

Les *garanties facultatives*, comme leur nom l'indique, sont optionnelles. Elles peuvent regrouper diverses garanties (avenants). Ce sont des protections additionnelles qui s'ajoutent à votre contrat de base pour couvrir expressément certains risques et certains biens. C'est le cas de la valeur à neuf et du refoulement d'égouts, par exemple.

Types de protection

Comme c'est le cas pour l'assurance-vie, vos choix en matière d'assurance-habitation doivent être faits en fonction de vos besoins de protection et de votre budget. Pensez d'abord à la protection avant de penser à la prime. Pour vous faire une meilleure idée du type de protection dont vous avez besoin, faites un inventaire de vos biens (et conservez les reçus ou les preuves d'achat en lieu sûr, en dehors de la maison).

Avec cela, vous aurez le loisir de choisir la formule qui vous convient parmi celles offertes par les assureurs. La *formule de base* vous permettra d'assurer vos biens et vos responsabilités pour un nombre limité de risques. La *formule étendue*, qui s'applique au bâtiment, couvre tous les risques, sauf évidemment ceux qui sont expressément exclus ; la deuxième couvre le contenu du bâtiment contre un nombre limité de risques. Quant à la *formule tous risques « sauf »*, elle couvre bien sûr tous les risques, sauf ceux qui sont expressément exclus.

Dans l'assurance-habitation, deux choix sont possibles dans la détermination du mode de règlement des dommages que vous pourriez subir. Avec l'assurance *valeur à neuf,* vous serez indemnisé de façon à pouvoir remplacer les biens endommagés ou volés par des biens neufs sans devoir y appliquer une dépréciation. Avec l'assurance *valeur au jour du sinistre*, l'assureur tiendra compte des années de possession et d'usure des biens endommagés ou volés. Vous recevrez alors un montant correspondant au coût de remplacement, moins le montant alloué à la dépréciation. Vous pouvez aussi faire des choix à la carte et personnaliser votre contrat en ajoutant des garanties spécifiques par voie d'avenants.

Comme il existe plus d'une centaine de compagnies d'assurances au Canada, il faut magasiner pour trouver le meilleur rapport coût-rentabilité. La *prime* que l'assureur vous proposera sera le reflet de la concurrence qu'il a choisi d'exercer dans le marché, mais ce n'est pas tout. Si vous êtes propriétaire d'une maison, l'assureur, en fixant le montant votre prime, tiendra compte également de la nature du bâtiment, de son âge, de ses dimensions, des matériaux ainsi que du système de chauffage, tout cela pour mieux évaluer le risque que vous représentez. Par exemple, si vous habitez loin des grands centres, que vous utilisez un poêle à combustion lente, qu'il n'y a pas de borne-fontaine à proximité ni d'équipement de lutte contre les incendies dans votre municipalité, le risque encouru s'en trouve augmenté. Si, en plus, vous avez effectué plusieurs demandes de règlement au cours des dernières années, votre prime sera le reflet du risque certain que vous représentez.

Par ailleurs, il est possible de mieux *contrôler sa prime*. Vous pouvez augmenter le montant de votre franchise, qui représente le montant restant à votre charge, alors que l'assureur, lui, couvre l'excédent des dommages. Comme la franchise minimum est généralement de 200 $, portez-la à 500 $ si vous le pouvez. Vous verrez l'impact que cela peut avoir sur votre prime. Un autre moyen pour diminuer votre prime consiste à vous doter d'un système d'alarme contre le vol et l'incendie.

Déménagement et biens meubles

À l'occasion d'un déménagement, les biens meubles sont couverts jusqu'à 10 % du montant d'assurance que vous avez souscrit pour eux. Si vous effectuez votre propre déménagement, communiquez avec votre assureur ou votre courtier pour obtenir une protection complète. Si vous avez mandaté une entreprise de déménagement, il serait prudent de vous informer des garanties qu'elle offre.

Couverture des animaux

Selon le type de contrat que vous avez, les animaux sont couverts jusqu'à concurrence de 1 000 $ ou de 2 000 $. Deux exclusions : le vol d'animaux et le fait qu'ils soient blessés ou tués par un véhicule.

Renouvellement

L'assureur ou le courtier vous avise 30 jours à l'avance du renouvellement de votre contrat. La prime est due à la date d'entrée en vigueur du nouveau contrat et devrait être payée à ce moment-là ou selon les ententes que vous avez prises avec votre assureur ou votre courtier.

Résiliation

L'assuré et l'assureur peuvent résilier le contrat d'assurance qui les lie, moyennant un avis écrit. Cet avis prend effet dès réception s'il est envoyé par l'assuré, et 15 jours après réception s'il est envoyé par l'assureur. L'assuré a droit au remboursement de la partie de sa prime correspondant à la période où l'assurance ne sera pas en vigueur.

Refoulement d'égouts et inondations

Le refoulement d'égouts et les inondations ne sont pas couverts, mais la couverture de ces inconvénients est désormais possible par voie d'avenant.

Le nouvel avenant « refoulement des égouts » couvre les dommages causés au bâtiment d'habitation et aux biens meubles par
- une fuite ;
- un refoulement ;
- ou un débordement d'eau

des mêmes installations que celles décrites au contrat, soit les égouts, puisards, fosses septiques, gouttières, tuyaux de descente pluviale ou colonne pluviale, fosses de retenue, bassin de captation et drain français.

Tremblement de terre

Les assureurs entendent maintenant par tremblement de terre les mouvements de sol, notamment les avalanches, les éboulements et les glissements de terrain, les éruptions volcaniques, les raz de marée qui découlent directement d'un tremblement de terre.

L'avenant « tremblement de terre » couvre
- les dommages directs résultant du choc sismique ; et
- les dommages indirects d'incendie, d'explosion et de fumée.

Enfin, tous les dommages qui surviennent au cours des 72 heures consécutives à la première onde de choc sont considérés comme un seul et même sinistre.

Gel des installations sanitaires

Le gel des installations sanitaires est couvert, mais à l'intérieur du bâtiment seulement. Toutefois, cette protection est suspendue si vous êtes absent de votre résidence plus de 96 heures pendant la saison habituelle de chauffage. Vous demeurez assuré si vous avez demandé à une personne compétente de venir chez vous quotidiennement pour s'assurer que le chauffage fonctionne, ou encore si vous avez coupé l'eau et vidangé toutes les installations.

Équipement de commerce à domicile

Les livres, les outils et les instruments reliés aux activités professionnelles sur les lieux sont couverts jusqu'à concurrence de 1 000 $ pour l'ensemble de ces biens. Ces biens devraient faire l'objet d'un contrat séparé, car le but de l'assurance-habitation n'est pas de couvrir les biens d'un commerce que vous pourriez exploiter à domicile.

Ordinateurs, imprimantes, modems, photocopieurs

Ces pièces d'équipement sont couvertes dans la mesure où elles sont affectées à un usage domestique. Les logiciels sont cependant soumis à un plafond qui varie de 500 $ à 1 000 $.

Exclusions des dégâts d'eau

Les exclusions des dégâts d'eau comprennent :
– les dommages dus aux **inondations** : et on entend par inondation tout débordement de cours d'eau, de masse d'eau et d'étendue d'eau, naturelle ou artificielle ;
– les dommages résultant de **la pénétration et de l'infiltration d'eau**, à moins qu'ils ne soient la conséquence directe et immédiate d'un sinistre couvert.

Les termes **fosses de retenue** et **bassin de captation** ont été ajoutés à la définition des **installations faisant partie du réseau d'égout**.

Si l'eau atteint les lieux assurés, les dommages sont attribuables, soit à l'inondation, soit à l'infiltration ou à la pénétration d'eau par les ouvertures de l'habitation, et **ne sont pas couverts**.

Piscines extérieures

Au cours des dernières années, le règlement des sinistres reliés aux dommages causés aux piscines s'est avéré problématique.

Dans le cas des bris constatés par l'affaissement des structures et l'éventrement des toiles, les bris étaient-ils dus à l'action du gel et du dégel (un risque non couvert), ou à l'effondrement en raison du poids de la neige (un risque couvert) ?

Il n'est pas toujours facile de déterminer la cause réelle des dommages. Résultat ? Le règlement de ce type de sinistre a posé des difficultés et a démontré, dans bien des cas, que les dommages étaient davantage dus à l'âge de la piscine, à l'usure, de même qu'à l'installation et à l'entretien qui en avaient été faits.

Les garanties accordées en vertu de l'avenant sont les mêmes que celles qui protègent le bâtiment, soit un risque spécifié ou tous risques.

Deux exclusions spécifiques :
– les dommages causés par les débordements, les fuites d'eau ou le gel ;
– les dommages dus à l'effondrement par le poids de la neige ou de la glace.

Ce qu'il faut retenir, c'est que la garantie pour les piscines et leur équipement est maintenant offerte par avenant. Ainsi, le contrat d'assurance ne vise pas à indemniser l'assuré pour l'usure normale de sa piscine et on entend par équipement fixe tout ce qui est attaché à la piscine, c'est-à-dire moteur, filtre, chauffe-eau, échelle et patio de piscine.

Assurance-voyage

Pour votre sécurité personnelle

Quelle que soit la destination que vous choisissez, procurez-vous une assurance-voyage, car une semaine d'hospitalisation aux États-Unis, en Grande-Bretagne, en Italie, en France ou au Japon pourrait vous coûter très cher et grever votre budget pour un bon moment... N'oubliez jamais que si vous avez recours à des soins d'urgence en dehors du Canada, la Régie de l'assurance-maladie du Québec (RAMQ) ne vous remboursera que le montant qu'il lui en coûterait ici pour un service équivalent. Pour avoir droit aux services de santé assurés, vous devez :
- résider en permanence au Québec ;
- avoir une carte d'assurance-maladie (valide) ;
- être absent pour un total de moins de 182 jours.

Un Québécois qui poursuit ses études à l'étranger, à temps complet et pour une durée de moins de 4 ans, est couvert par la RAMQ, qui assumera la totalité des frais d'hospitalisation pour une urgence et 75 % des frais d'hospitalisation dans les autres cas. Cela vaut également pour un Québécois qui séjourne à l'étranger pour plus de 182 jours, par exemple dans le cadre d'un programme de coopération internationale.

Il se peut que vous soyez couvert par une assurance de groupe fournie par votre entreprise, par une association ou par votre syndicat. Informez-vous, ça vaut la peine... Dans la négative, n'hésitez pas à prendre une précaution élémentaire que vous ne regretterez pas et souscrivez une assurance-maladie complémentaire et une assurance-voyage si vous sortez du Canada.

Tous les assureurs vont vous offrir une protection en cas :
- d'annulation ou d'interruption de voyage ;
- de perte de bagages ;
- de décès ou de mutilation accidentelle ;
- de recours à des soins médicaux, paramédicaux ou hospitaliers ;
- de besoin d'assistance.

Quand vous prenez cette assurance, dites la vérité. Ne cachez rien sur votre âge ou une maladie quelconque, de même que sur la durée de votre séjour à l'étranger. L'assureur se doit de faire une enquête. S'il découvre que vous avez faussé votre déclaration, il se sentira libéré de ses obligations… Alors, soyez transparent, ce qui ne vous empêche pas d'être vigilant et de bien comprendre les clauses de votre contrat. Il faut vous doter d'une assurance préservant votre tranquillité d'esprit.

Vous remercierez le ciel d'avoir cette assurance d'appoint s'il vous arrive quelque chose aux États-Unis où, ne serait-ce que pour une semaine d'hospitalisation, vous accumulerez une facture dépassant aisément 13 000 $ à 15 000 $ US.

Quand vous avez besoin de soins et d'assistance, que vous êtes à l'étranger loin de vos proches et que quelqu'un vous répond dans votre langue, vous rassure, vous indique le centre hospitalier le plus proche, vous suggère un médecin compétent à qui on transmet votre dossier et s'occupe de votre rapatriement éventuel… n'est-ce pas rassurant? Évidemment, dans les produits que les compagnies d'assurances vont vous offrir, il y a des *limitations*, des *restrictions*: l'âge de l'assuré, la durée du voyage, les maladies antérieures. On refusera de vous assurer si vous allez en zone de guerre ou d'insurrection, si vous avez fait des tentatives de suicide ou de mutilation, ou encore si vous comptez vous adonner à la pratique d'un sport jugé dangereux.

N'oubliez pas votre maison qui est derrière

Quand vous partez en vacances pour quelques semaines, assurez-vous qu'un voleur recherchant un domicile inoccupé, ne puisse deviner facilement votre absence.

À l'extérieur de la maison, faites en sorte que:
- le voisin stationne sa voiture dans votre allée à quelques reprises;
- vos entrées soient bien éclairées;
- la livraison de votre quotidien soit interrompue;
- le courrier soit ramassé;
- le gazon soit coupé et, au besoin, arrosé.

À l'intérieur, il serait sage
- de laisser des lumières allumées grâce à une minuterie;
- d'orienter vos stores pour qu'on ne voie pas au travers;
- de ranger les objets précieux dans un coffret de sûreté.

Vous mettrez ainsi toutes les chances de votre côté et éviterez les surprises désagréables à votre retour. Ces précautions ne coûtent pas cher et sont efficaces. Et elles ne font pas augmenter votre prime d'assurance.

Et les douanes, quelques conseils pratiques

Au départ

Avant de sortir du pays, présentez-vous aux douanes pour enregistrer vos appareils photos et vos objets de valeur. On vous remettra une petite carte, sur laquelle vous inscrirez le numéro de série des appareils que vous déclarez et sur laquelle le douanier apposera un tampon prouvant que les appareils en question sont canadiens. Si, à partir de l'étranger, vous envoyez des cadeaux au Canada, leur valeur unitaire maximale ne doit pas dépasser 60 $; sinon, le destinataire devra payer les droits habituels. En aucun cas il ne peut s'agir d'alcool, de produits du tabac ou de matériel publicitaire. Bien sûr, à votre retour, vous ne comptez pas ces cadeaux dans le calcul du montant de votre exemption personnelle.

Exemptions

Si vous avez été absent du Canada pendant *24 heures ou plus*, vous pouvez déclarer des marchandises d'une valeur globale de 50 $ (excluant les produits du tabac et les boissons alcooliques). Si la valeur totale des marchandises que vous rapportez dépasse 50 $, vous ne pouvez pas demander cette exemption. Vous devrez alors payer les droits sur leur valeur intégrale. Après une absence de *48 heures ou plus*, vous pouvez déclarer des marchandises d'une valeur globale de 200 $, (incluant les produits du tabac et les boissons alcooliques). Après une absence de *7 jours ou plus*, vous pouvez déclarer des marchandises d'une valeur globale de 750 $ (incluant les produits du tabac et les boissons alcooliques). Rappelez-vous que, pour toute déclaration de marchandises, vous pourriez être tenu de faire une déclaration écrite.

Pour calculer le nombre de jours pendant lesquels vous avez été absent, ne comptez pas la date de votre départ du Canada, mais incluez celle de votre retour. C'est la date qui compte, et non l'heure. Par exemple, on considérera que vous avez été absent pendant sept jours si vous êtes parti le dimanche 10 et êtes revenu le dimanche 17.

Pour ce qui est de l'alcool, vous pourrez inclure un maximum de 1,5 litre de vin ou de spiritueux dans votre exemption. Si vous rapportez une quantité supérieure à ce qui est autorisé, vous devrez payer les droits de douane ainsi que les taxes et prélèvements provinciaux et territoriaux.

Un petit conseil

Dans la mesure du possible, essayez de conserver vos preuves d'achat, vos reçus de transport et de séjour (surtout pour les retours aux postes-frontières routiers).

Ne faites surtout pas une fausse déclaration, car la douane peut saisir toutes vos marchandises et vous pourriez les perdre définitivement ou devoir verser une somme d'argent pour les récupérer. Selon le genre de marchandises et les circonstances de la saisie, la douane peut vous imposer une pénalité se situant entre 25 % et 80 % de la valeur des marchandises. De plus, pour ceux qui voyagent en voiture, la loi permet au douanier de saisir tout véhicule ayant servi à l'importation illégale de marchandises. Dans un tel cas, vous devrez verser une pénalité avant de pouvoir récupérer votre véhicule. Grâce aux progrès de l'informatique, la douane tient un relevé des infractions qui peut influer sur l'inspection douanière, ce qui fait que les voyageurs ayant déjà commis des infractions peuvent être soumis à un examen plus détaillé.

Chapitre 11
Planifier
sa succession

Introduction

En plus de l'épargne et des placements en vue de vous constituer un bon capital de retraite, il faut aussi que vous pensiez à planifier votre succession. Il s'agit de faire des démarches pour organiser vos finances personnelles afin de faire face à vos obligations advenant votre décès ou la perte de vos capacités mentales. Personne n'aime penser à ces événements malheureux, mais une bonne planification successorale permet de réduire les soucis auxquels sont confrontés les membres de la famille dans ces circonstances. Si vous préparez bien votre plan successoral, vous aurez alors l'assurance que vos affaires seront réglées selon vos volontés et que les besoins de votre famille seront comblés. Vous devez, par exemple, vous assurer que vous aurez suffisamment d'argent comptant pour couvrir les dépenses de vos funérailles, qui coûtent entre 3 500 $ et 7 500 $, de même que les frais d'homologation que le gouvernement provincial réclame pour attester la validité d'un testament. Vous devrez également avoir suffisamment d'argent pour régler d'autres dépenses personnelles comme vos prêts, vos impôts, vos factures, votre loyer ou vos versements hypothécaires. Si vous laissez des personnes à charge derrière vous, il devient encore plus crucial d'avoir l'argent nécessaire pour payer leurs dépenses courantes comme l'épicerie. Une bon plan successoral comprend la signature d'une *procuration ou d'un mandat*, l'établissement d'un *testament*, la *planification fiscale* et l'achat *d'assurance-vie*. Nous allons aborder ces quatre thèmes dans les prochaines pages. Mais il est bien évident qu'en si peu d'espace, nous allons effleurer ces thèmes et non vraiment les approfondir. Nous vous suggérons donc de consulter un spécialiste dans chacun des domaines précités, à savoir un notaire pour le testament et le mandat, un conseiller financier pour la planification fiscale et un courtier d'assurance pour faire

le point à ce sujet. Les personnes qui représentent ces professions connaissent bien la planification successorale pour discuter avec vous de toutes ces questions.

Mandat (ou procuration)

La perspective de perdre la capacité de décider pour soi-même n'est guère réjouissante pour personne. Pourtant, nul n'est à l'abri d'un accident grave ou d'une maladie pouvant le priver de l'usage de ses facultés mentales. Quand on est autonome, lucide et en bonne santé, qu'on voit à ses affaires soi-même, il est douloureux d'imaginer qu'un jour on puisse devenir incapable de poser ces gestes routiniers. Si un tel malheur vous frappait,
* qui s'occuperait de votre personne et de vos biens?
* qui compléterait votre chèque de loyer?
* qui ferait vos courses?
* qui prendrait vos rendez-vous chez le médecin ou le dentiste?
L'État a déjà tout prévu...

Règle générale, c'est le tribunal qui décide de la personne à qui sera confiée la protection du bien-être moral et matériel d'une personne devenue inapte. Le conseil de tutelle, c'est-à-dire l'assemblée formée de parents et parfois d'amis, recommande, après discussion, la désignation de telle ou telle autre personne. Le tribunal n'est toutefois pas obligé de suivre cette recommandation. Le tribunal détermine également la nature du régime de protection approprié...

Est-ce une solution qui vous agrée? Vous ne savez pas à qui le tribunal confiera la tâche de vous assister ou de vous représenter?

N'aimeriez-vous pas mieux en décider vous-même?

C'est possible et c'est prévu par la loi. En effet, la loi permet à une personne saine d'esprit (le mandant) de désigner, dans un document appelé mandat, celui ou celle qui veillera à son bien-être et à l'administration de ses biens dans le cas où elle deviendrait inapte à le faire elle-même. On appelle cette personne de confiance un mandataire.

Pendant longtemps, la loi n'autorisait pas le droit de choisir personnellement quelqu'un qui s'occuperait de vous si vous aviez un accident ou si une maladie vous rendait inapte. Depuis 1990, la nouvelle loi vous permet, quoi qu'il arrive, d'éviter bien des tracas à vos proches et de vous rassurer sur votre propre avenir.

Comment fait-on?

Pour assurer sa pleine efficacité, le mandat doit être le plus complet et précis possible, donner des pouvoirs étendus au mandataire et prévoir son remplacement. Si on le désire, on peut même choisir un mandataire chargé du bien-être de sa personne et un autre pour s'occuper de ses biens, lorsque la complexité de ses affaires le justifie. On peut aussi y inclure certaines dispositions pour s'assurer une mort douce et naturelle, pour prévoir le don d'organes, etc.

Le mandat peut être fait sous seing privé. Il s'agit ensuite de désigner sur papier une personne qui agira en votre nom. Vous précisez ensuite les droits que vous voulez conférer à cette personne. Daté, signé de votre main et contresigné par deux (2) témoins, qui peuvent être deux membres de la famille, mais qui n'ont pas intérêt au contenu du mandat, excluant le mandataire lui-même, ce document devient votre mandat. Si jamais vous devenez inapte, le mandataire devra se présenter devant la cour avec le mandat pour une évaluation de votre état de santé dûment signée par un spécialiste de la santé. Dès que le mandat sera authentifié pas la cour, celui-ci deviendra exécutoire.

Mais s'il est fait devant notaire, la forme notariée permet au mandant d'obtenir d'un professionnel du droit toute l'information et les conseils concernant le geste qu'il entend poser : son utilité, ses conséquences, les formalités de son entrée en vigueur, etc. Et le mandat notarié assure une plus grande sécurité puisqu'il est difficilement contestable. Le notaire pourra en outre témoigner que le signataire a bel et bien compris le sens et la portée du mandat qu'il a signé alors qu'il était en pleine possession de ses moyens. Une fois votre mandat signé chez le notaire, celui-ci en fera l'inscription au Registre des mandats tenu par la Chambre des notaires. Pour une meilleure protection des documents, les notaires du Québec se sont dotés d'un système centralisé d'inscription pour vous assurer qu'on retrouvera facilement votre mandat. Ce registre facilite la découverte de tout mandat notarié ; il permet d'identifier votre dernier mandat notarié ; et il élimine le risque que le mandat soit ignoré ou retracé tardivement en cas d'inaptitude.

Vous pouvez aussi changer d'idée
La personne choisie alors qu'on était jeune adulte n'a peut-être plus la même importance lorsqu'on a atteint l'âge mûr. Qu'importe ! Sain d'esprit, on peut toujours et en tout temps révoquer un mandat et désigner un nouveau mandataire.

L'exécution du mandat
Si vous devenez inapte, votre mandataire devra demander au tribunal que le mandat entre en vigueur. Il s'agit de faire la preuve de votre inaptitude au moyen d'une évaluation médicale et psychosociale et d'établir que vous avez valablement consenti à ce mandat.

Dès que le mandat est homologué par le tribunal, le mandataire devient votre protecteur et votre représentant légal.

Le mandataire a des devoirs et des responsabilités importantes.

Il pourrait donner son *consentement aux soins de santé* qui doivent vous être prodigués : par exemple, il aura à accepter ou à refuser

- qu'on vous administre un traitement
- qu'on procède à telle intervention chirurgicale, etc.

Il devra également *administrer vos biens* :

- faire vos placements
- payer vos comptes
- percevoir vos revenus
- faire vos déclarations de revenus, etc.

Il veillera également à votre *bien-être physique :*

- acheter vos vêtements
- assurer votre divertissement, etc.

Le mandataire ne peut pas démissionner sans s'être assuré de son remplacement et il doit rendre compte de sa gestion.

Avec les nouveaux modes de vie, l'avènement des familles reconstituées, l'espérance de vie prolongée, l'éloignement des membres de la famille sont autant de facteurs qui militent en faveur de la désignation à l'avance d'un mandataire.

Mandat en cas d'inaptitude

Je, soussigné, ... advenant mon inaptitude,

confie à .... le mandat de :

- Administrer tous mes biens
- Assurer mon bien-être moral et matériel
- Prendre toutes les décisions en ce qui concerne les soins exigés par mon état de santé, en tenant compte de mon refus d'être éventuellement maintenu en vie par des moyens artificiels.
- Exiger que soit administré tout médicament susceptible de diminuer mes souffrances, même si cela devait hâter le moment de ma mort.

En cas de démission, refus, décès ou révocation de mon mandataire principal, je nomme ....
pour le remplacer dans l'exécution du présent mandat.

Le présent mandat révoque tout mandat fait antérieurement.

Et j'ai signé ....

Déclaration des témoins
Nous, soussignés

.... et ....

déclarons avoir assisté à la signature de ....
et avoir constaté sa lucidité et son aptitude à agir.
En foi de quoi nous avons signé en sa présence

À ...., ce ....
                (lieu)   (date)
Signature des deux témoins

.... et ....

Testament

Un testament constitue un élément important de tout plan successoral. Si vous croyez qu'un testament ne concerne que les personnes âgées, vous avez tort. Au fond, le testament est en quelque
sorte le seul outil qui nous permet de croire que lorsque nous ne
serons plus là, nos biens seront distribués selon notre volonté. Si
vous ne le faites pas, vous aurez beau souhaiter léguer tel ou tel
bien à telle ou telle personne, lui promettre même, ce n'est pas vous
qui déciderez ni la personne en cause. Donc, si vous décédez sans
laisser de testament, vous n'aurez aucun droit sur la distribution de
vos biens... C'est le Code civil qui va prendre la relève et décider de
tout... La distribution des biens se fera entre les survivants de la
ligne directe uniquement. C'est à dire:
  • dans la ligne descendante: les enfants, les petits-enfants,
    jusqu'au huitième degré;
  • dans la ligne ascendante: le père, la mère, les grands-parents,
    etc;
  • ou collatérale: les frères et sœurs, les neveux et nièces, les
    cousins et cousines, etc.
Le conjoint légalement marié s'ajoute à cette liste. Mais la loi
ne prévoit rien pour les autres parents qu'ils soient beau-frère, bru,
gendre, etc. *Et la loi ignore le conjoint de fait, même s'il a vécu des
années avec la personne qui vient de mourir.* Ce qui est un peu
curieux puisque:
  • les régimes à caractère social reconnaissent le conjoint de fait
    après trois ans de vie commune
  • le fisc reconnaît le conjoint de fait après un an de vie com-
    mune.

Mais nulle part, le Code civil ne reconnaît les conjoints de fait comme des personnes mariées, peu importe le nombre d'années de vie commune. *Pour qu'un conjoint de fait hérite, il faut qu'il soit nommé au testament.*

Dès lors, si vous voulez que vos biens soient distribués conformément à certaines dispositions, mettez-les sur papier.

Un testament constitue un document juridique précis dans lequel sont énoncées vos volontés quant à la distribution de votre succession.

Il existe trois formes de testament :

– *le testament olographe*	écrit entièrement de la main du testateur et signé par lui ;
– *le testament devant témoins*	celui pour lequel vous avez recours à un avocat ;
– *le testament notarié*	celui que vous faites devant notaire.

Bien que vous puissiez le rédiger vous-même, vous devriez le préparer de concert avec un notaire, car la rédaction d'un testament exige le respect de certaines règles juridiques. À défaut de répondre à ces exigences, votre testament pourrait être déclaré nul. De plus, un notaire spécialisé dans la planification successorale sera en mesure de vous fournir d'autres conseils à l'égard de votre plan successoral.

Et si vous comptez sauver de l'argent en faisant un testament olographe ou devant témoins, vous vous trompez et vous refilez la note à vos héritiers, puisqu'ils devront de toute façon assumer :

– la vérification d'un testament par la cour   63 $
– et les frais d'honoraires professionnels   300 $
Le testament fait devant notaire, lui, coûte environ   150 $

Avant de vous rendre chez le notaire, il serait bon de faire l'exercice suivant et de suivre les conseils prodigués dans le guide *Vous et les successions*, qui a été rédigé par un groupe de notaires et d'avocats.

Faites la liste

– de tous vos biens immobiliers (valeur)
– de tous vos biens meubles (valeur)
– de vos comptes d'épargne (numéros de compte/ institutions)
– de vos dettes
– de vos polices d'assurance
– de vos REER
– des personnes que vous voulez avantager
– des biens que vous voulez léguer à telle ou telle personne
– des organismes que vous voulez avantager.

Indiquez le numéro de votre coffret de sûreté et son contenu.

Vérifiez votre régime matrimonial.

Vérifiez le nom des bénéficiaires de vos polices d'assurance.

Vérifiez le nom des bénéficiaires de vos REER.

Informez-vous des conséquences fiscales de votre décès.

Si vous avez de jeunes enfants, il peut être avantageux de prévoir une clause de renonciation sélective, qui s'applique aux biens transmis à votre conjoint. Cette clause lui permet temporairement de renoncer à certains biens ou à certaines sommes pour que ce soient les enfants qui puissent bénéficier des intérêts. Ces intérêts seraient donc imposés aux enfants et conséquemment cela diminuerait le fardeau fiscal du conjoint survivant. Et lorsque les enfants ne seront plus à sa charge, votre conjoint reprendra possession des biens jusque-là gardés en fiducie, si cette volonté est dictée dans votre testament. Vous pouvez nommer votre conjoint comme fiduciaire pour vos enfants ou aller carrément dans une fiducie.

Prenez tout le temps nécessaire pour préparer votre testament. Il s'agit d'un des plus importants documents que vous aurez à signer. Soyez également prêt à le modifier et à le réviser, particulièrement si vous changez d'état matrimonial. Peu importe que vous ayez établi votre testament voilà 10 ans, 5 ans ou même 2 ans, il ne reflète peut-être plus aujourd'hui vos volontés ou votre situation financière. Vous devez aussi nommer un exécuteur (la personne nommée dans votre testament en vue de son administration) qui sera chargé d'exécuter vos dernières volontés, de s'occuper de vos déclarations de revenus, de protéger vos biens et de payer les dépenses. Vous devriez discuter avec votre notaire du choix d'un exécuteur et de sa rémunération. Certaines personnes choisissent leur conjoint, un autre membre de la famille ou un ami. D'autres optent pour une société de fiducie, car elles ont l'expertise et l'impartialité requises pour accomplir les tâches d'un exécuteur tout en réduisant au minimum la note d'impôt. Vous pouvez également nommer des coexécuteurs ; par exemple, un membre de la famille et une société de fiducie peuvent travailler ensemble. Quoi qu'il en soit, sachez que plus vous exprimerez vos désirs clairement, plus il sera facile de le réaliser. Assurez-vous aussi que vos affaires financières sont en bon ordre et que vos dossiers sont à jour. C'est important que votre exécuteur sache où les trouver.

Exemple de répartition des biens

Monsieur décède.

Il n'y a pas de testament.

Il n'y a pas de clause testamentaire au contrat de mariage.

Voyons comment cela se passe légalement.

Épouse (conjoint marié)	Enfanfs (descendants)	frères/sœurs (collatéraux)	père/mère (ascendants)
1/3	2/3	0	0
2/3	nil	0	1/3
2/3	nil	1/3	nil
2/3	nil	nil	1/3
3/3	nil	nil	nil
nil	3/3	0	0
nil	nil	1/2	1/2
nil	nil	nil	3/3
nil	nil	3/3	nil

Protéger la succession de l'impôt...

Un important changement s'est produit au Québec, car depuis 1985, il n'y a plus d'impôt à payer sur les successions. Soit. Mais vous n'êtes pas à l'abri de l'impôt pour autant. D'abord les revenus d'un contribuable gagnés l'année de son décès sont taxables. Le liquidateur doit produire une déclaration et acquitter les impôts dans les six (6) mois suivant le décès de ce contribuable. Vous aviez investi dans un REER, dans une rente ou dans un FERR : vous vouliez profiter de cet argent au moment de la retraite en l'étalant pour payer le moins d'impôt possible. Mais la mort vous a surpris. Comme c'est de l'argent qui n'a jamais été imposé, celui-ci va maintenant l'être au maximum, puisque le fisc «vous» force à tout payer d'un seul coup.

Si c'est le conjoint (légal ou de fait) qui est bénéficiaire, le REER, la rente ou le FERR sont exempts d'impôt s'ils sont transférés directement. S'il y a un retrait, le bénéficiaire va payer de l'impôt.

Si c'est un enfant ou un petit-enfant financièrement à charge qui est bénéficiaire, il sera imposé, l'année même du décès, sur la totalité des sommes qui sont contenues dans le REER et la rente.

Mais si l'enfant ou le petit-enfant a moins de 18 ans, il sera autorisé à s'acheter une rente pour étaler ses impôts sur le nombre d'années qui le sépare de ses 18 ans.

Si c'est un enfant ou un petit-enfant physiquement ou mentalement handicapé, et financièrement à charge, qui est bénéficiaire, le REER, les rentes et le FERR peuvent être transférés sans impôt au nom du bénéficiaire.

Autrement, le solde du REER, de la rente ou du FERR est désenregistré et s'ajoute au revenu imposable de la personne décédée.

Attention : Si vous êtes propriétaire d'immeubles à revenus, de terrains, de résidences secondaires, d'actions, de bijoux, d'obligations et d'œuvres d'art, l'impôt va vous traiter comme si vous aviez disposé de tous vos biens et immobilisations le jour de votre décès.

Glossaire

Abri fiscal
Programme d'épargne ou de placement qui offre des allègements fiscaux importants.

Achat sur marge
Achat d'une valeur mobilière en partie avec de l'argent emprunté.

Achat périodique par sommes fixes
Placement d'un montant fixe à intervalles réguliers pour ainsi réduire le coût moyen d'une action en achetant plus d'actions quand les prix sont bas et moins d'actions quand les prix sont plus élevés.

Acompte
Somme remise par l'acheteur avec son offre en garantie de sa bonne foi. Cette somme est généralement gardée en fiducie par l'agent immobilier ou par l'avocat ou le notaire du vendeur jusqu'à la conclusion de la vente.

Acquisition des droits aux prestations de retraite
C'est le fait, pour un participant à un régime de retraite, de satisfaire aux conditions lui donnant droit de recevoir des prestations de retraite, qu'il demeure ou non au service de son employeur. La totalité ou une partie des cotisations de l'employeur lui est alors acquise et il est assuré de bénéficier d'une rente différée ou d'une somme d'argent.

Acte de vente
Document dressé par un notaire contenant la description détaillée de la propriété et qui en constate la cession par le vendeur à l'acheteur. Ce document, ensuite enregistré, établit la preuve de propriété.

Actif
Bien qui vous appartient et qui a une valeur financière.

Action
Part d'une société qui est négociée sur le marché boursier. Ce titre représente une participation au capital social d'une société par actions. Vous devenez propriétaire d'une partie de la société visée.

Action cotée en cents
Titre spéculatif à prix peu élevé. Ces actions sont habituellement négociées pour moins d'un dollar l'action et sont souvent émises par des sociétés non prouvées.

Action de croissance
Action d'une société dont on s'attend à voir les bénéfices augmenter plus rapidement que la moyenne. On reconnaît souvent cette action par son rendement peu élevé et par son ratio cours-bénéfice très élevé. Son cours dénote que les investisseurs comptent sur sa croissance future.

Action ordinaire
Lorsque vous achetez des actions ordinaires, vous devenez l'un des pro- priétaires de la société. Si la société réalise des bénéfices, vous en obtenez une partie par le biais d'une hausse de la valeur de vos actions ou du versement de dividendes à même les bénéfices de la société, ou les deux.

Action privilégiée
Type d'action qui vous paie périodiquement une part déterminée des bénéfices de la société (dividendes). On qualifie ce type d'action de « pri- vilégiée », car elle vous accorde la priorité face aux actionnaires ordinaires, quant à la répartition des bénéfices de la société.

Action rachetable au gré de la société (ou remboursable)
Action que la société émettrice peut racheter à son gré, à un prix stipulé.

Action rachetable au gré du porteur
Action privilégiée dont le porteur a le droit de demander le remboursement à une date et à des conditions préétablies.

Actions émises
Actions du capital social d'une entreprise qui sont en circulation ; leur nombre peut être égal ou inférieur au nombre d'actions que l'entreprise est autorisée à émettre.

Administrateur
Personne responsable de la garde et de la gestion d'un bien appartenant à autrui. On donne à cette personne, selon le cas, le nom d'exécuteur testa- mentaire (ou liquidateur selon le *Code civil* du Québec), de syndic de faillite ou de fiduciaire.

Agent immobilier
Agent titulaire d'un permis l'autorisant à négocier des opérations d'achat et de vente pour le compte de l'acheteur ou du vendeur.

Amortissement
Nombre d'années prévues pour le remboursement intégral d'un prêt hypo- thécaire.

Amortissement brut de la dette (ABD)
Pourcentage du revenu brut requis pour couvrir les paiements mensuels afférents à l'habitation. La plupart des prêteurs recommandent que l'indice ABD ne dépasse pas 32 % du revenu mensuel brut (avant impôt).

Amortissement total de la dette (ATD)
Pourcentage du revenu brut qui doit être consacré aux dépenses mensuelles de logement ainsi qu'au remboursement de toutes les autres dettes et obligations financières. Ce pourcentage ne devrait généralement pas dépasser 40 % du revenu mensuel brut (après impôt).

Analyse fondamentale
Méthode d'évaluation des perspectives d'avenir d'une entreprise fondée sur une analyse de ses états financiers, de même que sur des entrevues avec son conseil d'administration.

Analyse technique
Méthode d'évaluation des valeurs mobilières et des tendances futures du marché fondée sur l'analyse statistique des fluctuations des cours, du volume des opérations et d'autres variables pour repérer un modèle de référence.

Assurance-incendie et assurance de biens
Avant la conclusion de la vente, l'acheteur doit avoir assuré la propriété à vendre contre le risque d'incendie ainsi que d'autres risques. Le prêteur exige une preuve d'assurance avant de fournir le capital de l'emprunt.

Assurance-prêt hypothécaire
Dans le cas d'un prêt hypothécaire à faible mise de fonds, le prêteur exige de l'emprunteur qu'il souscrive une police d'assurance-prêt hypothécaire. Cette prime d'assurance coûte entre 0,5 % et 3,75 % du montant du prêt hypothécaire (des frais supplémentaires peuvent s'ajouter).

Assurance temporaire sur la vie
Assurance sur la vie qui procure une protection pendant une période stipulée.

Assurance-vie entière
Assurance sur la vie pour laquelle le détenteur de la police verse une prime annuelle, habituellement jusqu'au décès de l'assuré. Ce genre de police d'assurance comporte une portion d'épargne appelée «valeur de rachat».

Assurance-vie hypothécaire
Assurance dont l'indemnité sert à payer le solde débiteur d'un prêt hypothécaire au décès de l'emprunteur assuré. Cette assurance a pour but d'empêcher les survivants de perdre leur maison ou de leur procurer un héritage sans dette.

Avoir des actionnaires (ou capitaux propres ou fonds propres)
Composante du bilan représentant le droit de propriété sur les actifs, après déduction des passifs externes; c'est l'ensemble des titres de propriété d'une société.

Avoir propre
Différence entre la valeur d'une propriété et celle des sûretés qui la grèvent. L'avoir propre est habituellement la différence entre l'encours hypothécaire et la valeur marchande de la propriété.

Bénéfices non répartis
Bénéfices accumulés d'une société; ils peuvent être réinvestis ou non dans l'entreprise.

Bénéficiaire
Le terme *bénéficiaire* désigne une personne à qui sont destinés les fonds d'un programme d'épargne ou de placement, ou tout autre actif.

Biens
Choses qui vous appartiennent et qui possèdent une valeur sur le plan financier.

Bilan
État financier montrant la nature et le montant des éléments de l'actif et du passif d'une société, ainsi que la différence qui correspond aux capitaux propres.

Bon de souscription
Titre conférant au détenteur le droit de souscrire un nombre déterminé d'actions ou d'obligations de la société émettrice à un prix et dans un délai déterminés. Les bons de souscription sont habituellement émis à l'occasion d'une émission d'obligations, d'actions privilégiées ou d'actions ordinaires.

Bon du Trésor
Titre de créance à court terme émis par l'État fédéral ou une province et vendu en coupures de 1 000 $ et plus. Les bons du Trésor ne versent pas d'intérêt, mais sont vendus à escompte et viennent à échéance à leur valeur nominale. L'écart entre le prix d'achat et la valeur nominale à l'échéance représente votre revenu, que le fisc impose de la même façon que les intérêts.

Bourse
Lieu où se vendent et s'achètent les actions.

Cahier des charges
Description écrite et détaillée de la nature et de l'ampleur des travaux commandés ainsi que du type et de la qualité des matériaux nécessaires pour les réaliser. Doit préciser les modalités d'exécution et l'apparence du produit final. Le cahier des charges fait partie intégrante du contrat.

Capital
Fonds disponibles pour investissement ou une somme prêtée, ou empruntée, par opposition aux intérêts qui s'y rapportent, ou montant d'argent effectivement prêté, ou solde dû sur un prêt hypothécaire. L'intérêt est calculé sur le capital.

Capital-actions (ou social)
Partie des capitaux propres d'une société par actions qui provient des actionnaires (ordinaires et privilégiés).

Capital du prêt
Somme due au prêteur à un moment quelconque, à l'exclusion des intérêts.

Capitalisation
Processus selon lequel un revenu est gagné sur la tranche précédente de revenu d'un placement, cette tranche étant réinvestie. La valeur finale du placement se compose du montant initial investi et des revenus réinvestis.

Capital propre
Tranche de la valeur marchande d'un bien immobilier qui reste au propriétaire après déduction des sûretés qui le grèvent. Correspond en général à la différence entre cette valeur et le montant du prêt hypothécaire.

Certificat
Document remis à un obligataire ou à un actionnaire par la société qui a émis les obligations ou les actions.

Certificat de localisation
Document dressé par un expert géomètre compétent qui précise l'emplacement et les dimensions exacts de la propriété et décrit le type et les dimensions de la maison, y compris les ajouts, ainsi que son emplacement sur la propriété.

Certificat de placement garanti (CPG)
Placement par emprunt assorti d'une durée déterminée et d'un taux d'intérêt fixe. Il existe de multiples variantes de CPG, y compris les CPG boursiers dont le capital est garanti, mais dont le rendement potentiel est lié à un indice boursier.

Coefficient bêta
Indice du niveau de risque, ou de volatilité, déterminé en comparant le rendement d'un titre ou d'une part de fonds commun de placement avec celui de titres semblables ou avec des indices boursiers.

Coefficient des frais de gestion
Variable qui mesure le pourcentage de l'actif total moyen que représente le total des frais de gestion d'un fonds.

Composition de portefeuille
Combinaison de divers placements à l'intérieur d'un portefeuille. La composition de portefeuille tient compte des objectifs de placement et de la tolérance au risque de l'investisseur.

Compte de retraite immobilisé (CRI)
Compte créé à partir de droits à pension détenus auprès d'un employeur antérieur et transférés après le départ de l'employé.

Compte global
Compte ouvert auprès d'une maison de courtage de valeurs par un épargnant dont la maison de courtage gère le portefeuille, moyennant le paiement de frais annuels de gestion établis en fonction de la valeur du portefeuille.

Conseil d'administration
Comité élu par les actionnaires d'une société, agissant pour leur compte et chargé de la gestion de la société. Les administrateurs sont habituellement élus chaque année, au cours de l'assemblée annuelle.

Conseiller en placement
Conseiller financier auprès d'un fonds commun de placement ; il peut aussi être un administrateur de fonds communs de placement.

Conseiller financier
Entreprise ou particulier qui vend ses conseils en placement en contrepartie d'honoraires.

Contrat à terme
Le contrat à terme tire sa valeur d'un actif sous-jacent. Il représente une obligation d'acheter ou de vendre un produit donné comme du café, du maïs, du pétrole ou de l'or à une date fixe et à un prix déterminé à l'avance.

Contrepartiste
Courtier qui achète et vend pour son propre compte.

Convertible
Se dit d'une obligation, d'une débenture ou d'une action privilégiée que le propriétaire peut habituellement échanger contre une ou plusieurs actions ordinaires de la même société.

Cotisation
Somme d'argent que vous placez dans un programme d'épargne ou de placement.

Coupure
Valeur nominale, ou valeur à l'échéance, d'une obligation.

Courbe de rendement
Courbe graphique qui permet d'établir une relation entre les taux de rendement d'obligations de même qualité, mais dont les dates d'échéance sont différentes.

Cours acheteur
Le prix le plus élevé qu'un acheteur éventuel est prêt à payer pour des actions, en nombre spécifié.

Cours du marché
Prix auquel une action ou une obligation a été négociée.

Cours vendeur
Le prix le plus bas que le vendeur est prêt à accepter pour des actions, en nombre spécifié.

Courtier en valeurs mobilières
Mandataire qui agit soit à la vente, soit à l'achat de titres, de marchandises ou d'autres biens, pour le compte d'une personne ou d'une société dont il reçoit des ordres. Il est normalement rémunéré par une commission payée à la suite d'une opération de courtage.

Créancier hypothécaire
Personne ou établissement financier qui accorde un prêt hypothécaire.

Crédit d'impôt
Montant qui peut être déduit de l'impôt à payer.

Crédit d'impôt pour dividendes
Crédit d'impôt accordé aux épargnants qui gagnent des revenus de dividendes provenant de sociétés à contrôle canadien.

Date d'échéance
Dernière journée de la durée du contrat de prêt hypothécaire. Il s'agit de la date à laquelle le prêt est soit renouvelé, soit remboursé.

Date de transfert de la propriété
Date à laquelle la vente de la propriété devient ferme et à laquelle le nouveau propriétaire prend possession de la maison.

Débenture
Obligation non garantie, c'est-à-dire qui n'est pas garantie par le nantissement de biens, mais par le crédit général de la société émettrice.

Débiteur hypothécaire
L'emprunteur.

Dédit
Somme versée au prêteur pour le dédommager du remboursement anticipé, partiel ou intégral, d'un emprunt fermé.

Déduction d'impôt
Déduction fiscale, c'est-à-dire montant qui peut être déduit du revenu total avant le calcul de l'impôt à payer.

Déduction pour amortissement
Déduction tenant lieu de l'amortissement dont les lois et règlements fiscaux permettent aux contribuables de tenir compte dans le calcul du bénéfice ou du revenu imposable. Encore souvent désignée par l'expression *allocation du coût en capital*.

Défaut
Non-paiement par l'emprunteur, à leur échéance, des sommes stipulées par le contrat de prêt ou infraction quelconque à l'une des dispositions de ce contrat.

Dépositaire
Établissement financier, habituellement une banque ou une société de fiducie, qui garde en sécurité les valeurs mobilières et l'argent comptant d'une société de placement.

Dépôt à terme
Véhicule de placement dans lequel vous déposez une somme d'argent fixe pour une période de temps établie en contrepartie d'intérêts.

Dette
Somme d'argent qui doit être remboursée avec les intérêts. Dans le cas d'une société, la dette consiste souvent en obligations et autres titres d'emprunt.

Dette à long terme
Titres d'emprunt exigibles dans plus d'un an.

Devis
Document par lequel un entrepreneur ou un artisan s'offre à réaliser un projet donné à un prix stipulé; comporte une description précise des quantités et qualités des matériaux qu'il se propose d'employer ainsi que des exclusions de responsabilité.

Distribution
Paiement, aux détenteurs de parts ou aux actionnaires de fonds communs de placement, du revenu ou des bénéfices réalisés à la vente des valeurs mobilières.

Diversification
Stratégie de placement visant à limiter les risques courus en répartissant les fonds entre divers types de placement et en achetant des titres émis par diverses sociétés exerçant leurs activités dans des secteurs ou à des endroits différents.

Dividende
Partie du bénéfice qu'une société, sur autorisation de son conseil d'administration, distribue à ses actionnaires en proportion des actions qu'ils détiennent. Alors que le dividende privilégié annuel est généralement fixe, le dividende ordinaire fluctue en fonction du bénéfice réalisé par la société et de ses disponibilités. Celui-ci peut être omis si les affaires vont mal ou si les administrateurs retiennent les bénéfices pour les affecter à l'achat d'installations de production.

Droit de souscription
Privilège temporaire accordé à un actionnaire ordinaire lui permettant d'acheter directement de la société d'autres actions ordinaires. Les droits sont émis aux actionnaires en proportion du nombre de titres qu'ils détiennent.

Droits de mutation immobilière
Somme versée à la municipalité ou au gouvernement provincial pour le transfert d'une propriété du vendeur à l'acheteur.

Durée
Durée pour laquelle le taux d'intérêt est fixé. Indique aussi la date à laquelle le capital et les intérêts deviennent exigibles par le créancier.

Durée du contrat
Période de validité d'un contrat de prêt hypothécaire. À l'expiration du contrat, le solde du capital doit être remboursé intégralement à moins que l'emprunt ne soit renégocié au taux d'intérêt courant et, éventuellement, avec d'autres conditions.

Écart
Différence entre le cours acheteur et le cours vendeur d'un titre.

Échéance
Date à laquelle un emprunt, une obligation ou une débenture est exigible et doit être remboursé ou racheté.

Effet de levier

Amplification du rendement d'un placement à l'aide de capitaux empruntés, de comptes sur marge ou de titres qui n'exigent en paiement qu'une fraction de la valeur des titres visés (par exemple, des options, des droits de souscription ou des bons de souscription).

Élément d'actif à court terme

Tout bien pouvant être converti en argent au cours de l'exercice suivant.

Élément d'actif à long terme

Tout bien susceptible de durer (ou d'être conservé) plus d'un an.

Élément de passif à court terme

Toute dette échéant à moins d'un an.

Escompte

Différence entre la valeur nominale d'une obligation et son prix de vente sur le marché secondaire.

État des résultats

État financier où figurent les produits et les charges d'une société qui donnent lieu à un bénéfice ou à un déficit au cours d'un exercice donné.

Exécuteur

Personne ou société désignée par une personne (le « testateur ») et nommée dans le testament en vue de l'administration de la succession.

Expertise

Travail exécuté par un expert indépendant retenu par la banque pour calculer la valeur de la propriété et déterminer si elle est conforme aux critères pour les prêts. La valeur ainsi établie n'est pas nécessairement identique au prix d'achat de la maison.

Facteur d'équivalence

Facteur qui est égal aux crédits de pension accumulés pendant l'année dans le cadre d'un régime de pension agréé ou d'un régime de participation différée aux bénéfices et qui détermine la cotisation REER maximale du contribuable.

Fiduciaire

Personne responsable de la garde et de la gestion d'un bien appartenant à autrui. On donne à cette personne, selon le cas, le nom d'exécuteur testamentaire (ou liquidateur selon le *Code civil* du Québec), de syndic de faillite ou de fiduciaire.

Fiducie

Acte par lequel une personne transfère des biens de son actif à une autre personne, le fiduciaire, qui s'oblige à détenir et à administrer ces biens pour le compte et à l'avantage d'un bénéficiaire désigné.

Fiducie d'investissement à participation unitaire

Fonds non constitué en société qui est autorisé à transférer aux particuliers, qui détiennent des parts, les revenus de la société et le fardeau fiscal correspondant.

Fiducie de fonds communs de placement
Fonds constitué de sommes mises en commun par des épargnants en vue d'un placement collectif et dont la gestion est assurée par un tiers qui doit sur demande racheter les parts à leur valeur liquidative. La valeur des titres sous-jacents influe sur le prix courant des parts des fonds. Souvent appelée « fonds mutuel ». (Voir aussi *Société de fonds communs de placement et Organisme de placement collectif*.)

Fiducie de fonds communs de placement
ou Fonds commun de placement,
ou Fonds mutuels
ou Société de fonds communs de placement
Fonds dans lequel votre argent est mis en commun avec celui de nombreux autres investisseurs. Un gestionnaire de portefeuille utilise l'argent mis en commun pour acheter un portefeuille de placements ou de titres, et assure le suivi continu de chacun des placements. La valeur de vos parts peut grimper ou reculer, selon le type et le rendement de placements détenus dans le fonds commun.

Il existe une vaste gamme de fonds communs de placement, dont chacun est assorti d'objectifs particuliers. Lorsque vous investissez dans un fonds commun de placement, vous achetez des parts de ce fonds.

Fiducie implicite (ou compte en fiducie)
Compte de placement enregistré au nom d'un adulte en fiducie pour un enfant. Le compte sert à épargner ou à placer des fonds à l'intention d'un enfant, et les fonds doivent être réservés à l'enfant bénéficiaire, qui est le seul à pouvoir les utiliser.

Fonds à revenu
Fonds commun de placement qui investit principalement dans des valeurs à revenu fixe telles que les obligations, les titres hypothécaires et les actions privilégiées. L'objectif principal est de générer un revenu tout en préservant le capital des investisseurs.

Fonds avec frais d'acquisition
Fonds commun de placement qui ajoute des frais au prix de vente de ses parts.

Fonds commun de placement à capital variable
(ou société d'investissement à capital variable)
Société qui émet et rachète continuellement des parts, de sorte que le nombre de parts en circulation varie d'un jour à l'autre. La plupart des fonds communs de placement sont à capital variable.

Fonds commun immobilier
Société d'investissement à capital fixe dont le portefeuille est composé essentiellement de placements dans des immeubles et dans des prêts hypothécaires.

Fonds d'actions
Fonds commun de placement dont le portefeuille est composé essentiellement d'actions ordinaires.

Fonds d'obligations
Fonds commun de placement dont le portefeuille est composé essentiellement d'obligations.

Fonds de dividendes
Fonds commun de placement qui investit dans les actions ordinaires de
premier rang, qui rapportent en général des dividendes réguliers à des taux
supérieurs à la moyenne et dans des actions privilégiées.

Fonds de placement hypothécaire
Fonds commun de placement qui investit dans les prêts hypothécaires. Le
portefeuille d'un fonds de cette catégorie est habituellement composé de
prêts hypothécaires de premier rang sur des propriétés résidentielles au
Canada, quoique certains fonds investissent aussi dans des prêts hypothécaires commerciaux.

Fonds de placement immobilier
Fonds commun de placement dont le portefeuille est composé essentiellement d'immeubles résidentiels ou commerciaux, ou des deux, afin de
rapporter du revenu et des gains en capital.

Fonds de revenu viager (FRV)
Option de revenu de retraite créée pour verser les revenus de retraite tirés
de comptes de retraite immobilisés.

Fonds du marché monétaire
Type de fonds commun de placement qui investit principalement dans les
bons du Trésor et autres titres à court terme à faible risque.

Fonds enregistré de revenu de retraite (FERR)
Le FERR est le prolongement naturel du REER. Le FERR continue d'être un
instrument de placement à l'abri de l'impôt et les revenus de placement s'y
accumulent en franchise d'impôt tant que les fonds ne sont pas retirés à
titre de revenu.

Fonds équilibré
Fonds commun de placement dont la politique de placement vise à bâtir un
portefeuille équilibré composé d'obligations et d'actions dont les proportions varient suivant la conjoncture du marché et les prévisions des
gestionnaires du fonds.

Fonds immobilisés
Fonds qui ne peuvent être utilisés qu'à des fins de revenu de retraite. On ne
peut y avoir accès qu'à la retraite.

Fonds indiciel
Fonds commun de placement dont le portefeuille est modelé sur celui d'un
indice boursier particulier, l'objectif étant de reproduire le comportement
général du marché dans lequel le fonds investit.

Fonds international
Fonds commun de placement qui investit dans les valeurs mobilières d'un
certain nombre de pays.

Fonds sans frais d'acquisition
Fonds commun de placement qui ne perçoit aucuns frais à l'occasion de l'achat ou de la rétrocession de ses parts ou de ses actions.

Fonds spécialisé
Fonds commun de placement qui concentre ses placements dans un secteur particulier de l'industrie ou de l'économie, ou dans une région choisie.

Fractionnement du revenu
Stratégie financière adoptée à des fins fiscales. Le fractionnement du revenu désigne le mécanisme de transfert des revenus d'un membre de la famille à un autre, lequel a une tranche d'imposition inférieure et paie en conséquence l'impôt à un taux moins élevé. Le fardeau fiscal total de la famille s'en trouve donc allégé.

Frais d'acquisition
Frais ajoutés au coût d'acquisition des parts (ou des actions) de certains fonds communs de placement.

Frais de conclusion de la vente
Frais payables à la conclusion de la vente. Ces frais comprennent normalement les régularisations, les droits de mutation, les assurances et les honoraires et frais d'avocat ou de notaire.

Frais de copropriété
Quote-part des charges communes exigée de chaque copropriétaire.

Frais de gestion
Somme payée au conseiller ou au gestionnaire de la société de placement pour en assurer l'administration et pour surveiller son portefeuille.

Frais de rachat
Frais perçus à l'occasion de la rétrocession de parts d'un fonds commun de placement.

Frais de remboursement anticipé
Frais imputés par le prêteur lorsque l'emprunteur rembourse en totalité ou en partie un prêt hypothécaire fermé plus rapidement que la période prévue dans le contrat de prêt hypothécaire.

Gain ou perte en capital
Écart entre le prix que vous avez payé à l'égard d'un placement et le prix auquel vous le vendez (en d'autres termes, le gain ou la perte que vous encaissez). Parmi les placements donnant lieu à des gains ou à des pertes en capital, mentionnons les titres et les fonds de croissance.

Garantie
Dans le cas des prêts hypothécaires, la propriété représente la garantie du prêt.

Immobilisation
Il s'agit d'un bien corporel. Cela peut être un terrain ou un bâtiment. L'immobilisation peut avoir une durée relativement longue et peut même être permanente.

Indexation
Action consistant à réviser des versements ou des prestations pour tenir compte des effets de l'inflation.

Indice boursier
Instrument de comparaison servant à mesurer l'évolution d'un marché de valeurs boursières. Vous connaissez sans doute le Dow Jones, le TSE 300, le XXM et le Nasdaq.

Indice des prix à la consommation
Instrument de comparaison mesurant l'évolution du coût de la vie pour les consommateurs. Il sert à mettre en lumière les hausses des prix, c'est-à-dire l'inflation.

Inflation
Hausse du niveau moyen des prix des biens et services dans l'économie. Au Canada, l'*Indice des prix à la consommation* sert habituellement de mesure de l'inflation.

Inspection
Examen de la maison à vendre par un expert choisi par l'acheteur.

Intérêt
L'intérêt est un type de revenu que rapporte un placement. Vous placez une somme d'argent (appelée le capital) dans un véhicule de placement portant intérêts et, en contrepartie, l'institution, le gouvernement ou une société offrant le placement vous verse un pourcentage établi d'intérêt en échange de l'utilisation de votre argent. Les comptes bancaires, les CPG, les obligations, les dépôts à terme et les fonds du marché monétaire rapportent tous des revenus d'intérêt.

Intérêt composé
L'intérêt composé désigne l'intérêt versé sur le placement initial et également sur l'intérêt qui s'accumule. Vous encaissez de l'intérêt sur votre intérêt.

Intestat
Personne qui est morte sans laisser de testament valide.

Juste valeur marchande
Prix dont conviendraient deux parties compétentes agissant en toute liberté. Tient lieu de la norme d'évaluation d'un bien dans les cas de disposition présumée.

Lettre d'intention
Accord en vertu duquel un épargnant s'engage à faire une série d'achats d'actions, de fonds communs de placement.

Liquidité
Facilité avec laquelle vous pouvez retirer votre argent d'un placement.

Loi sur les valeurs mobilières
Loi provinciale régissant les activités de prise ferme, de distribution et de vente des valeurs mobilières.

Lot irrégulier
Nombre d'actions inférieur à celui d'un lot régulier.

Lot régulier
Nombre standard d'actions fixé par les Bourses aux fins des opérations sur titres. Le nombre d'actions dans un lot régulier varie suivant le prix du titre, mais il est de 100 actions dans la majorité des cas.

Mandant
Personne pour laquelle un courtier exécute un ordre.

Marché baissier
Marché à la baisse.

Marché haussier
Marché dans lequel les cours des actions sont à la hausse pendant une période de temps prolongée.

Marché hors cote ou marché hors bourse
Marché où se négocient les valeurs mobilières qui ne sont pas inscrites à la cote officielle d'une bourse. On y négocie des obligations, des titres du marché monétaire et de nombreuses actions.

Marché monétaire
Partie du marché des capitaux où se négocient les effets à court terme, tels que les bons du Trésor, le papier commercial, les acceptations bancaires.

Marge
Somme ou valeurs déposées par un client auprès d'une maison de courtage et représentant une partie du prix des titres ou des marchandises achetés « sur marge ». La maison de courtage avance à son client le solde du prix convenu.

Marge d'intérêt
Différence entre le taux d'intérêt que paie un établissement financier sur les dépôts et le taux plus élevé auquel il prête l'argent.

Mise de fonds initiale
Somme que l'acheteur paie à même ses propres ressources à l'achat d'une maison. Correspond à la différence entre le prix d'achat et le montant du prêt hypothécaire.

Obligation
L'obligation est un placement en vertu duquel l'émetteur se voit prêter une somme d'argent pour une période de temps déterminée. Les obligations sont offertes au grand public à un prix donné, qui peut être égal ou non à la valeur nominale de l'obligation (le montant du prêt à rembourser). L'émetteur de l'obligation (gouvernement ou société) convient de payer de l'intérêt régulièrement et de rembourser le capital ou la valeur nominale de l'obli-

gation à l'échéance (à la fin de la durée de l'obligation, lorsque vous récupérez l'argent prêté). Vous pouvez garder une obligation jusqu'à son échéance et toucher le rendement prédéterminé ou la vendre par anticipation, car la plupart des obligations sont négociables. Lorsque vous vendez votre obligation avant son échéance, vous recevez la valeur marchande de l'obligation. Cette valeur marchande est établie en fonction des taux d'intérêt pratiqués sur des obligations similaires, ce qui pourrait engendrer un gain ou une perte en capital, car après son émission, une obligation peut prendre de la valeur si les taux d'intérêt baissent ou en perdre s'ils montent.

Obligation à coupon zéro
Obligation qui ne rapporte aucun intérêt, mais qui est initialement vendue au-dessous du pair, c'est-à-dire au-dessous du capital nominal d'une valeur et de son cours actuel.

Obligation à coupons détachés
Obligation dont les coupons ont été détachés. Le porteur de cette obligation a droit à sa valeur nominale à l'échéance, mais non aux paiements annuels d'intérêt.

Obligation à long terme
Obligation dont l'entité n'est pas normalement tenue de s'acquitter au cours du prochain exercice : par exemple, les emprunts hypothécaires à long terme et les obligations en circulation.

Obligation d'épargne du Canada (OEC)
Les obligations d'épargne du Canada sont émises chaque année par le gouvernement fédéral ; elles peuvent être encaissées par leur propriétaire, en tout temps, à leur valeur nominale.

Obligation d'État
Titre émis par l'État lorsqu'il doit emprunter. La valeur nominale de l'obligation vous est retournée à l'échéance et vous recevez de l'intérêt entre-temps. Ces obligations sont vendues en coupures de 1 000 $ et leur échéance peut varier de 1 an à 30 ans. Le taux d'intérêt – ou le coupon – est habituellement payé en deux versements semestriels.

Obligation de société
Les sociétés vendent (ou émettent) des obligations lorsqu'elles désirent emprunter de l'argent. Les obligations sont habituellement garanties par des éléments d'actif déterminés de la société. On désigne par le terme débenture une obligation qui n'est pas garantie. Les obligations versent un taux d'intérêt fixe appelé « taux d'intérêt nominal ». À l'échéance de l'obligation, la société rembourse le capital ou la valeur nominale de l'obligation à l'investisseur.

Obligation encaissable par anticipation
Obligation dont le porteur a le droit de demander le remboursement avant la date d'échéance.

Obligation remboursable par anticipation (ou à vue)
Obligation que la société émettrice peut rembourser avant l'échéance, au prix stipulé dans le contrat d'émission.

Offre conditionnelle

Offre d'achat assujettie à des conditions particulières, par exemple l'obtention d'un emprunt approprié, un rapport d'inspection satisfaisant ou la vente d'une maison appartenant à l'acheteur. Ordinairement, l'offre stipule un délai dans lequel les conditions doivent être remplies.

Offre d'achat

Contrat écrit énonçant les conditions auxquelles un acheteur convient d'acheter une propriété. Dès son acceptation par le vendeur, l'offre constitue un contrat qui définit les droits et les obligations de l'acheteur et du vendeur relativement à la cession de la propriété. L'offre d'achat indique la désignation officielle de la propriété (numéro cadastral et adresse, notamment), le prix d'achat, la date prévue pour la conclusion de la vente, les détails de l'emprunt hypothécaire et les conditions de remboursement; elle contient aussi une liste d'articles inclus dans la vente ou qui en sont exclus.

Opération sur titres (ou sur valeurs mobilières)

Vente ou achat de titres sur les marchés boursiers ou hors cote.

Option

Droit ou obligation d'acheter ou de vendre un nombre donné des actions d'une société à un prix et dans un délai fixés d'avance.

Option d'achat d'actions

Droit ou obligation d'acheter ou de vendre un nombre donné des actions d'une société à un prix et dans un délai fixés d'avance.

Organisme de placement collectif (en valeurs mobilières)

Entité dont l'activité consiste à recueillir les sommes déposées par les épargnants et à mettre en commun ces sommes en vue d'effectuer des placements en valeurs mobilières. Ces organismes peuvent être constitués en fiducie ou en société par actions. Ils sont souvent appelés «fonds mutuels». (Voir aussi *Fiducie de fonds communs de placement* et *Société de fonds communs de placement*.)

Papier commercial (ou effet de commerce)

Titre d'emprunt à court terme (de quelques jours à un an) négociable, habituellement non garanti, émis par des sociétés non financières.

Passif

Ensemble des dettes et des charges d'une société sous forme de soldes créditeurs, d'emprunts, d'hypothèques et de dette à long terme.

Période d'amortissement

Nombre d'années nécessaires pour rembourser la totalité du prêt hypothécaire.

Perte en capital

Perte résultant de la disposition d'un bien à un prix inférieur à son coût d'achat.

Placement

Véhicule servant à investir des fonds pour gagner de l'argent.

Placement à revenu fixe
Placement qui génère un montant de revenu qui demeure le même jusqu'à l'échéance du placement.

Placement enregistré
Placement détenu dans un régime enregistré (par exemple REER, FERR, REEE) reconnu par Revenu Canada. En effectuant de tels placements, vous obtenez un report d'impôt sur le capital et ses revenus ou gains jusqu'à leur retrait.

Placement initial de titres
Nouvelle émission de valeurs mobilières ou valeur mobilière offerte aux épargnants pour la première fois.

Placement non enregistré
Placement qui n'est pas à l'abri de l'impôt.

Placement non enregistré
Placement qui n'est pas détenu dans un compte en franchise d'impôt ou dont l'impôt est différé, comme un REER.

Plan à versements périodiques ou contractuel
Un plan contractuel est un contrat par lequel un épargnant achète un nombre donné d'actions ou d'obligations d'une société à une certaine date et accepte de faire des paiements partiels à intervalles réguliers.

Plan à versements variables
Plan offert par les sociétés de fonds communs de placement selon lequel un épargnant se propose de placer un montant stipulé à intervalles réguliers.

Plan d'épargne-achat
Plan permettant à un épargnant d'acheter, de façon régulière, des parts ou actions d'un fonds commun de placement, la somme investie pouvant varier d'une fois à l'autre.

Plan de retraits à délai fixe
Plan offert par les organismes de placement collectif selon lequel les avoirs d'un épargnant lui sont remis en totalité sous forme de retraits réguliers dans un délai convenu. Un montant spécifié de capital, plus le revenu couru, est retiré systématiquement.

Plan de retraits à montant fixe
Plan offert par les organismes de placement collectif qui permet à l'épargnant de recevoir des versements fixes provenant de son placement, l'intervalle stipulé entre les versements étant habituellement d'un mois ou d'un trimestre.

Plan de retraits à pourcentage fixe
Plan offert par les organismes de placement collectif qui fournit à l'épargnant un revenu basé sur un pourcentage de la valeur des parts ou actions détenues.

Plan de retraits en fonction de l'espérance de vie
Plan offert par les organismes de placement collectif selon lequel les avoirs d'un épargnant lui sont remis en totalité sous forme d'un revenu périodique maximal jusqu'à son décès.

Plan de retraits systématiques
Plan offert par les organismes de placement collectif qui permet à l'épargnant de recevoir à intervalles réguliers des versements provenant de son placement.

Police d'assurance-vie universelle
Police d'assurance temporaire sur la vie qui est renouvelée chaque année et qui comporte, en plus de l'élément assurance, un élément placement. Ce dernier est formé en plaçant les primes excédentaires pour rapporter un rendement à l'assuré.

Politique budgétaire
Politique que poursuit le gouvernement dans la gestion de l'économie en exerçant son pouvoir de dépenser et son pouvoir de taxer.

Portefeuille
Une série de placements. Un ensemble des valeurs mobilières que possède un organisme de placement collectif ou un particulier.

Possibilité de prise en charge
Possibilité pour l'acheteur de prendre en charge le prêt hypothécaire grevant la propriété du vendeur.

Preneur ferme
Entreprise de placement qui achète des valeurs mobilières directement de l'émetteur pour ensuite les revendre à d'autres entreprises de placement ou au public, ou qui vend ces valeurs mobilières au public au nom de l'émetteur.

Prêt avec garantie hypothécaire
Prêt hypothécaire résidentiel également garanti par un billet à ordre. Le montant ainsi emprunté peut servir à toute fin raisonnable, telles que des rénovations domiciliaires ou des vacances.

Prêt hypothécaire accordé par le vendeur
Prêt consenti par le vendeur d'une propriété sur le prix de vente total ou partiel de la propriété afin d'en faciliter la vente.

Prêt hypothécaire à faible mise de fonds
Si vous ne pouvez réunir la mise de fonds de 25 % nécessaire pour obtenir un prêt ordinaire, vous devez assurer votre prêt hypothécaire contre le défaut de paiement jusqu'à concurrence d'un certain plafond, par la SCHL ou une autre compagnie d'assurances privée agréée. Un prêt à faible mise de fonds est un prêt hypothécaire qui dépasse 75 % de la valeur d'emprunt de la propriété.

Prêt hypothécaire à ratio élevé
Prêt hypothécaire dépassant 75 % de la valeur d'évaluation de la propriété. Ces prêts doivent absolument être assurés contre les défauts de paiement.

Prêt hypothécaire à taux fixe
Prêt hypothécaire dont le taux est fixé pour une période déterminée (la durée ou le terme). Le taux d'intérêt est fixé pour un terme préétabli – généralement entre 6 mois et 25 ans – et ne peut pas être renégocié, sauf sur paiement d'un dédit. L'intérêt est calculé tous les six mois, non à l'avance.

Prêt hypothécaire à taux variable
Prêt hypothécaire à versements fixes, mais dont le taux d'intérêt fluctue. La variation du taux d'intérêt détermine la part du versement affectée au remboursement du capital.

Prêt hypothécaire à taux variable (ou à taux flottant)
Prêt hypothécaire dont le taux d'intérêt suit les fluctuations du marché. Les versements périodiques demeurent constants pendant une période déterminée. Toutefois, la partie du versement appliquée au capital varie en fonction de la fluctuation du taux d'intérêt (le cas échéant). La plupart des prêts à taux variable permettent le remboursement anticipé d'un montant quelconque (avec certains minimums) sans dédit, à toute date de paiement mensuel.

Prêt hypothécaire conventionnel
Prêt à taux fixe dont le capital ne peut pas dépasser 75 % de la valeur d'expertise ou, si ce montant est moindre, 75 % du prix d'achat de la propriété. Il n'est pas nécessaire de souscrire une assurance-prêt hypothécaire pour ce type de prêt.

Prêt hypothécaire convertible
Prêt offrant les mêmes avantages qu'un emprunt hypothécaire fermé, mais qui peut être converti en un emprunt fermé à longue échéance à tout moment sans dédit.

Prêt hypothécaire de second rang
Prêt accordé quand une première hypothèque grève déjà la propriété.

Prêt hypothécaire fermé
Prêt hypothécaire sans privilège de remboursement anticipé, de renégociation ou de refinancement avant l'échéance. Il est assorti d'un calendrier de remboursement rigide. Une indemnité est normalement prévue en cas de remboursement du capital avant l'échéance.

Prêt hypothécaire inversé
Option offerte aux propriétaires retraités qui doivent trouver des moyens de compléter leurs revenus. Un propriétaire prend un prêt hypothécaire sur sa maison et le produit du prêt sert à acheter un placement qui lui offre une source de revenus ou une somme forfaitaire.

Prêt hypothécaire ouvert
Prêt assorti d'un privilège permettant de rembourser une partie ou la totalité du prêt en tout temps, sans indemnité.

Prêt hypothécaire préautorisé
Prêt dont l'autorisation vous est consentie avant même que vous ne commenciez à chercher une maison. Vous connaissez ainsi le prix que vous pouvez payer et êtes en mesure de présenter une promesse d'achat ferme dès que vous fixez votre choix sur une maison.

Prime
La prime peut être l'excédent du prix de vente sur la valeur nominale d'une obligation ou encore la somme à verser pour maintenir en vigueur une police d'assurance.

Privilège
Droit du créancier hypothécaire grevant la propriété de l'emprunteur.

Privilèges limités de remboursement anticipé
Possibilité d'effectuer des versements de capital en plus des versements hypothécaires habituels.

Produit dérivé
Titre dont la valeur est déterminée par la valeur marchande d'un actif sous-jacent, comme une action ou un produit. À titre d'exemples, citons les bons de souscription d'actions, les contrats à terme et les options.

Prospectus
Document juridique qui présente les caractéristiques d'une émission de titres offerte au public par une société par actions ou une autre personne morale.

Prospectus simplifié
Prospectus abrégé et simplifié distribué par les organismes de placement collectif aux acheteurs de parts ou d'actions et aux acheteurs éventuels.

Quasi-disponibilités (ou quasi-espèces)
Éléments d'actif rapidement convertibles en espèces, tels que les comptes clients, le papier commercial à court terme et les obligations et billets à court terme de municipalités ou de sociétés.

Rapport annuel
Rapport officiel envoyé par toute société ouverte à ses actionnaires et leur faisant part de la situation financière de la société. Ce rapport doit être vérifié par des comptables indépendants.

Rapport cours-bénéfice (ou ratio cours-bénéfice)
Quotient du cours de l'action ordinaire par le bénéfice net par action du dernier exercice.

Ratio des charges brutes (RCB)
Le pourcentage du revenu brut de l'emprunteur affecté aux versements mensuels de capital, d'intérêts, de taxes et de chauffage, ainsi qu'aux charges communes dans le cas d'une copropriété.

Ratio des charges totales (RCT)
Le pourcentage du revenu brut de l'emprunteur affecté aux versements mensuels de capital, d'intérêts, de taxes et de chauffage, ainsi qu'au remboursement des autres emprunts et dettes.

Refinancement
Remboursement total du prêt hypothécaire existant et des charges hypothécaires grevant la propriété et obtention d'un nouveau prêt hypothécaire auprès du même prêteur ou d'un autre.

Régime de participation différée aux bénéfices (RPDB)
Régime d'intéressement en vertu duquel un employeur attribue aux membres de son personnel des sommes susceptibles de leur être versées plus tard et calculées en fonction du bénéfice net de l'entreprise.

Régime de retraite (ou régime de pension)
Régime dans le cadre duquel l'employeur et, dans la plupart des cas, les employés versent des cotisations à un fonds qui, à son tour, verse un revenu à vie aux employés participants à la retraite.

Régime de retraite à cotisations déterminées
Régime qui ne garantit pas à chaque participant un niveau déterminé de revenu de retraite. Les prestations sont fonction du revenu tiré du placement de ses cotisations.

Régime de retraite à prestations déterminées
Régime qui garantit à chaque participant un niveau déterminé de revenu de retraite, en fonction du salaire et du nombre d'années de service du participant.

Régime enregistré d'épargne-études (REEE)
Régime qui permet au cotisant d'accumuler des capitaux, en bénéficiant d'un report de l'impôt, afin que le bénéficiaire puisse couvrir les coûts de ses études postsecondaires.

Régime enregistré d'épargne-retraite (REER)
Régime de retraite permettant à un particulier de différer le paiement d'impôt tout en lui facilitant le placement de sommes en vue de la retraite, sous réserve de certaines limites. Ces sommes sont déductibles du revenu imposable et peuvent croître grâce à l'accumulation des intérêts composés en franchise d'impôt.

Régime enregistré d'épargne-retraite de conjoint (REER de conjoint)
REER auquel l'un des conjoints (habituellement celui ayant le revenu le plus élevé) cotise au nom de l'autre conjoint et reçoit une déduction d'impôt à l'égard des cotisations. Cette pratique a l'avantage de permettre le fractionnement du revenu.

Régularisations
Les taxes foncières, comptes d'électricité, de gaz et de mazout, et la participation aux frais de copropriété qui ont été payés d'avance par le vendeur sont répartis à la date de la conclusion de la vente et remboursés par l'acheteur au vendeur.

Remboursement anticipé
Droit de rembourser à l'avance des fractions stipulées du solde du capital, avant l'échéance du prêt. L'exercice de l'option de remboursement anticipé sur un emprunt fermé entraîne parfois le paiement d'un dédit.

Rendement
Toute augmentation de valeur ou de revenu que vous rapporte un placement (souvent exprimée en pourcentage de la valeur initiale du placement).

Rendement à l'échéance
Taux de rendement annuel qu'un investisseur tirera d'une obligation s'il la détient jusqu'à l'échéance.

Rente
Contrat prévoyant le versement d'une série de prestations à une personne. Le rentier l'achète habituellement auprès d'une institution qui lui verse ensuite une prestation mensuelle jusqu'à son décès ou pendant une période déterminée. Une rente peut être enregistrée ou non.

Rente certaine garantie jusqu'à 90 ans
Rente rapportant une somme annuelle fixe jusqu'à l'épuisement du capital l'année où le rentier atteint ses 90 ans.

Rente variable
Rente dont le montant varie périodiquement en fonction du rendement des placements support.

Rente viagère
Rente garantie durant la vie d'une personne et dont le paiement prend fin à son décès.

Rentier
Personne qui bénéficie d'une rente.

Report (de l'impôt)
Forme d'abri fiscal que procurent des placements admissibles à des déductions fiscales durant les années de revenu élevé de l'épargnant ou aptes à retarder la réalisation de gains en capital, ou d'autres revenus jusqu'à la retraite, ou jusqu'à un autre moment où les revenus de l'épargnant auront vraisemblablement diminué.

Revenu de placement
Revenu tiré des placements que vous effectuez. Les revenus de placement comprennent les intérêts, les dividendes et les gains en capital.

Revenu gagné
Aux fins de l'impôt, le revenu gagné d'un particulier se compose en général de ses revenus d'emploi et de certains avantages imposables. Le calcul du plafond des cotisations versées à des REER est basé sur le revenu gagné.

Risque
Le risque réside dans la possibilité de perte d'argent, dans le caractère incertain des rendements futurs d'un investissement.

Saisie immobilière
Action par laquelle le créancier hypothécaire obtient la propriété de la maison, à la suite du défaut de l'emprunteur ; la saisie éteint tous les droits de l'emprunteur sur la propriété hypothéquée.

Sécurité
En matière de placement, ce terme désigne la préservation de votre placement initial.

Servitude
Droit acquis d'accès, de passage ou parfois d'utilisation grevant le terrain d'un tiers dans un but particulier, tel qu'une entrée de garage ou de services de viabilisation.

Société canadienne d'hypothèques et de logement (SCHL)
Société d'État fédérale chargée de l'application de la *Loi nationale sur l'habitation* pour le compte du gouvernement fédéral. Elle élabore également des produits d'assurance-prêt hypothécaire et les vend.

Société d'investissement à capital fixe
Société de placement qui émet un nombre fixe d'actions. Ses actions ne sont pas rachetables, mais elles sont négociées à la Bourse ou sur le marché hors cote.

Société d'investissement à capital variable
Fonds commun de placement qui émet et rachète continuellement des parts, de sorte que le nombre de parts en circulation varie d'un jour à l'autre. La plupart des fonds sont à capital variable.

Société de fonds communs de placement
Fonds constitué de sommes mises en commun par des épargnants en vue d'un placement collectif et dont la gestion est assurée par un tiers qui doit sur demande racheter les parts à leur valeur liquidative. La valeur des titres sous-jacents influe sur le prix courant des parts des fonds. Souvent appelée « fonds mutuel ». (Voir aussi *Société de fonds communs de placement* et *Organisme de placement collectif*.)

Société de gestion
Au sein d'un fonds commun de placement, c'est l'entité responsable des placements du portefeuille du fonds ou de la gestion du fonds, ou des deux à la fois. La rémunération de la société est fondée sur un pourcentage de l'actif total du fonds.

Société de placement
Société ou fiducie dont le but principal est d'investir les fonds de ses actionnaires (ou détenteurs de parts).

Société de placement immobilier (ou fonds commun immobilier)
Société d'investissement à capital fixe dont le portefeuille est composé essentiellement de placements dans des immeubles et dans des prêts hypothécaires.

Société par actions
Entreprise créée en vertu de lois fédérale ou provinciales qui a une identité juridique distincte de celle de ses actionnaires. Ceux-ci ne sont responsables des dettes de la société que jusqu'à concurrence du capital qu'ils y ont investi.

Solde de prix de vente
Financement accordé par le vendeur afin de faciliter l'acquisition de la propriété par l'acheteur.

Structure du capital
Montant total de toutes les valeurs mobilières, y compris la dette à long terme, ainsi que les actions ordinaires et privilégiées émises par une société.

Succession
Biens que possède une personne au moment de son décès.

Taux d'escompte
Taux auquel la Banque du Canada accorde des prêts à court terme aux banques à charte et aux autres établissements financiers. C'est le taux de référence pour les taux préférentiels fixés par les établissements financiers.

Taux d'intérêt
Rémunération que reçoit le prêteur en contrepartie de son prêt. L'intérêt est généralement exprimé en pourcentage annuel du capital.

Taux d'intérêt nominal
Taux d'intérêt annuel stipulé dans un contrat d'émission d'obligations à coupons.

Taux d'intérêt réel
Taux d'intérêt véritable, une fois déduite l'incidence des intérêts composés. Le taux d'intérêt réel est plus élevé lorsque la fréquence des intérêts composés augmente.

Taux de rendement courant
Taux de rendement annuel que rapporterait à un épargnant un titre acheté au prix du marché. Il est égal au quotient du revenu annuel par le cours du titre. Parfois appelé rendement du capital investi (RCI).

Taux marginal d'impôt
Taux d'imposition qui s'applique à la tranche la plus élevée du revenu imposable.

Testament
Document juridique dans lequel sont données des instructions à l'exécuteur quant à la distribution des biens d'une personne décédée et au bien-être des personnes à charge. Les testaments sont assujettis à des règles provinciales rigoureuses.

Titre
Document remis à un obligataire ou à un actionnaire par la société qui a émis les obligations ou les actions. Aussi document attestant la propriété d'un bien immobilier.

Titre hypothécaire
Titre représentant une part dans un bloc de prêts hypothécaires. Le détenteur reçoit des versements mensuels de capital et d'intérêt.

Transférabilité
Caractéristique d'un prêt lui permettant de grever la nouvelle propriété, sans indemnité.

Valeur acquise
Différence entre la valeur à laquelle pourrait se vendre la propriété et le montant du prêt.

Valeur actualisée
Valeur équivalente à l'instant présent d'une somme disponible plus tard. Dans le cas d'une rente, la valeur actualisée est la valeur équivalente d'une série de paiements égaux à recevoir dans l'avenir.

Valeur au pair
Valeur nominale attribuée à une obligation ou valeur à l'échéance. Aussi appelée valeur nominale. Une action privilégiée peut aussi avoir une valeur au pair, qui indique le montant auquel chaque action privilégiée sera payée en cas de liquidation de la société.

Valeur comptable
Montant de l'actif net appartenant aux actionnaires d'une société, déterminé d'après les chiffres du bilan de cette société.

Valeur d'évaluation
Estimation de la valeur de la propriété effectuée par un évaluateur agréé aux fins de l'octroi d'un prêt. Ne pas confondre évaluation et inspection de la maison.

Valeur de l'actif net (ou liquidative)
Dans un fonds commun de placement (constitué en fiducie ou en société), valeur de l'actif net déterminée quotidiennement sur la base de la valeur marchande du portefeuille de la société, diminuée des éléments du passif.

Valeur de premier ordre
Terme désignant ordinairement les titres de participation de première qualité.

Valeur de rachat
Somme qu'un assuré peut récupérer à l'occasion de l'annulation volontaire d'une police d'assurance-vie.

Valeur estimative
Évaluation de la valeur marchande d'une propriété.

Valeur intrinsèque
Partie du prix d'une option d'achat ou d'un bon de souscription égale au montant par lequel le cours du titre dépasse le prix de levée de l'option d'achat ou le prix d'exercice du bon de souscription.

Valeur liquidative (ou nette)
Dans un fonds commun de placement (constitué en fiducie ou en société), valeur de l'actif net déterminée quotidiennement sur la base de la valeur marchande du portefeuille de la société, diminuée des éléments du passif. Aussi appelée valeur de l'actif net ou valeur nette.

Valeur liquidative par part ou par action
Quotient de la valeur liquidative d'un fonds commun de placement par le nombre de parts ou d'actions en circulation. Cette valeur représente la valeur de base d'une part ou d'une action.

Valeur nominale
Valeur d'une obligation ou d'une débenture indiquée sur le certificat et qui correspond généralement à la somme que l'émetteur s'engage à rembourser à l'échéance.

Vente à découvert
Vente de titres que l'on ne possède pas. Opération spéculative qui s'explique par l'espoir qu'a le vendeur à découvert de voir le cours des titres vendus chuter et ainsi de pouvoir les acheter à un prix inférieur, ce qui lui permettra de se couvrir et de réaliser un profit.

Versement confondu (ou mixte)
Versements uniformes composés d'une fraction de capital et des intérêts, effectués périodiquement pendant la durée de l'emprunt. La partie affectée au remboursement du capital augmente de mois en mois tandis que la partie représentant les intérêts baisse. Les versements périodiques ne changent pas durant le terme.

Zonage
Règlement municipal définissant l'usage qui peut être fait des terrains et des bâtiments dans un secteur donné.

Sites Internet

Association canadienne de
l'immeuble
www.realtors.mls.ca

Association canadienne des
constructeurs d'habitations
www.chba..ca

Association des banquiers du
Canada
www.cba.ca

Association canadienne des
compagnies d'assurances de
personnes.
www.clhia.ca

Banque CIBC
www.cibc.com

Banque de Hong-kong
www.hkbc.com

Banque de Montréal
www.bmo.com

Banque du Canada
*affaires@bank-banque-
canada.ca*

Banque Laurentienne
www.banquelaurentienne.ca

Banque Nationale
www.nbc.com

Banque Royale
www.royalbank.com

Banque Scotia
www.scotiabank.com

Banque Toronto-Dominion
www.tdbank.ca

Bourse de Montréal
www.bdm.org

Bourse de Toronto
www.tse.com

Bureau des Assurances du Canada
www.ibc.ca

Caisses populaires Desjardins
www.desjardins.com

Canada Mortgage
www.canadamortgage.com

Cannex Financial Exchanges Ltd
*www.cannex.com/canada/index
/html*

Chambre des notaires du Québec
www.cdnq.org

Commission des valeurs mobilières
du Québec
www.cvmq.com

École des hautes études
commerciales
www.hec.ca

Fédération des professions
juridiques du Canada
www.fisc.ca

Information sur les fonds (anglais)
www.fundlibrary

Informations sur les sociétés cotées en Bourse (équivalent américain de sedar)
www.sedar.com
www.edgar-online.com

Institut des fonds d'investissements du Canada
www.ific.ca

Investor Learning Center
www.investorlearning.ca

Marchés du logement canadien
www.chmos-sd-mloc.ceds.com

Ministère des Finances du Canada
www.fin.gc.ca

Mortgages Canada
www.mortgages-Canada.com

Produits Desjardins
www.disnat.com

Remax
www.remax-quebec.com

RetireWeb
www.retireweb.com

Site d'information d'affaires du Canada
www.strategis.ic.gc.ca

Site du Web financier francophone
www.webfin.com

Société canadienne d'hypothèques et de logement
www.cmhc-schl.gc.ca

Trans-Action
www.trans-action.qc.ca

Royal Lepage
www.royallepage.ca

Valeurs mobilières Desjardins
www.vmd.ca

Bibliographie

Comment investir votre argent et planifier votre retraite, Jean-Jacques Joubert, Éditions Logiques.

Guide de planification de la retraite, Danielle Lacasse et Bruce D. McCarley, Éditions Transcontinentales.

How to invest, 50 $ – 5 000 $, Nancy Duman, Harper Perennial.

La Bourse, investir avec succès, Gérard Bérubé, Éditions Transcontinentales.

Les Fonds communs de placement (Le Guide 1999), Pierre-Yves Caron, Éditions MNH.

Les Fonds mutuels vus de l'intérieur, Guy Le Blanc, COTE 100 inc.

S'enrichir en l'an 2000, Harry S. Dent, First Edition.

Un barbier riche, David Chilton, Trécarré.

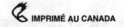
IMPRIMÉ AU CANADA